ADGN066PO

# Impuesto sobre el Valor Añadido (IVA)

EF/ADGN066PO/MAYO/26

*Anagrama «LUCHA CONTRA LA PIRATERÍA», propiedad de Unión Internacional de Escritores.*

**CONSEJO DE REDACCIÓN**
Juan José Ibáñez Ortiz
Ivan Ríos Gómez

**MAQUETACIÓN**
Esther Martínez Hernández

**ILUSTRACIÓN DE CUBIERTA**
Ignacio Velasco Marugán

© Centro de Estudios Adams. Ediciones Valbuena
C/ Narciso Serra, 14
28007 Madrid
adamsediciones@adams.es
adams.es

ISBN: 978-84-1077-862-7
Depósito legal: M-11901-2026
Editado en mayo de 2026
Imprime: Ediciones Valbuena, S.A.
Impreso en España. Printed in Spain

# PRESENTACIÓN

Comprometidos por ofrecer una propuesta formativa ajustada a las necesidades de la sociedad y del mercado de trabajo, Ediciones Valbuena presenta este manual para la Especialidad formativa de **Impuesto sobre el Valor Añadido (IVA)**, perteneciente a la Familia profesional de **Administración y gestión.**

Esta **Especialidad formativa**, con una duración asociada de 40 horas, se integra en el Catálogo de especialidades con el código ADGN066PO.

En la elaboración de los contenidos hemos pretendido garantizar la **adquisición, mejora y actualización de las competencias profesionales** requeridas en el mercado laboral, así como fomentar el **aprendizaje**.

En nuestra página web **adams.es** estarás al día de todo en cuanto a información sobre cursos, productos y servicios se refiere, además tendrás la opción de dirigirnos cualquier consulta o sugerencia a través de **adams@adams.es**

Esperando haber cumplido el objetivo propuesto, te expresamos nuestros mejores deseos de éxito.

**Ediciones Valbuena**

# Índice

# Iconos de Información

Definición

Recuerda

Ejemplo

Nota

Importante

Más información

Resumen

# UNIDAD DIDÁCTICA 1

*Normativa general del IVA*

# Contenido & Objetivos

Introducción

1. ¿Qué es el IVA?

2. Características. ¿Cómo es el IVA?

3. Campo de aplicación. ¿Dónde se aplica?

4. Hechos imponibles

5. Gestión y liquidación del impuesto

6. Autoliquidación rectificativa

7. Implantación de procesos de facturación de empresarios y profesionales

Los **objetivos** de esta unidad son:

1. Reconocer la normativa aplicable.

2. Identificar las características y elementos básicos del IVA.

3. Diferenciar el IVA del resto de impuestos en el sistema tributario.

4. Distinguir el ámbito de aplicación del impuesto.

# Introducción

En esta unidad se van a introducir varios conceptos generales con el fin de tener una primera aproximación al impuesto intentando dar respuesta a algunas preguntas, tales como:

- ¿Qué tipo de impuesto es? Su comprensión es necesaria para entender el funcionamiento del IVA.

- ¿Qué normativa le es de aplicación? Extensa y compleja.

- ¿En qué territorios se aplica? En esta unidad únicamente se hará referencia al ámbito de aplicación territorial español del impuesto (TAI), sin entrar a analizar el lugar de realización de las operaciones (que será objeto de estudio en la unidad 4).

Por último, se introducirá el hecho imponible de este impuesto, que también será objeto de estudio en la unidad 4.

# 1.  ¿Qué es el IVA?

El Impuesto sobre el Valor Añadido (en adelante IVA) es un **impuesto indirecto** que tiene como objeto imponible el consumo, y grava tres clases de operaciones (art. 1 LIVA):

a)  **Las entregas de bienes y prestaciones de servicios** (EB/PS) efectuadas por empresarios o profesionales (E/P) en el desarrollo de su actividad.

b)  **Las adquisiciones intracomunitarias de bienes** (AIB) realizadas por empresarios, profesionales (E/P) o personas jurídicas que no actúan como empresarios o profesionales (entes públicos, fundaciones y asociaciones sin ánimo de lucro, entre otros).

c)  Las **importaciones** de bienes, cualquiera que sea quien las realice, sea empresario, profesional o particular.

El **IVA está regulado fundamentalmente por las disposiciones** siguientes:

I.   La Ley 37/1992, de 28 de diciembre, del Impuesto sobre el Valor Añadido (en adelante, LIVA).

13

II.   El Reglamento del Impuesto aprobado por el Real Decreto 1624/1992, de 29 de diciembre (RIVA).

III.  Real Decreto 1619/2012, de 30 de noviembre, por el que se aprueba el Reglamento por el que se regulan las obligaciones de facturación.

IV.   Orden EHA/962/2007, de 10 de abril, por la que se desarrollan determinadas disposiciones sobre facturación telemática y conservación electrónica de facturas, contenidas en el Real Decreto 1496/2003.

V.    Las directivas y reglamentos dictados por la Unión Europea sobre la materia, y también los tratados y acuerdos internacionales suscritos por el Estado español sobre la materia.

Al respecto, hay que tener en cuenta que este impuesto está armonizado a nivel europeo (UE) a través de la Directiva 2006/112/CE, del Consejo, de 28 de noviembre de 2006, que establece un marco común obligatorio para garantizar el mercado único (si bien cada Estado miembro puede aplicar sus propios tipos impositivos).

Además, también hay que tener en cuenta los regímenes de Concierto y Convenio con los territorios forales del País Vasco y Navarra, regulados en las Leyes 12/2002 y 28/1990, respectivamente.

## 2.  Características. ¿Cómo es el IVA?

Se pueden señalar como caracteres del IVA que es un impuesto:

- **Indirecto**: se trata de un impuesto indirecto, en la medida en que grava una manifestación indirecta de la capacidad económica, como es el consumo. Jurídicamente, el IVA es un impuesto indirecto porque está previsto legalmente el mecanismo de la repercusión de la carga del impuesto al destinatario de la operación gravado por el mismo.

- **Objetivo**: no tiene en cuenta las particularidades de los sujetos pasivos del mismo.

- **Proporcional**: porque, con independencia de que la base imponible sea mayor o menor, el tipo de gravamen aplicable no aumenta con el incremento de la base imponible, sino que se aplica la misma alícuota (4, 10 o 21%, con carácter general) a la base imponible, sea cual fuere el importe de esta (a diferencia de lo que sucede, por ejemplo, en el IRPF que es un impuesto progresivo, por el cual a mayor base imponible mayor tipo de gravamen).

- **Instantáneo**: se devenga "operación por operación", con cada operación que se realiza; de ahí que este impuesto se declare por el sujeto pasivo en períodos de liquidación, mensuales o trimestrales, reflejando las operaciones realizadas durante ese mes o trimestre (no son períodos impositivos).

- **Neutro y recuperable**: para los empresarios y profesionales, sujetos pasivos del mismo, por lo que es conveniente tener claras desde un principio las líneas básicas de funcionamiento del IVA. Para ello ha de precisarse que el tributo gira alrededor de dos conceptos: el IVA soportado y el IVA devengado o repercutido.

La realización del hecho imponible del IVA por un sujeto pasivo (por ejemplo, la venta de materias primas por un empresario, la asistencia prestada por un abogado o el inmueble vendido por un promotor) conlleva la necesidad de repercutir el impuesto sobre el destinatario de la operación gravada.

Para quien realiza la operación gravada (el que "repercute" el tributo) la cuota será el IVA devengado o repercutido al destinatario, con obligación de ingresarla en el Tesoro, mientras que para el destinatario será un IVA soportado, que podrá ser deducible o no.

Si este destinatario es un consumidor final, soportará el impuesto, sin ninguna otra especialidad (por ello se dice que el consumidor final es quien realmente "soporta la carga fiscal" del impuesto).

Si el destinatario es un empresario o profesional que realiza operaciones sobre las que, a su vez, repercute el IVA, entonces podrá deducir (o restar) del IVA repercutido las cuotas de IVA que ha soportado (a través de las declaraciones-liquidaciones del impuesto, mensuales o trimestrales). En cada período de liquidación, se declara el IVA repercutido a los clientes, restando de este el soportado en las compras y adquisiciones a los proveedores, pudiendo ser el resultado de la liquidación tanto positivo como negativo.

De este modo, el impuesto lo paga finalmente el consumidor final de los bienes o servicios, pero quienes lo ingresan en el Tesoro público son los empresarios o profesionales que entregan los bienes o prestan los servicios.

Este impuesto no va a suponer un mayor ingreso ni un mayor gasto para los empresarios y profesionales, sujetos pasivos del mismo, ya que si se ha repercutido más IVA del que se ha soportado, el exceso debe ingresarse en Hacienda, y si se da el caso contrario de soportar más IVA del que se ha repercutido, ese empresario puede solicitar de Hacienda la compensación para períodos posteriores o la devolución.

- Empresario A vende a empresario B materias primas por importe de 6.000,00 €. A repercute a B una cuota de 1.260,00 € en concepto de IVA (21% de 6.000,00).

- IVA repercutido por A: 1.260,00 € (lo ingresa en el Tesoro). IVA soportado por B: 1.260,00 €.

- Seguidamente, B vende al empresario C un producto elaborado por Importe de 9.000,00 €. Se tendrá entonces: IVA repercutido por B, y soportado por C (21% sobre 9.000): 1.890,00 €.

- El empresario B (fabricante del producto) ingresará en el Tesoro la diferencia de 1.890,00 – 1.260,00 = 630 €, es decir, el IVA que repercutió menos el que soportó.

- Posteriormente, el empresario C, comerciante, vende a su cliente Z este producto por importe de 12.500 euros, repercutiendo una cuota de IVA de 2.625 €; por tanto, C deberá ingresar la diferencia entre esos 2.625 que repercute y los 1.890 que soportó en la compra del producto (735 €).

- ¿Qué ha soportado ese cliente Z? Toda la carga fiscal del impuesto. Observe que al pagar los 2.520 € al comerciante C estará pagando los IVAs de toda la cadena: 1.260 + 630 + 735 = 2.625 €. En este mecanismo radica el carácter neutral del impuesto para los E/P que intervienen.

- **Comunitario**: se trata de un **impuesto comunitario** porque, además de existir en España, existe también en el resto de países de la Unión Europea, que si bien es cierto que no tienen una regulación exactamente igual a la española, sí es muy similar ya que se trata de un tributo armonizado.

- **Estatal**: su titularidad corresponde al Estado, sin perjuicio de las competencias tributarias de las comunidades forales del País Vasco y Navarra y de la regulación armonizada de la UE. Además, **su rendimiento está cedido** a las CC AA de régimen común (actualmente el 50% del rendimiento del IVA producido en su territorio, determinado según el "índice de consumo territorial", certificado por el Instituto Nacional de Estadística, INE). Sin embargo, las Comunidades Autónomas no tienen competencias normativas, y la gestión, liquidación, recaudación e inspección, así como la revisión de los actos dictados en vía de gestión, se llevará a cabo exclusivamente por los órganos estatales que tengan atribuidas estas funciones.

- **Plural**: porque, además de contener un régimen general o común (en el que se va a centrar el estudio de esta unidad) presenta también regulaciones o regímenes especiales, como por ejemplo: el simplificado, el del recargo de equivalencia, el de la agricultura, ganadería y pesca, agencias de viajes, oro de inversión, bienes usados, objetos de arte, antigüedades y objetos de colección, el de la venta a distancia y el del grupo de entidades.

# 3. Campo de aplicación. ¿Dónde se aplica?

## 3.1. Territorio común y foral

En los casos en que un sujeto pasivo efectúe operaciones en territorio común y en los territorios del País Vasco o Navarra, habrá que estar a lo dispuesto en el Concierto Económico con la Comunidad Autónoma del País Vasco aprobado por la Ley 12/2002, de 23 de mayo, y en el Convenio Económico entre el Estado y la Comunidad Foral de Navarra aprobado por la Ley 28/1990, de 26 de diciembre.

En estos supuestos, el factor esencial a determinar es el consistente en definir en qué territorio debe proceder a tributarse por las operaciones realizadas. Existen dos supuestos posibles:

- Tributación en territorio común.

- Tributación en territorio foral.

Al efecto debemos distinguir entre **País Vasco** y **Navarra**, y para cada territorio existen tres reglas.

Para el **País Vasco** estas reglas son:

a) Cuando se hayan realizado operaciones por importe no superior a 10.000.000 de euros en el año anterior, se tributará exclusivamente en el territorio donde esté situado el domicilio fiscal, siendo indiferente donde se realicen las operaciones.

En el caso de que el sujeto pasivo cambie de domicilio fiscal a lo largo del ejercicio, tributará a la Administración en cuyo territorio esté situado el domicilio fiscal inicial hasta la fecha de cambio de domicilio, y a la Administración en cuya demarcación territorial se encuentre el nuevo domicilio a partir de la fecha de cambio de domicilio.

b) Cuando se supere la cifra de 10.000.000 de euros en el año anterior y se opere exclusivamente en un territorio, se tributará exclusivamente en el territorio en el que se opere, cualquiera que sea el lugar en el que tenga su domicilio fiscal.

c) Cuando se supere la cifra de 10.000.000 de euros en el año anterior y se opere en ambos territorios, se tributará en cada Administración Tributaria en la proporción que representen las operaciones realizadas en cada una de ellas con relación a la totalidad de las realizadas, cualquiera que sea el lugar en el que tenga su domicilio fiscal.

Una empresa domiciliada en Barcelona realizó en el año "n-1" las siguientes operaciones:

- Ha prestado servicios localizados en Bilbao por importe de 6.000.000 €.

- Ha prestado servicios localizados en territorio común por importe de 6.000.000 €.

- Volumen total operaciones: 6.000.000 + 6.000.000 = 12.000.000 €.

- 6.000.000/12.000.000 x 100 = 50% porcentaje de tributación en territorio común.

- 6.000.000/12.000.000 x 100 = 50% porcentaje de tributación en territorio foral.

Al superar su volumen de operaciones en el año "n-1" la cuantía de 10.000.000 €, en el año "n" debe presentar, en cada período de liquidación, dos autoliquidaciones: una en territorio común por el 50% de sus resultados y otra en territorio foral por el 50% restante.

Al finalizar el año deberá practicarse una regularización según los porcentajes definitivos de las operaciones realizadas en el año en curso.

Y en **Navarra**:

a) Si el volumen de **operaciones realizadas en el año anterior ha sido inferior a 10.000.000,00 €**, se tributará exclusivamente en el territorio donde esté situado el domicilio fiscal. Por consiguiente, en este supuesto no será relevante el lugar donde se hayan realizado las operaciones en cuestión.

Una empresa domiciliada en Girona ha realizado en el año "n-1" las siguientes operaciones:

- Ha prestado servicios localizados en Pamplona por importe de 500.000 €.

- Ha prestado servicios localizados en territorio común por importe de 500.000 €.

Al no superar su volumen de operaciones en el año "n-1" la cuantía de 10.000.000 de euros, esta empresa presentará en el año "n" sus autoliquidaciones del IVA, por el total de las operaciones que realice, en territorio común.

La empresa C, domiciliada fiscalmente en Tarragona, prestó el año anterior servicios desde una sucursal situada en Álava a determinadas empresas de esta provincia, por importe de 1.200.000,00 €. En el resto del territorio común, prestó servicios desde su sede de Tarragona y sus sucursales de Valencia y Santander, por importe de 900.000,00 €.

Dado que el volumen de operaciones no ha superado la cuantía de 10.000.000,00 €, tributará exclusivamente en la delegación de la Administración Tributaria de su domicilio fiscal, es decir, Tarragona.

b) Si el volumen de **operaciones realizadas en el año anterior ha sido superior a 10.000.000,00 € y ha operado exclusivamente en uno de esos territorios**, se tributará exclusivamente en el territorio donde haya operado con independencia de donde esté situado el domicilio fiscal.

La misma empresa C, domiciliada fiscalmente en Tarragona, prestó el año anterior servicios desde una sucursal situada en Álava, a determinadas empresas de esta provincia, por importe de 10.200.000,00 €. En el resto del territorio común, no prestó servicios.

Dado que el volumen de operaciones ha superado la cuantía de 10.000.000,00 €, tributará exclusivamente en la de la Administración Tributaria de Álava, con independencia de la Administración Tributaria de su domicilio fiscal, es decir, Tarragona.

c) Si el volumen de **operaciones realizadas en el año anterior ha sido superior a 10.000.000,00 € y ha operado en ambos territorios, común y foral,** tributará en cada una de las Haciendas (la estatal y la foral) en la proporción que representen las operaciones efectuadas en cada uno de los territorios respecto de la totalidad realizadas.

La misma entidad del ejemplo anterior prestó servicios localizados en Álava por importe de 3.050.000,00 €, en Navarra por importe de 3.550.000,00 € y en el resto del territorio común por cuantía de 3.600.000,00 €.

En este caso se produce una tributación tanto a las Haciendas forales como a la estatal. Dado que el volumen de facturación alcanzó los 10.200.000,00 €, se hará:

- 3.600.000/10.200.000,00 x 100 = 35%, que es el porcentaje de tributación del territorio común.

- 3.050.000/10.200.000,00 x 100 = 30%, que es el porcentaje de tributación que corresponde a la Hacienda foral alavesa.

- 3.550.000/10.200.000,00 x 100 = 35%, que es el porcentaje correspondiente a la Hacienda navarra.

Los porcentajes indicados se aplicarán sobre el resultado de la liquidación.

Una empresa domiciliada en Tarragona realizó en el año "n-1" las siguientes operaciones:

- Ha prestado servicios localizados en Pamplona por importe de 5.125.000 €.

- Ha prestado servicios localizados en territorio común por importe de 5.000.000 €.

- Total operaciones: 5.000.000 + 5.125.000 = 10.125.000 €.

- 5.000.000/10.000.000 x 100 = 51% porcentaje de tributación en territorio común.

- 5.125.000/10.000.000 x 100 = 49% porcentaje de tributación en territorio foral.

Al superar su volumen de operaciones en el año "n-1" la cuantía de 10.000.000 €, en el año "n" debe presentar, en cada período de liquidación, dos autoliquidaciones: una en territorio común por el 49% de sus resultados y otra en territorio foral por el 51% restante.

Al finalizar el año deberá practicarse una regularización según los porcentajes definitivos de las operaciones realizadas en el año en curso.

## 3.2. Ámbito de aplicación espacial

El ámbito de aplicación espacial del IVA se conoce como "Territorio de Aplicación del Impuesto" (en adelante TAI) y se extiende al territorio peninsular, las Islas Baleares, al mar territorial con el límite de 12 millas náuticas y al espacio aéreo situado encima de esos territorios.

Por lo tanto, se pone de manifiesto que quedan fuera del TAI las Ciudades Autónomas de Ceuta y Melilla, y la Comunidad Autónoma de Canarias, que a efectos del IVA no pertenecen ni a España ni a la Unión Europea.

 En Ceuta y Melilla el impuesto de referencia aplicable es el IPSI (Impuesto sobre la Producción, los Servicios y la Importación), mientras que en Canarias se aplica el IGIC (Impuesto General Indirecto Canario).

# 4. Hechos imponibles

## 4.1. ¿Qué se grava con este impuesto?

Estarán sujetas al impuesto las entregas de bienes y prestaciones de servicios realizadas en el ámbito espacial del impuesto por empresarios o profesionales a título oneroso, con carácter habitual u ocasional, en el desarrollo de su actividad empresarial o profesional, incluso si se efectúan en favor de los propios socios, asociados, miembros o partícipes de las entidades que las realicen.

Por tanto, si desagregamos los elementos de esta definición, es necesario que concurran las siguientes características:

a) Que se trate de una entrega de bienes (EB) o de una prestación de servicios (PS) realizada a título oneroso. Se asimilan a las entregas de bienes o prestaciones de servicios a título oneroso ciertas operaciones de autoconsumo de bienes o de servicios que se realizan sin contraprestación.

b) Que sea realizada por un empresario o profesional (E/P).

c) Que sea realizada en el desarrollo de una actividad empresarial o profesional.

d) Que la operación sea realizada en el ámbito espacial de aplicación del impuesto.

e) Que la operación no aparezca entre los supuestos de no sujeción previstos en la Ley, es decir, que no se trate de una operación no sujeta.

21

Se entenderán realizadas en el desarrollo de una actividad empresarial o profesional:

a)  Las entregas de bienes y prestaciones de servicios efectuadas por las sociedades mercantiles, cuando tengan la condición de empresario o profesional.

b)  Las transmisiones o cesiones de uso a terceros de la totalidad o parte de cualesquiera de los bienes o derechos que integren el patrimonio empresarial o profesional de los sujetos pasivos, incluso las efectuadas con ocasión del cese en el ejercicio de las actividades económicas que determinan la sujeción al Impuesto

c)  Los servicios desarrollados por los Registradores de la Propiedad en su condición de liquidadores titulares de una Oficina Liquidadora de Distrito Hipotecario.

La Ley del impuesto define qué debe entenderse por entrega de bienes y ofrece un concepto residual de prestación de servicios. Asimismo, considera como asimiladas a las entregas de bienes o prestaciones de servicios a título oneroso ciertas operaciones efectuadas sin contraprestación.

- **Entrega de bienes**

  Como regla general, se entiende por entrega de bienes la transmisión del poder de disposición sobre bienes corporales, es decir, la transmisión del poder de disponer de los bienes con las facultades atribuidas a su propietario. Tienen la condición de bienes corporales, a estos efectos, el gas, el calor, el frío, la energía eléctrica y demás modalidades de energía.

- **Prestaciones de servicios**

  Define las prestaciones de servicios como toda operación sujeta al impuesto que no tenga la consideración de entrega, adquisición intracomunitaria o importación.

## 4.2. Delimitación en la aplicación con el ITP

El IVA grava el consumo a través de las entregas de bienes y las prestaciones de servicios. Este hecho provoca que pudiera entrar en conflicto con el Impuesto sobre Transmisiones Patrimoniales y Actos Jurídicos Documentados. Por ello, es necesaria la delimitación del ámbito de aplicación de cada uno.

 Se aplica el IVA cuando quien transmite es empresario o profesional y se aplica el concepto "Transmisiones Patrimoniales Onerosas" cuando quien transmite es un particular.

 Un coche de segunda mano comprado a un concesionario estará sujeto y no exento del IVA, que debe repercutir el concesionario al comprador.

Por el contrario, si la compra se efectúa a un particular, el impuesto que debe pagar el adquirente es el Impuesto sobre Transmisiones Patrimoniales y Actos Jurídicos Documentados.

Una **diferencia** fundamental entre **ambos impuestos** es la posibilidad de deducción del IVA cuando lo soporta un empresario. En tanto que las cantidades pagadas por el concepto "Transmisiones Patrimoniales Onerosas" constituyen un coste para el empresario, el IVA no lo es, puesto que puede ser objeto de deducción en la autoliquidación correspondiente.

Como **regla general** se produce la **incompatibilidad** de ambos impuestos de manera que, en principio, las operaciones realizadas por empresarios y profesionales en el ejercicio de su actividad empresarial o profesional no estarán sujetas al concepto "Transmisiones Patrimoniales Onerosas" del Impuesto sobre Transmisiones Patrimoniales y Actos Jurídicos Documentados, sino al IVA.

Las **excepciones** a esta regla general son las operaciones que, siendo realizadas por empresarios o profesionales, están sujetas al concepto de "Transmisiones Patrimoniales Onerosas" del Impuesto sobre Transmisiones Patrimoniales y Actos Jurídicos Documentados. Así:

- **Operaciones realizadas por empresarios o profesionales sujetas y exentas de IVA**: las entregas, arrendamientos, constitución o transmisión de derechos reales de goce o disfrute sobre bienes inmuebles, salvo que se renuncie a la exención en el IVA.

- **Operaciones realizadas por empresarios o profesionales no sujetas al IVA**: las entregas de inmuebles que estén incluidos en la transmisión de un conjunto de elementos corporales y, en su caso, incorporales que, formando parte del patrimonio empresarial o profesional, constituyan una unidad económica autónoma en el transmitente, capaz de desarrollar una actividad empresarial o profesional por sus propios medios.

# 5. Gestión y liquidación del impuesto

## 5.1. Introducción

Los períodos de liquidación del IVA pueden ser **trimestrales** o **mensuales**.

Con carácter general los sujetos pasivos presentan declaraciones-liquidaciones trimestrales, salvo los siguientes, que las presentan con **periodicidad mensual**:

- Los sujetos pasivos inscritos en el registro de exportadores y otros operadores económicos.

- Los sujetos pasivos que tienen la condición de grandes empresas por haber alcanzado el año anterior un volumen de operaciones superior a 6.010.121,04 €.

- Los sujetos pasivos acogidos al régimen especial del grupo de entidades.

 A lo anterior debe añadirse que no tienen obligación de presentar declaración los sujetos pasivos que realizan exclusivamente las operaciones exentas del IVA, en las cuales no existe, por su propia definición, repercusión del tributo.

## 5.2. Gestión del impuesto en las importaciones

En las importaciones de bienes el impuesto se liquidará en la forma prevista por la legislación aduanera para los derechos arancelarios o, en su caso, por el artículo 167 bis de LIVA.

La recaudación e ingreso de las cuotas del impuesto a la importación se efectuará en la forma que se determine reglamentariamente, donde se podrán establecer los requisitos exigibles a los sujetos pasivos, para que puedan incluir dichas cuotas en la declaración-liquidación correspondiente al período en que reciban el documento en el que conste la liquidación practicada por la Administración.

Cuando los empresarios o profesionales que realicen las operaciones a que se refiere el Título IX, Capítulo XI, Sección 4.ª de LIVA, no opten por la aplicación del régimen especial previsto en esa sección, la persona que presente los bienes en la Aduana por cuenta del importador en el territorio de aplicación del impuesto podrá optar por una modalidad especial para la declaración y el pago del impuesto sobre el valor añadido correspondiente a la importación de los bienes en que concurran los siguientes requisitos:

a) Que el valor intrínseco del envío no supere los 150 euros.

b) Que se trate de bienes que no sean objeto de impuestos especiales.

c) Que el destino final de la expedición o transporte de los bienes sea el territorio de aplicación del impuesto.

En el supuesto de que se opte por la modalidad especial de declaración y pago, se aplicarán las siguientes disposiciones:

a) El destinatario de los bienes importados estará obligado al pago del impuesto sobre el valor añadido.

b) La persona que presente los bienes para su despacho ante la Aduana recaudará el impuesto sobre el valor añadido que recaiga sobre su importación del destinatario de los bienes importados y efectuará el pago del impuesto sobre el valor añadido recaudado.

A estos efectos, no será necesaria autorización expresa por parte del destinatario de los bienes importados para la utilización de la citada modalidad especial de declaración y pago.

No obstante lo dispuesto en el artículo 91 de LIVA, será de aplicación el tipo impositivo general del impuesto a las importaciones de bienes que se declaren utilizando la modalidad especial de declaración y pago prevista en el artículo 167 bis.

La persona que presente los bienes para su despacho ante la Aduana deberá tomar las medidas necesarias para garantizar que el destinatario de los bienes importados pague el impuesto sobre el valor añadido correspondiente a la importación.

Los empresarios o profesionales que utilicen la modalidad especial de declaración y pago, deberán presentar por vía electrónica una declaración mensual con el importe total del impuesto sobre el valor añadido recaudado correspondiente a las importaciones realizadas durante dicho mes natural al amparo de las mismas.

A estos efectos, se presumirá que el impuesto sobre el valor añadido correspondiente a los bienes importados ha sido recaudado, salvo en los supuestos de reexpedición, destrucción o abandono.

El importe del impuesto sobre el valor añadido correspondiente a cada declaración mensual se podrá pagar hasta el día 16 del segundo mes siguiente al mes de importación.

Los empresarios o profesionales deberán llevar un registro de las operaciones incluidas en la declaración presentada con arreglo a la modalidad especial de declaración y pago durante el plazo de 4 años.

## 5.3. Gestión del impuesto en operaciones realizadas por interfaz digital

Cuando un empresario o profesional, actuando como tal, utilizando una interfaz digital como un mercado en línea, una plataforma, un portal u otros medios similares, facilite la entrega de bienes o la prestación de servicios a personas que no sean empresarios o profesionales, actuando como tales, y no tenga la condición de sujeto pasivo respecto de dichas entregas de bienes o prestaciones de servicios, tendrá la obligación de llevar un registro de dichas operaciones.

El registro será lo suficientemente detallado como para permitir a la Administración tributaria comprobar si el impuesto se ha declarado correctamente y su contenido deberá incluir:

a) El nombre, la dirección postal y electrónica o el sitio web del proveedor cuyas entregas o prestaciones se faciliten a través de la utilización de la interfaz electrónica, y si están disponibles:

— El número de identificación a efectos del Impuesto sobre el Valor Añadido o el número nacional de identificación fiscal del proveedor.

— El número de la cuenta bancaria o el número de la cuenta virtual del proveedor.

b) Una descripción de los bienes, su valor, el lugar de llegada de la expedición o transporte, junto con el momento de la entrega y, si se encuentran disponibles, el número de pedido o el número único de transacción.

c) Una descripción de los servicios, su valor, información para determinar el lugar y el momento de la prestación y, si se encuentran disponibles, el número de pedido o el número único de transacción.

El registro mencionado deberá estar por vía electrónica, previa solicitud, a disposición de los Estados miembros interesados.

El registro se mantendrá por un período de diez años a partir del final del año en que se haya realizado la operación.

## 5.4.  Modelos de declaración

Cada sujeto pasivo debe presentar un único modelo de declaración, aunque sean varias las actividades que desarrolle. Esta **presentación** es **obligatoria**, incluso en los períodos en los que no se hayan realizado operaciones.

En concreto, existen los siguientes **modelos básicos de declaración**:

- **Modelo 303**

    Es el modelo de "Autoliquidación":

    ⇨  Hay que incluir la base del IVA soportado.

    ⇨  Hay que incluir las facturas recibidas con IVA cero.

    ⇨  Hay que desglosar el IVA soportado entre operaciones corrientes y adquisición de bienes de inversión.

    La presentación del nuevo modelo 303 de autoliquidación será obligatoria por vía telemática a través de Internet todos los contribuyentes.

Si el resultado de la declaración fuera negativo, se podrá compensar con la autoliquidación a ingresar del período siguiente o bien habrá que esperar a la presentación del Modelo 303 del 4T para solicitar la devolución.

- **Modelo 360**

    "Solicitud de devolución de empresarios o profesionales establecidos en el territorio de aplicación del Impuesto correspondientes a cuotas soportadas por operaciones efectuadas en la Unión Europea excepción de las realizadas en dicho territorio, y solicitud de devolución de empresarios o profesionales no establecidos en el territorio de aplicación del Impuesto pero establecidos en la Unión Europea, Islas Canarias, Ceuta o Melilla."

Las correspondientes al mes de julio pueden presentarse hasta el 20 de septiembre.

Las correspondiente al último período se presentará del 1 al 30 de enero o siguiente día hábil.

- **Modelo 361**

    "Solicitudes de devolución de empresarios o profesionales no establecidos en el territorio de aplicación del impuesto ni en la Unión Europea, Islas Canarias, Ceuta o Melilla".

## 5.5. Plazos de presentación

Las **declaraciones mensuales** deben presentarse del día 1 al 20 del mes siguiente al término del período de liquidación o siguiente día hábil (si el día 20 cae en sábado, domingo o festivo), si bien:

- En el caso de **declaraciones trimestrales**, se presentan en el curso de los primeros veinte días naturales de los meses de abril, julio y octubre o siguiente día hábil. La del último trimestre se presentará del 1 al 30 de enero o siguiente día hábil.

- En el caso de la **declaración anual** se presentará conjuntamente con la del último período si es mensual o del último trimestre si es trimestral, del 1 al 30 de enero o siguiente día hábil.

Las **declaraciones no periódicas** se presentan, por su propia naturaleza, solo en aquellos períodos en los que se hayan realizado las correspondientes operaciones, de acuerdo con los mismos plazos que los indicados para las liquidaciones trimestrales. No obstante, cuando se trate de una adquisición de un medio de transporte nuevo, el plazo será de 30 días desde la operación y, en cualquier caso, antes de su matriculación definitiva. En el caso de entrega del medio de transporte, el plazo será de 30 días desde la entrega.

El **modelo 360** para empresarios o profesionales establecidos en el territorio de aplicación del Impuesto correspondientes a cuotas soportadas por operaciones efectuadas en la Unión Europea excepción de las realizadas en dicho territorio debe presentarse el día siguiente al final del período de devolución hasta el día 30 de septiembre siguiente al año natural en el que se hayan soportado las cuotas a que se refiera.

El modelo 360 para empresarios o profesionales no establecidos en el territorio de aplicación del Impuesto, pero establecidos en la Unión Europea, Islas Canarias, Ceuta o Melilla debe presentarse el día siguiente al final de cada trimestre natural o de cada año natural hasta el día 30 de septiembre siguiente al año natural en el que se hayan soportado las cuotas a que se refiera.

El **modelo 361** debe presentarse el día siguiente al final de cada trimestre natural o de cada año natural hasta el día 30 de septiembre siguiente al año natural en el que se hayan soportado las cuotas a que se refiera.

Existen otros modelos de IVA, como son:

- **Modelo 364**. Impuesto sobre el Valor Añadido. Solicitud de reembolso de las cuotas tributarias soportadas relativas a la Organización del Tratado del Atlántico Norte, a los Cuarteles Generales Internacionales de dicha Organización y a los Estados parte en dicho Tratado.

- **Modelo 365**. Impuesto sobre el Valor Añadido. Solicitud de reconocimiento previo de las exenciones relativas a la Organización del Tratado del Atlántico Norte, a los Cuarteles Generales Internacionales de dicha Organización y a los Estados parte en dicho Tratado.

## 5.6. Suministro Inmediato de Información (SII)

Los empresarios o profesionales y otros sujetos pasivos del Impuesto sobre el Valor Añadido deberán llevar, con carácter general, los siguientes Libros registros:

a)  Libro registro de facturas expedidas.

b)  Libro registro de facturas recibidas.

c)  Libro registro de bienes de inversión.

d)  Libro registro de determinadas operaciones intracomunitarias.

Los libros registro citados anteriormente deberán llevarse a través de la Sede electrónica de la Agencia Estatal de Administración Tributaria, mediante el suministro electrónico de los registros de facturación , por los empresarios o profesionales y otros sujetos pasivos del Impuesto (a los que se refiere el artículo 62.6 RIVA):

- Grandes empresas (aquellas cuya facturación sea superior a 6.010.121,04 euros).

- Grupos de IVA.

- Inscritos en el REDEME (Registro de Devolución mensual de IVA).

El **Suministro Inmediato de Información (SII)** entró en vigor el 1 de julio de 2017.

Podrán acogerse de forma voluntaria quienes ejerzan la opción a través de la correspondiente declaración censal. En este caso, su periodo de declaración será mensual.

La opción se deberá ejercer optando en cualquier momento en la declaración censal, surtiendo efecto para el primer periodo de liquidación que se inicie después de que se hubiera ejercicio dicha opción.

La opción se entenderá prorrogada para los años siguientes en tanto no se produzca la renuncia a la misma.

La renuncia a la opción deberá ejercitarse mediante comunicación al órgano competente de la Agencia Estatal de Administración Tributaria, mediante la presentación de la correspondiente declaración censal y se deberá formular en el mes de noviembre anterior al inicio del año natural en el que deba surtir efecto.

El suministro electrónico de los registros de facturación se realizará a través de la Sede Electrónica de la AEAT mediante un servicio web.

La **información que se debe suministrar** será:

- **Facturas emitidas**: las entidades incluidas en el SII, además de la información prevista para los Libros registro tradicionales, incluirán:

  ⇨ Tipo de factura: completa o simplificada, facturas expedidas por terceros y recibos del régimen especial de agricultura, ganadería y pesca, entre otros.

  ⇨ Identificación de la factura (obligatorio).

  ⇨ Datos Periodo (obligatorio): ejercicio y periodo en que se produce el devengo de las operaciones.

  ⇨ Datos contraparte (obligatorio): NIF del cliente español u otro tipo de identificación cuando se trata de extranjeros (NIF-IVA, pasaporte, documento oficial de identificación expedido por el pais de residencia, certificado de residencia, otro documento probatorio).

  ⇨ Fecha operación (obligatorio si no coincide con la fecha de expedición):fecha en que se entrega el bien o presta el servicio.

  ⇨ Importe total (opcional): importe global de la factura en euros.

  ⇨ Base imponible a coste.

  ⇨ Clave de régimen especial (obligatorio): 01 a 14.

  ⇨ Clave de régimen especial adicional 1: campo obligatorio si la factura comprende operaciones con distinta clave.

  ⇨ Clave de régimen especial adicional 2: campo obligatorio si la factura comprende operaciones con distinta clave.

  ⇨ Desglose factura (obligatorio): sujeta / no exenta, sujeta / exenta, no sujeta.

  ⇨ Base imponible (obligatorio): base imponible que consta en la factura. Desglose en función de los distintos tipos aplicados.

  ⇨ Tipo impositivo (obligatorio): tipo/s impositivo/s aplicado/s.

⇨ Cuota repercutida (obligatorio): cuota repercutida que consta en la factura. Desglose en función de los distintos tipos aplicados.

⇨ Identificación de rectificación registral.

⇨ Descripción de la operación.

⇨ Facturas rectificativas: identificación como tales, referencia de la factura rectificada o las especificaciones que se modifican.

⇨ Facturas sustitutivas: referencia de las facturas sustituidas o las especificaciones que se sustituyen.

⇨ Facturación por destinatario.

⇨ Inversión del sujeto pasivo.

⇨ Regímenes especiales (agencias de viaje, REBU, RECC, grupo de entidades, oro de inversión).

⇨ Período de liquidación de las operaciones.

⇨ Indicación de operación no sujeta/exenta.

⇨ Acuerdo AEAT de facturación en su caso.

⇨ Otra información con trascendencia tributaria determinada a través de orden ministerial.

• **Facturas recibidas**: las entidades incluidas en el SII, además de la información prevista para los Libros registro tradicionales, incluirán:

⇨ Número y serie de la factura (en sustitución del número de recepción).

⇨ Identificación de rectificación registral.

⇨ Descripción de la operación.

⇨ Facturación por destinatario.

⇨ Inversión del sujeto pasivo.

⇨ Regímenes especiales (agencias de viaje, REBU, RECC, grupo de entidades).

⇨ Cuota tributaria deducible del período de liquidación.

⇨ Período de liquidación en el que se registran las operaciones.

⇨ Fecha contable y número de documento aduanero (DUA) en el caso de importaciones.

⇨ Datos Periodo (obligatorio): ejercicio y periodo en que la factura resulta deducible (con independencia de que se ejercite el derecho a la deducción).

⇨ Identificación del emisor: NIF del proveedor o prestador del servicio.

⇨ Número de factura del emisor: número que figura en la factura.

⇨ Fecha de expedición: fecha de emisión de factura.

⇨ Fecha operación (obligatorio si no coincide con la fecha de expedición):fecha en que se entrega el bien o presta el servicio.

⇨ Importe total (opcional): importe total de la factura en euros.

⇨ Clave de régimen especial (obligatorio).

⇨ Clave de régimen especial adicional 1: campo obligatorio si la factura comprende operaciones con distinta clave.

⇨ Clave de régimen especial adicional 2: campo obligatorio si la factura comprende operaciones con distinta clave.

⇨ Base imponible (obligatorio): base imponible que consta en la factura. Desglose en función de los distintos tipos aplicados.

⇨ Tipo impositivo (obligatorio): tipo/s impositivo/s aplicado/s.

⇨ Cuota soportada (obligatorio): cuota soportada que consta en la factura. Desglose en función de los distintos tipos aplicados.

⇨ Cuota deducible (obligatorio): coincide con la cuota soportada si se cumplen los requisitos para la deducción previstos en los artículos 92 a 97 de la Ley 37/1992. En el caso de que aplique prorrata deberá consignar la cuota deducible en función del porcentaje de deducción provisional.

⇨ IVA deducible en período posterior (opcional): Si va a deducir la cuota soportada en un período posterior al de registro, marque "S", a efectos de cuadrar el IVA deducible registrado con el que consigne en la autoliquidación del período de la deducción. Puede además consignar el periodo y ejercicio previsto para la deducción. Si desconoce estos datos y desea consignarlos posteriormente, puede hacerlo mediante una modificación registral A1.

⇨ Bien de inversión (opcional): Si se trata de la adquisición de un bien de inversión, marque "S".

Los **plazos de remisión de la información** serán los siguientes:

• **Facturas emitidas**: en el plazo de cuatro días naturales desde la expedición de la factura, salvo que se trate de facturas expedidas por el destinatario o por un tercero, en cuyo caso, dicho plazo será de ocho días naturales. En ambos supuestos el suministro deberá realizarse antes del día 16 del mes siguiente a aquel en que se hubiera producido el devengo del impuesto.

- **Facturas recibidas**: en el plazo de cuatro días naturales desde la fecha en que se produzca el registro contable de la factura o del documento en el que conste la cuota liquidada por las aduanas cuando se trate de importaciones y, en todo caso, antes del día 16 del mes siguiente al período de liquidación en que se hayan incluido las operaciones.

- **Bienes de inversión**: la totalidad de los registros se remitirán dentro del plazo de presentación del último período de liquidación.

- **Determinadas operaciones intracomunitarias**: en el plazo de cuatro días naturales desde el momento de inicio de la expedición o transporte, o en su caso, desde el momento de la recepción de los bienes.

  La información de las operaciones a que se refiere el artículo 66.1, número 3.º, RIVA, antes del día 16 del mes siguiente a la fecha de llegada de los bienes al almacén, de la puesta a disposición del adquirente o de la operación que deba registrarse.

Los sujetos pasivos que hayan comenzado a llevar los Libros registro del Impuesto sobre el Valor Añadido a través de la sede electrónica de la Agencia Tributaria desde una fecha diferente al primer día del año natural, quedarán obligados a remitir los registros de facturación del periodo anterior a dicha fecha correspondientes al mismo año natural.

# 6. Autoliquidación rectificativa

La disposición final tercera del Real Decreto 117/2024, de 30 de enero, incorpora al Reglamento del Impuesto sobre el Valor Añadido, un nuevo artículo 74 bis que introduce la autoliquidación rectificativa como la vía general para rectificar, completar o modificar la autoliquidación presentada con anterioridad.

No obstante lo dispuesto en el párrafo anterior, cuando el motivo de la rectificación del obligado tributario sea exclusivamente la alegación razonada de una eventual vulneración por la norma aplicada en la autoliquidación previa de los preceptos de otra norma de rango superior legal, constitucional, de Derecho de la Unión Europea o de un Tratado o Convenio internacional se podrá instar la rectificación a través del procedimiento previsto en el artículo 120.3 de la Ley 58/2003, de 17 de diciembre, General Tributaria, y desarrollado en los artículos 126 a 128 del Reglamento General de las actuaciones y los procedimientos de gestión e inspección tributaria y de desarrollo de las normas comunes de los procedimientos de aplicación de los tributos, aprobado por Real Decreto 1065/2007, de 27 de julio. Si este motivo concurriese con otros de distinta naturaleza, por estos últimos el obligado tributario deberá presentar una autoliquidación rectificativa.

Es decir, en el caso de rectificaciones fundadas en la eventual vulneración por la norma aplicada en la autoliquidación previa de los preceptos de otra norma de rango superior, el sujeto pasivo podrá optar entre presentar una autoliquidación rectificativa o bien una solicitud de rectificación de autoliquidación. Si bien ambos procedimientos permiten la rectificación para estos supuestos, solo el segundo permitirá la presentación de documentación justificativa del motivo de la rectificación.

No se aplicará a:

a)  Las rectificaciones de cuotas indebidamente repercutidas a otros obligados tributarios a las que se refiere el artículo 129 del Reglamento General de las actuaciones y los procedimientos de gestión e inspección tributaria y de desarrollo de las normas comunes de los procedimientos de aplicación de los tributos, aprobado por el Real Decreto 1065/2007, de 27 de julio.

b)  Las modificaciones de cuotas correspondientes a operaciones acogidas a los regímenes especiales regulados en el capítulo XI del título IX de la Ley del Impuesto.

La autoliquidación rectificativa de una autoliquidación previa se podrá presentar antes de que haya prescrito el derecho de la Administración para determinar la deuda tributaria mediante liquidación o el derecho a solicitar la devolución que, en su caso, proceda. Cuando se presente fuera del plazo de declaración tendrá el carácter de extemporánea.

La efectiva aplicación de la autoliquidación rectificativa requiere la aprobación de la orden ministerial que apruebe los correspondientes modelos de declaración. En el ámbito del IVA, el nuevo modelo adaptado a la figura de la autoliquidación rectificativa, ha sido aprobado por la Orden HAC/819/2024, de 30 de julio, que entró en vigor el 1 de octubre. De este modo, la efectiva aplicación del nuevo régimen se produjo para los modelos 303 correspondientes al mes de septiembre de 2024 (en autoliquidaciones mensuales), o al tercer trimestre de 2024 (trimestrales).

En la autoliquidación rectificativa constará expresamente esta circunstancia y la obligación tributaria y período a que se refiere, así como la totalidad de los datos que deban ser declarados y otros que puedan establecerse en la Orden Ministerial reguladora del modelo de declaración aprobada por la persona titular del Ministerio de Hacienda, como los motivos de rectificación. A estos efectos, se incorporarán los datos incluidos en la autoliquidación presentada con anterioridad que no sean objeto de modificación, los que sean objeto de modificación y los de nueva inclusión.

Por tanto, la autoliquidación rectificativa podrá rectificar, completar o modificar la autoliquidación presentada con anterioridad. En particular:

a)  Cuando de la rectificación efectuada resulte un importe a ingresar superior al de la autoliquidación anterior o una cantidad a devolver o a compensar inferior a la anteriormente autoliquidada, se aplicará el régimen previsto para las autoliquidaciones complementarias en el artículo 122.2 de la Ley 58/2003, de 17 de diciembre, General Tributaria, y su normativa de desarrollo.

b) En los casos no contemplados en la letra anterior, cuando del cálculo efectuado en la autoliquidación rectificativa resulte una cantidad a devolver, con la presentación de la autoliquidación rectificativa se entenderá solicitada la devolución, que se tramitará conforme al régimen del procedimiento previsto en los artículos 124 a 127 de la Ley 58/2003, de 17 de diciembre, General Tributaria, y su normativa de desarrollo, sin perjuicio de la obligación de abono de intereses de demora conforme a lo establecido en el apartado 3 del artículo 120 de dicha Ley.

El plazo para efectuar la devolución será de seis meses contados desde la finalización del plazo reglamentario para la presentación de la autoliquidación o, si éste hubiese concluido, desde la presentación de la autoliquidación rectificativa.

Si con la presentación de la autoliquidación previa se hubiera solicitado una devolución y ésta no se hubiera efectuado al tiempo de presentar la autoliquidación rectificativa, con la presentación de esta última se considerará finalizado el procedimiento iniciado mediante la presentación de la autoliquidación previa.

c) Cuando de la rectificación efectuada resulte una minoración del importe a ingresar de la autoliquidación previa y no proceda una cantidad a devolver, se mantendrá la obligación de pago hasta el límite del importe a ingresar resultante de la autoliquidación rectificativa.

Si la deuda resultante de la autoliquidación previa estuviera aplazada o fraccionada, con la presentación de la autoliquidación rectificativa se entenderá solicitada la modificación en las condiciones del aplazamiento o fraccionamiento conforme a lo previsto en el segundo párrafo del apartado 3 del artículo 52 del Reglamento General de Recaudación, aprobado por Real Decreto 939/2005, de 29 de julio.

La autoliquidación rectificativa no producirá efectos respecto a aquellos elementos que hayan sido regularizados mediante liquidación definitiva o provisional en los términos a que se refieren los apartados 2 y 3 del artículo 126 del Reglamento General de las actuaciones y los procedimientos de gestión e inspección tributaria y de desarrollo de las normas comunes de los procedimientos de aplicación de los tributos, aprobado por el Real Decreto 1065/2007, de 27 de julio, respectivamente.

La autoliquidación rectificativa implica la introducción de las siguientes **modificaciones en el modelo 303**:

• **Casilla 108**. Esta casilla tiene por objeto permitir la declaración de operaciones que eventualmente no pudieran incluirse en las restantes casillas del modelo. La cumplimentación de esta casilla solo podrá llevarse a cabo en caso de autoliquidación rectificativa por discrepancia de criterio administrativo.

**Motivos de rectificación**. Se incorporan al modelo dos motivos de rectificación:

⇨ Rectificaciones (excepto incluidas en el motivo siguiente). Incluye todos los motivos de rectificación distintos de la discrepancia de criterio administrativo, también la rectificación por eventual vulneración de una norma de rango superior.

⇨ Discrepancia criterio administrativo. Incluye los supuestos en que, no existiendo vulneración de norma de rango superior, existe discrepancia en la interpretación de la misma.

- **Casilla 111**. Tiene por objeto reflejar la parte del resultado **negativo** de una autoliquidación rectificativa que corresponde al resultado positivo de la autoliquidación rectificada esté ingresado o no. Solo puede tener contenido si la casilla 71 es negativa y además tiene contenido la casilla 70.

Las autoliquidaciones rectificativas no permitirán la presentación de documentación ni efectuar alegaciones en el propio modelo.

## 7. Implantación de procesos de facturación de empresarios y profesionales

El Real Decreto 1007/2023, de 5 de diciembre, por el que se aprueba el reglamento que establece los requisitos que deben adoptar los sistemas y programas informáticos o electrónicos que soporten los procesos de facturación de empresarios y profesionales, y la estandarización de formatos de los registros de facturación, y mediante Real Decreto 254/2025, de 1 de abril, queda modificado en los siguientes términos:

- Los obligados tributarios a que se refiere el artículo 3.1.a) de dicho reglamento tendrán adaptados los sistemas informáticos a las características y requisitos que se establecen en el citado reglamento y en su normativa de desarrollo antes del 1 de enero de 2026. El resto de obligados tributarios mencionados en el artículo 3.1 deberán tener operativos los sistemas informáticos adaptados a las características y requisitos que se establecen en el citado reglamento y en su normativa de desarrollo antes del 1 de julio de 2026.

- Los obligados tributarios a que se refiere el artículo 3.2 de dicho reglamento, en relación con sus actividades de producción y comercialización de los sistemas informáticos, deberán ofrecer sus productos adaptados totalmente al reglamento en el plazo máximo de nueve meses desde la entrada en vigor de la orden ministerial a que se refiere la disposición final tercera de este real decreto. No obstante, en relación con sistemas informáticos incluidos en los contratos de mantenimiento de carácter plurianual contratados antes de este último plazo, deberán estar adaptados al contenido del reglamento con anterioridad a las fechas indicadas en el párrafo anterior.

- En el plazo máximo de nueve meses desde la entrada en vigor de la orden ministerial a que se refiere la disposición final tercera de este real decreto estará disponible en la sede de la Agencia Estatal de Administración Tributaria el servicio para la recepción de los registros de facturación remitidos por los Sistemas de emisión de facturas verificables.

Para dar cumplimiento a esta nueva obligación tributaria formal se reguló en el art. 29.2.j) de la Ley 58/2003, de 17 de diciembre, General Tributaria, en la redacción dada por la Ley 11/2021, de 9 de julio: «La obligación, por parte de los productores, comercializadores y usuarios, de que los sistemas y programas informáticos o electrónicos que soporten los procesos contables, de facturación o de gestión de quienes desarrollen actividades económicas, garanticen la integridad, conservación, accesibilidad, legibilidad, trazabilidad e inalterabilidad de los registros, sin interpolaciones, omisiones o alteraciones de las que no quede la debida anotación en los sistemas mismos», cuyo desarrollo reglamentario se realizó por el Real Decreto 1007/2023, de 5 de diciembre, por el que se aprueba el reglamento que establece los requisitos que deben adoptar los sistemas y programas informáticos o electrónicos que soporten los procesos de facturación de empresarios y profesionales, y la estandarización de formatos de los registros de facturación, que, además, supone un impulso decidido para la modernización de la dotación digital del tejido empresarial con especial incidencia en las pymes, microempresas y autónomos, reforzando la obligación de emitir factura y facilitando, a la vez que una mejora en el cumplimiento tributario, y en la lucha contra el fraude fiscal.

Así, se establecían en el texto reglamentario los requisitos que deben cumplir los sistemas informáticos de facturación utilizados por empresarios y profesionales en el ejercicio de su actividad, con el propósito de garantizar la integridad, conservación, accesibilidad, legibilidad, trazabilidad e inalterabilidad de los registros de facturación. De esta forma se persigue alinear tales sistemas informáticos con la normativa tributaria para asegurar que toda transacción comercial genere una factura y una anotación en el sistema informático del contribuyente y para impedir la ulterior alteración de tales anotaciones, permitiendo, en su caso, la simultánea o posterior remisión de la información de estos a la Administración tributaria, de forma automática y segura por medios electrónicos. Por último, el Real Decreto 1007/2023, de 5 de diciembre, modificó el reglamento por el que se regulan las obligaciones de facturación, aprobado por el Real Decreto 1619/2012, de 30 de noviembre, para adaptar su contenido a la nueva regulación establecida en el mismo.

Mediante Consulta Vinculante V0329-24 se ha determinado que las cajas registradoras tendrán la consideración de sistemas informáticos de facturación, al ser considerado sistema informático de facturación al conjunto de hardware y software utilizado para expedir facturas mediante la realización de las siguientes acciones:

a)  Admitir la entrada de información de facturación por cualquier método.

b) Conservar la información de facturación, ya sea mediante su almacenamiento en el propio sistema informático de facturación o mediante su salida al exterior del mismo en un soporte físico de cualquier tipo y naturaleza o a través de la remisión telemática a otro sistema informático, sea o no de facturación.

c) Procesar la información de facturación mediante cualquier procedimiento para producir otros resultados derivados, independientemente de dónde se realice este proceso, pudiendo ser en el propio sistema informático de facturación o en otro sistema informático previa remisión de la información al mismo por cualquier vía directa o indirecta.

Conforme con lo anterior, en tanto en cuanto las cajas registradoras cumplan con los requisitos establecidos, se considerarán a efectos del Reglamento sistemas informáticos de facturación.

Explica la tributación de las siguientes operaciones en la imposición indirecta indicando a qué impuesto queda sujeta la operación, si están exentas y quién es el sujeto pasivo:

- Un pensionista alquila un local de negocio del que es propietario.

- Un agricultor vende un terreno rústico que dedicaba a la explotación agraria.

- Un promotor inmobiliario vende un piso nuevo y acude con el comprador al notario para escriturar la operación de compraventa.

**SOLUCIÓN:**

- El pensionista es sujeto pasivo del IVA (artículo 5 LIVA) porque realiza el arrendamiento de un bien con la intención de obtener ingresos continuados en el tiempo. Es una operación sujeta a IVA y no exenta. El sujeto pasivo del IVA será el arrendador que tendrá que cumplir con las obligaciones formales del IVA (darse de alta en el censo de empresarios y profesionales, emitir factura, presentar declaraciones modelo 303 de IVA y llevar libro de facturas emitidas y recibidas).

- El agricultor es sujeto pasivo del IVA y vende un elemento afecto a la actividad. Es una operación sujeta a IVA pero exenta que pasa a tributar por TPO de acuerdo con lo previsto en el artículo 4 y 20.Uno.20 LIVA.

.../...

.../...

- El promotor inmobiliario realiza una operación sujeta a IVA y no exenta por ser primera transmisión.

- La escritura de compraventa está sujeta al Impuesto sobre Actos Jurídicos Documentados, documentos notariales, tributando por la cuota fija y la variable al ser compatible el IVA y el IAJD.

En esta unidad hemos visto:

1. Hemos conocido las características generales del IVA, así como su normativa de regulación básica.

2. Hemos presentando el ámbito de aplicación territorial, que como veremos a lo largo del curso plantea dudas sobre si la operación está sujeta al IVA o no, en función del lugar de realización de la misma.

3. Hemos conocido los modelos de autoliquidación, cuyos conceptos iremos desarrollando a lo largo del curso.

4. Hemos presentado el SII, un sistema de información inmediata, obligatorio para empresas que cumplen determinados requisitos, y voluntario para el resto.

# UNIDAD DIDÁCTICA 2

*La base imponible, deducciones y devoluciones*

# Contenido & Objetivos

Introducción

1. Base imponible
2. Tipos impositivos
3. Deducciones (supuestos de deducción y supuestos de no deducción)
4. Regla de prorrata
5. Régimen de deducciones en sectores diferenciados de la actividad
6. Deducciones anteriores al inicio de las operaciones
7. Devoluciones

Los **objetivos** de esta unidad son:

1. Diferenciar para los sujetos pasivos del IVA los regímenes que les son aplicables.
2. Definir las variables y factores de cálculo en cada régimen.
3. Comparar la tributación del régimen especial con la general.

# Introducción

En esta unidad se estudia el proceso de cálculo del impuesto. Comenzaremos por determinar la base imponible, sin tener en consideración los supuestos de exención o no sujeción (que serán objeto de estudio en la unidad 4).

A continuación, se estudian los tipos impositivos que se deben aplicar a cada base imponible en función del bien o servicio que grava. Seguidamente, se analizará si el IVA soportado en las operaciones es deducible y qué cantidad se puede deducir. En relación con ello, estudiaremos la regla de prorrata y el régimen de deducciones en sectores diferenciados de la actividad del sujeto pasivo.

Finalmente se hará referencia al proceso de devolución del impuesto y los distintos supuestos de devolución existentes.

# 1. Base imponible

## 1.1. Conceptos incluidos en la base imponible

La base imponible del IVA está constituida por el **por el importe total de la contra-prestación** de las operaciones sujetas al mismo procedente del destinatario o de terceras personas. De forma específica, dentro de la base imponible deben incluirse los siguientes conceptos, según detalla el art. 78 de la LIVA:

1. Los gastos por comisiones, transportes, seguros, primas por prestaciones anticipadas y, en general, cualquier otro crédito o cantidad que deba satisfacerse a quien realice la entrega o preste el servicio. No se incluyen los intereses por aplazamiento en el pago del precio cuando se cumplan los siguientes requisitos:

   ⇨ Que correspondan a un período posterior a la entrega de los bienes o la prestación de los servicios.

   ⇨ Que sean retribuciones de las operaciones financieras de aplazamiento o demora en el pago del precio, exentas del impuesto.

   ⇨ Que consten separadamente en la factura expedida por el sujeto pasivo.

   ⇨ Que no excedan del usualmente aplicado en el mercado.

Se adquiere una máquina por 100.500 € que se recibe el día 15 de septiembre 20XX.

Los pagos a realizar son:

- Junio: 28.000 en concepto de anticipo y 840 € de intereses.

- Octubre: 42.000 y 1.260 € de intereses.

- Noviembre: 30.500 y 915 € de intereses.

La base imponible será:

- Junio: 28.840, incluirá los intereses debido a que se han generado con anterioridad al devengo.

- Octubre: 72.500 (42.000 que se pagan en octubre más el tercer pago que se realizará en noviembre por 30.500 euros), al realizar la entrega se devenga el IVA de los pagos pendientes.

- Los intereses no forman parte de la base imponible debido a que han devengado con posterioridad a la entrega del bien.

Una empresa burgalesa compra mercancías de espárragos a una empresa navarra por 6.800,00 €, teniendo que pagar además al proveedor 200,00 € por gasto de transporte hasta Burgos más 39,00 € en concepto de seguro del transporte de la mercancía. En consecuencia, la base imponible será:

Precio del bien + transporte + seguro = 7.039 €.

El IVA deberá repercutirse, necesariamente, sobre la citada base.

En consecuencia, el seguro del transporte queda integrado en la base imponible de la operación.

Es habitual que en el contrato de arrendamiento de un local de negocio, sujeto y no exento a IVA, se incluya como renta conceptos o gastos que a priori asume el arrendador, como serían los gastos de comunidad, suministros o el Impuesto sobre Bienes Inmuebles, entre otros.

En estos caso, formará parte de la base imponible debido a que se incluyen en el concepto de la contraprestación.

2. Las subvenciones que se vinculan directamente al precio de las operaciones, considerándose como tales las que se conceden en función del número de unidades entregadas o del volumen de servicios prestados cuando se determinen con anterioridad a la realización de la operación. En realidad, tales subvenciones son las que permiten que el precio de venta al consumidor final pueda ser más reducido, lo que en principio acortaría también la base imponible. Para evitarlo, la LIVA exige que el sujeto pasivo calcule el IVA a repercutir sumando tanto el importe satisfecho por el cliente como la subvención percibida.

No obstante, no se considerarán subvenciones vinculadas al precio ni integran en ningún caso el importe de la contraprestación de la base imponible, las aportaciones dinerarias, sea cual sea su denominación, que las Administraciones Públicas realicen para financiar:

a) La gestión de servicios públicos o de fomento de la cultura en los que no exista una distorsión significativa de la competencia, sea cual sea su forma de gestión.

b) Actividades de interés general cuando sus destinatarios no sean identificables y no satisfagan contraprestación alguna.

Una empresa de transporte de viajeros recibe dos subvenciones:

- Subvención vinculada al precio: 1,25 € por cada viajero transportado.

- Subvención vinculada a la adqusición de un activo fijo, en este caso, el autobús: 20.000 €.

El precio del viaje que debería pagar el pasajero es de 8,75 €.

La primera subvención se incluye en la base imponible al ir directamente asociada al precio del billete.

| Precio del viaje | 8,75 € |
|---|---|
| Subvención asociada al viaje | 1,25 € |
| **Total base imponible** | **10,00 €** |
| IVA 10% x 10 | 1,00 € |
| Precio del billete | 8,75 € |
| IVA | 1,00 € |
| **Total a pagar por el usuario** | **9,75 €** |

La segunda subvención no se incluye en el cálculo anterior debido a que no está vinculada directamente al precio de las operaciones.

45

 Una empresa recibe una subvención que le permite vender su producto a 12,02 € la unidad. La cuantía de la subvención es de 1,80 € por unidad. En consecuencia la base imponible será:

Precio del bien + subvención = 13,82 €.

El IVA deberá repercutirse, necesariamente, sobre la citada base.

3. Los tributos y gravámenes que recaigan sobre las operaciones. Esta mención incluye expresamente los impuestos especiales, con excepción del impuesto especial sobre determinados medios de transporte.

 La misma empresa burgalesa anterior compra orujo a una empresa gallega por 9.000,00 €, teniendo además que pagar por el impuesto especial de bebidas alcohólicas la cantidad de 450,00 €.

En consecuencia la base imponible será:

Precio del bien + impuesto especial = 9.450,00 €.

El IVA deberá repercutirse, necesariamente, sobre la citada base.

Una empresa madrileña compra una máquina refrigeradora de Japón por 5.600,00 €, teniendo además que pagar por impuestos de aduanas la cantidad de 199,00 €. En consecuencia la base imponible será:

Precio del bien + impuesto aduanas = 5.799,00 €.

El IVA deberá repercutirse, necesariamente, sobre la citada base.

4. Las percepciones retenidas con arreglo a Derecho por quien estaba obligado a realizar las operaciones (es decir, quien debía realizar la entrega del bien o la prestación del servicio), cuando se produce una resolución de las citadas operaciones

El supuesto hace referencia al posible acuerdo al que suelen llegar las partes en determinados contratos que permiten al vendedor retener las cuantías que, en su caso, pudiera haber satisfecho el comprador, cuando finalmente la operación no se consuma. En estos supuestos, el vendedor (aunque la operación puede no haber concluido según lo inicialmente pactado) debe repercutir IVA sobre las cantidades que, satisfechas por el comprador, no han de ser devueltas a este y pueden, por tanto, quedar retenidas.

5. El importe de los envases y de los embalajes también forma parte de la base imponible del IVA.

 La empresa FRUCER, S. A. adquiere 1.000 botellas de vino, siendo el precio de la bebida de 7,00 €/cada botella y el precio del envase de 0,50 €/cada uno. En este caso la base imponible sería:

Precio del bien + importe envases = 7.500 €.

6. Finalmente, también deben computarse, en su caso, las deudas asumidas por el destinatario de las operaciones como contraprestación total o parcial de las mismas.

 La empresa CER S. A. debe satisfacer a su proveedor un importe de 24.000,00 €. Adicionalmente, se hará también cargo de unas deudas que este tiene pendiente con una entidad financiera por importe de 6.000,00 €.

En tal supuesto, la base imponible sumará un total de 30.000,00 €.

Asimismo, debe tenerse en cuenta que no forman parte de la base imponible:

1. Las cantidades percibidas por razón de indemnizaciones distintas de las indicadas anteriormente, cuando no constituyan contraprestación.

2. Los descuentos y bonificaciones cuando se concedan previa o simultáneamente al momento en que la operación se realice.

3. Tampoco debe repercutirse IVA sobre los suplidos, es decir, las cantidades pagadas en nombre y por cuenta del cliente en virtud de mandato expreso del mismo.

En los "suplidos", la cantidad percibida por el mediador debe coincidir exactamente con el importe del gasto en que ha incurrido su cliente. Cualquier diferencia debería ser interpretada en el sentido de que no se trata de un auténtico "suplido".

Una empresa vende bienes por importe de 40.000,00 € a un cliente cacereño, realizándole en factura un descuento del 10% por cliente VIP. En consecuencia la base imponible será:

Precio del bien – descuento cliente VIP = 36.000 €.

Una gestoría realiza un pago de un cliente por importe de 40,00 € como consecuencia de la solicitud de unos certificados que necesitaba para unas gestiones del mismo, pidiendo la factura a nombre del cliente. Al pasarle la factura de ese mes le incluye aparte de los 120,00 €/mensuales pactados los 40,00 € por los gastos suplidos. En consecuencia la base imponible será:

Precio del bien, sin incluir los gastos suplidos = 120,00 €.

Finalmente, debe tenerse en cuenta que si no se repercute expresa y separadamente el IVA en la factura o documento equivalente, se entiende que la contraprestación no ha incluido este impuesto. Esta regla solo dejará de aplicarse en los supuestos en que la repercusión expresa no sea obligatoria (por ejemplo, cuando se pueda expedir una factura simplificada (anteriormente ticket) o en los supuestos de percepciones retenidas con arreglo a derecho en el caso de resolución de las operaciones.

## 1.2. Reglas especiales de determinación de la base imponible

Existen determinados supuestos en los que deben destacarse las siguientes circunstancias:

- **Si la contraprestación no consiste en dinero**, se toma como base imponible el importe, expresado en dinero, que se hubiera acordado entre las partes.

Se transmite parte de una empresa que no constituye una unidad económica autónoma por 1.800.000 €.

El patrimonio transmitido consta de:

- Un local comercial cuyo valor de mercado es 1.200.000 €.

- Vehículos industriales valorados a precio de mercado en 360.000 €.

- Existencias valoradas a precio de mercado en 240.000 €.

.../...

.../...

Valor de mercado de la totalidad del patrimonio transmitido:

1.200.000 + 360.000 + 240.000 = 1.800.000 €

La base imponible correspondiente a cada bien será:

- Del local comercial = (1.200.000 ÷ 1.800.000) x 1.800.000 = 1.200.000,00 €

- De los vehículos industriales = (360.000 ÷ 1.800.000) x 1.800.000 = 360.000,00 €

- De las existencias = (240.000 ÷ 1.800.000) x 1.800.000 = 240.000,00 €

Total: 1.800.000,00 €

(\*) La transmisión del local comercial estará exenta si es segunda entrega, salvo renuncia.

En el supuesto de que la contraprestación consistiera parcialmente en dinero, se considerará base imponible el resultado de añadir al importe, expresado en dinero, acordado entre las partes, por la parte no dineraria de la contraprestación, el importe de la parte dineraria de la misma, siempre que dicho resultado fuere superior al determinado por aplicación de lo dispuesto anteriormente.

En una operación en la que se intercambian solares por pisos a edificar sobre los mismos, se está ante una permuta. Habitualmente, quien entrega los solares es un particular, por lo que no existe repercusión de IVA por su parte. Sin embargo, quien entrega los pisos sí será un empresario o profesional, que tomará como base imponible lo que está pagando por el solar que recibe, es decir, el precio de mercado de los pisos que se entreguen.

Adicionalmente, debe tenerse en cuenta que, dado que los pisos no están aún construidos, la entrega del solar supone un pago anticipado, por lo que el empresario que los recibe debe repercutir el IVA.

- **Si en una misma operación y por precio único se entregan bienes o se prestan servicios de distinta naturaleza, incluso en los supuestos de transmisión de la totalidad o parte de un patrimonio empresarial,** (lo cual es trascendente, por ejemplo, si deben aplicarse tipos impositivos diferentes) la base de cada uno de ellos se determinará en proporción al valor de mercado de los bienes entregados o servicios prestados.

• No será aplicable esta regla cuando los bienes o servicios constituyan el objeto de prestaciones accesorias de otra principal sujeta al impuesto.

Un empresario de alimentación transmite, por 6.000,00 €, productos a los que les corresponde un tipo del 10% y otros a los que les corresponde el 4%. El valor de mercado de los primeros es de 3.600,00 € y el de los segundos de 3.300,00 €.

Base imponible de los primeros: 3.600/(3.600 + 3.300), multiplicando esta fracción por los 6.000 €, nos da 3.130,43 €.

Base imponible de los segundos: se multiplican los 6.000 € por la fracción correspondiente a 3.300/(3.600 + 3.300), es decir, 2.869,57 €.

• **En los supuestos de autoconsumo y de transferencia de bienes** comprendidos en el artículo 9, números 1.º y 3.º LIVA, se considerará lo siguiente:

a) Si los bienes se entregan en el mismo Estado en que han sido adquiridos (es decir, no han experimentado transformación alguna), la base será la misma que se aplicó cuando se adquirieron.

Se adquieren, por 18.000,00 €, diferentes productos para ser puestos a la venta.

El empresario destina a su consumo particular algunos de los bienes anteriores, cuyo valor fue de 1.500,00 €. Esta operación es un autoconsumo gravado por el impuesto, y la base imponible serán los 1.500,00 € de coste de los bienes autoconsumidos.

b) Si ha existido algún tipo de transformación, la base será el coste de los bienes o servicios utilizados para obtener los bienes autoconsumidos, incluyendo los gastos de personal.

Se adquieren 10 armarios por 20.000,00 €, para ser puestos a la venta.

El empresario destina a un empleado suyo durante cinco días para que barnice y decore dichos armarios, lo que le ha supuesto un coste de 1.200,00 € por todos los conceptos. Posteriormente destina a su uso particular uno de esos armarios. Esta operación es un autoconsumo gravado por el impuesto, y la base imponible serán los 2.000 € de coste de cada uno de los armarios más los costes por la modificación, que, en cuantía unitaria, son 120,00 €, por lo tanto, la base imponible del armario "autoconsumido" será de 2.120,00 €.

c) Si el valor de los bienes autoconsumidos ha experimentado alguna modificación como consecuencia de su utilización, deterioro, obsolescencia, envilecimiento o revalorización, se toma como base imponible el valor de los bienes en el momento en que tenga lugar el autoconsumo.

Un empresario destina a su uso particular una mesa de juntas de su negocio que adquirió hace 3 años por 6.000 € y que había amortizado hasta ese momento en 2.000,00 €. En este caso la base imponible será:

Precio de adquisición – amortizaciones practicadas = 4.000,00 €.

- **En el supuesto de autoconsumo de servicios**, la base será el coste de prestación de los servicios, incluyendo la amortización, en su caso, de los bienes cedidos.

- **Cuando exista vinculación entre las partes que intervengan en una operación**, su base imponible será su valor normal de mercado. Se entenderá por valor normal de mercado aquel que, para adquirir los bienes o servicios en cuestión en ese mismo momento, un destinatario, en la misma fase de comercialización en la que se efectúe la entrega de bienes o prestación de servicios, debería pagar en el territorio de aplicación del Impuesto en condiciones de libre competencia a un proveedor independiente.

La vinculación podrá probarse por cualquiera de los medios admitidos en derecho. Se considerará que existe vinculación en los siguientes supuestos:

⇨ En el caso de que una de las partes intervinientes sea un sujeto pasivo del Impuesto sobre Sociedades, o un contribuyente del IRPF o del IRNR.

⇨ En las operaciones realizadas entre los sujetos pasivos y las personas ligadas a ellos por relaciones de carácter laboral o administrativo.

⇨ En las operaciones realizadas entre el sujeto pasivo y su cónyuge o sus parientes consanguíneos hasta el tercer grado inclusive.

⇨ En las operaciones realizadas entre una entidad sin fines lucrativos a las que se refiere el artículo 2 de la Ley 49/2002, de 23 de diciembre y sus fundadores, asociados, patronos, representantes estatutarios, miembros de los órganos de gobierno, los cónyuges o parientes hasta el tercer grado inclusive de cualquiera de ellos.

⇨ En las operaciones realizadas entre una entidad que sea empresario o profesional y cualquiera de sus socios, asociados, miembros o partícipes.

 Se entiende por valor normal de mercado el que se pagaría en el TAI en condiciones de libre competencia a un proveedor independiente por los mismos bienes y servicios. Si no existe entrega de bienes o prestación de servicios comparable, se entiende por valor de mercado:

▶ Para las entregas de bienes: el precio de adquisición de dichos bienes o de otros similares o un importe superior o, en su defecto, el precio de coste en el momento de la entrega.

▶ Para las prestaciones de servicios: la suma de los costes que le suponga al empresario o profesional la prestación.

• **En el supuesto de transmisión de bienes del comitente al comisionista,** cuando este actúa en nombre propio, caben dos posibilidades:

⇨ Comisión de venta: la base es la contraprestación convenida por el comisionista, menos la comisión.

⇨ Comisión de compra: la base es la contraprestación convenida por el comisionista, más la comisión.

Si la contraprestación se ha fijado en moneda extranjera, se aplica el tipo de cambio vendedor fijado por el Banco de España vigente en el momento del devengo.

## 1.3. Modificación de la base imponible

### 1.3.1. Introducción

De acuerdo con el artículo 80 de la LIVA, la base imponible puede modificarse:

1. Por devolución de los envases y los embalajes que se hayan facturado.

 Un empresario vendió mercancías por 5.000,00 € y envases con facultad de devolución por importe de 700,00 €. En este caso la base imponible será: 5.700,00 €.

Posteriormente el cliente le devuelve la totalidad de los envases.

Si bien inicialmente la base imponible estaba formada por el valor de las mercancías más el valor de los envases, en total 5.700,00 €, al serle devueltos estos últimos, habrá que modificar la base imponible que finalmente quedará en 5.000,00 €.

 La venta de leche en botellas de cristal susceptibles de reutilización supone el gravamen por la contraprestación total. Posteriormente, en el momento en que sean devueltas las botellas, debe modificarse la base imponible.

2. Por concesión de descuentos y bonificaciones posteriores a la operación, siempre que sean debidamente justificados.

 Es habitual que entre empresas se concedan descuentos especiales en función del volumen de compras realizadas en un año, que se denominan rappels.

Los rappels dan lugar a la reducción de la base imponible.

 Un empresario vende a crédito mercancías por 8.000,00 €. Posteriormente, hizo a su cliente un descuento del 10% del valor de las mercancías por volumen de pedido. En este caso la base imponible será:

Valor de las mercancías - 10% descuento = 7.200,00 €.

3. Por el hecho de que la propia operación haya quedado sin efecto por resolución judicial o administrativa, o con arreglo al Derecho o a los usos del comercio o, en su caso, se haya alterado el precio.

Cuando en el arrendamiento de un local se incluyen en la factura los gastos de comunidad estimados, el IVA se devenga en base a dichos importes provisionales. Una vez se conozcan los importes reales, será necesario emitir una factura rectificativa, aplicando el tipo impositivo vigente en el momento en que se produjo el devengo. El arrendador deberá declarar la cuota resultante en el periodo en el que se emita dicha rectificación.

Cuando se devuelven mercancías debido a defectos de calidad, la operación se considera anulada, por lo que debe corregirse la base imponible correspondiente.

Un empresario que realiza una primera entrega de un edificio comercial a otro empresario por valor de 90.000,00 €, de forma ilegal ya que el inmueble no era suyo, y posteriormente se decreta nula la venta por resolución judicial como consecuencia de mala fe y engaño del vendedor al comprador.

4. Cuando el destinatario de las operaciones (el cliente, en definitiva) no haya pagado las cuotas repercutidas.

Siempre que, con posterioridad al devengo de la operación, se dicte auto de declaración de concurso. La modificación, en su caso, no podrá efectuarse después de transcurrido el plazo de dos meses contados a partir del fin del plazo máximo fijado en la Ley Concursal.

Así, cuando, después del devengo, se dicte auto de declaración de concurso del destinatario de la operación, la modificación no puede realizarse después de transcurrido el plazo de tres meses desde el día siguiente a la publicación del auto de declaración de concurso en el "Boletín Oficial del Estado" o en el Registro público concursal, previsto en el artículo 692 bis del texto refundido de la Ley Concursal (hay que tener en cuenta que este plazo deja sin efecto el de dos meses del artículo 80.Tres de la LIVA).

Solo cuando se acuerde la conclusión del concurso por las causas de la Ley Concursal, el acreedor deberá modificar la base imponible nuevamente al alza, mediante la emisión de factura rectificativa en la que se repercuta la cuota procedente.

 Un empresario entra en situación de concurso de acreedores, publicándose el auto de declaración de concurso en el BOE del 15 de enero de 202x. Uno de sus proveedores desea recuperar el IVA repercutido e ingresado de los pagos pendientes de cobro ¿Cuándo podrá modificar la base imponible?

El proveedor podrá modificar la base imponible en el plazo de 3 meses contados desde la publicación del Auto de declaración de concurso en el BOE, es decir, hasta el 15 de abril de 202x.

5. Cuando los créditos correspondientes a las cuotas repercutidas sean total o parcialmente incobrables, considerándose como tales aquellos que reúnan las siguientes características

a) Que haya transcurrido un año desde el devengo sin que se haya realizado el cobro de todo o parte del crédito derivado del mismo. Cuando se trate de operaciones a plazos o con precio aplazado, deberá haber transcurrido un año desde el vencimiento del plazo o plazos impagados a fin de proceder a la reducción proporcional de la base imponible.

No obstante, será un año o seis meses el plazo establecido para la consideración de un crédito como total o parcialmente incobrable, para los sujetos pasivos cuyo volumen de operaciones no hubiera excedido durante el año natural inmediato anterior de 6.010.121,04 €.

En el caso de operaciones a las que sea de aplicación el régimen especial del criterio de caja esta condición se entenderá cumplida en la fecha de devengo del impuesto que se produzca por aplicación de la fecha límite del 31 de diciembre.

b) Que esta circunstancia se anote en los Libros registro.

c) Que el destinatario de la operación actúe en la condición de empresario o profesional, o, en otro caso, que la base imponible de aquella, IVA excluido, sea superior a 50,00 €.

d) Que el sujeto pasivo haya instado su cobro mediante reclamación judicial al deudor o por medio de requerimiento notarial al mismo, o por cualquier otro medio que acredite fehacientemente la reclamación del cobro a aquel, incluso cuando se trate de créditos afianzados por Entes públicos.

Cuando se trate de las operaciones a plazos, resultará suficiente instar el cobro de uno de ellos mediante cualquiera de los medios del párrafo anterior para proceder a la modificación de la base imponible en la proporción que corresponda por el plazo o plazos impagados.

Cuando se trate de créditos adeudados por Entes públicos, los medios a los que se refiere el párrafo primero se sustituirán por una certificación expedida por el órgano competente del Ente público deudor de acuerdo con el informe del Interventor o Tesorero de aquel en el que conste el reconocimiento de la obligación a cargo del mismo y su cuantía.

e) La modificación debe hacerse en el plazo de seis meses a contar desde la finalización del plazo de seis meses o un año, y debe comunicarse a la Administración. En el caso de operaciones a la que sea de aplicación el régimen especial del criterio de caja, el plazo de seis meses se computará a partir de la fecha límite del 31 de diciembre.

En los casos de auto de declaración de concurso y créditos incobrables se aplican unas reglas comunes. Así, no procederá la modificación de la base imponible en estos casos:

⇨ Créditos que disfruten de garantía real, en la parte garantizada.

⇨ Créditos afianzados por entidades de crédito o sociedades de garantía recíproca o cubiertos por un contrato de seguro de crédito o de caución, en la parte afianzada o asegurada.

⇨ Créditos entre personas o entidades vinculadas.

⇨ Créditos adeudados o afianzados por Entes públicos, salvo que se trate de créditos que tengan la condición de incobrables siempre que se aporte el certificado del órgano competente del ente público en el que se reconozca el impago. Cuando se solicite el certificado del órgano competente, acorde con el informe del Interventor o Tesorero, se entenderá que el plazo para la reducción de la base imponible queda interrumpido hasta que se disponga del mismo (consulta vinculante DGT V0615-11).

Tampoco procederá la modificación de la base imponible cuando el destinatario de las operaciones no esté establecido en el territorio de aplicación del impuesto, ni en Canarias, Ceuta o Melilla.

No obstante, en el supuesto de concurso declarado en procedimientos concursales que se desarrollen por un órgano jurisdiccional de otro Estado miembro a los que resulte de aplicación el Reglamento (UE) 2015/848, se permitirá la minoración de la base imponible cuando el destinatario esté establecido en otro Estado miembro (consulta vinculante DGT V3346-20).

Tampoco procederá la modificación de la base imponible de acuerdo con el artículo 80. Cuatro de la LIVA (por créditos incobrables) con posterioridad al auto de declaración de concurso para los créditos correspondientes a cuotas repercutidas por operaciones cuyo devengo se produzca con anterioridad a dicho auto.

Además, la modificación de la base imponible queda condicionada, en estos supuestos de auto de declaración de concurso de acreedores y créditos incobrables, al cumplimiento de unos requisitos:

⇨ El sujeto pasivo debe acreditar que ha remitido la correspondiente factura rectificativa al destinatario.

⇨ Las operaciones deben haber sido facturadas y contabilizadas por el acreedor en tiempo y forma.

⇨ La modificación debe comunicarse a la Administración tributaria. Esta obligación de comunicar las modificaciones de bases imponibles, tanto para el acreedor como para el deudor, deberá realizarse por medios electrónicos (en un formulario específico disponible en la Sede electrónica de la AEAT).

La comunicación del acreedor debe realizarse en el plazo de un mes desde la fecha de expedición de la factura rectificativa, y deberá hacer constar que la misma no se refiere a créditos garantizados, afianzados o asegurados, a créditos entre personas o entidades vinculadas, ni a operaciones cuyo destinatario no está establecido en el territorio de aplicación del Impuesto ni en Canarias, Ceuta o Melilla, en los términos previstos en el artículo 80 de la LIVA y, en el supuesto de créditos incobrables, que el deudor no ha sido declarado en concurso o, en su caso, que la factura rectificativa expedida es anterior a la fecha del auto de declaración del concurso.

Una vez practicada la reducción de la base imponible, no volverá a modificarse al alza aunque se obtenga el cobro total o parcial, salvo en los siguientes casos:

⇨ Cuando el sujeto pasivo desista de la reclamación judicial al deudor o llegue a un acuerdo de cobro con el deudor con posterioridad al requerimiento notarial.

⇨ Cuando el destinatario no actúe en la condición de empresario o profesional, y si este no ha satisfecho la deuda se entenderá que el IVA está incluido en las cantidades percibidas y en la misma proporción que la parte de contraprestación percibida.

⇨ Cuando se acuerde la conclusión del concurso en los siguientes casos:

▶ Una vez firme el auto de la Audiencia Provincial que revoque en apelación el auto de declaración de concurso.

▶ En cualquier estado del procedimiento, cuando se produzca o se comprueben el pago o la consignación de la totalidad de los créditos reconocidos o la íntegra satisfacción de los acreedores por cualquier otro medio.

▶ En cualquier estado del procedimiento, una vez terminada la fase común del concurso, cuando quede firme la resolución que acepte el desistimiento o la renuncia de la totalidad de los acreedores reconocidos.

Un empresario que vendió en febrero, a una empresa privada mercancías, pendiente de cobro, por 10.000,00 €,, repercutiendo una cuota de IVA al 21% de 2.100,00 €, ha reclamado judicialmente el pago de esa operación ante el incumplimiento del cliente. En este caso, sí puede modificar su base imponible, reduciéndola en 10.000 € y lo propio con la cuota de IVA repercutido.

El mismo supuesto que el anterior, pero suponiendo que la venta se la realizó a un Ayuntamiento. En este caso, no puede modificar su base imponible, porque en nuestra legislación no se prevé que una Administración Pública pueda quebrar o declararse insolvente.

6. Procedimiento concursal especial para microempresas.

La Ley 16/2022, de 5 de septiembre, introdujo un procedimiento especial para microempresas en la Ley Concursal, para facilitar la resolución de las insolvencias en pequeñas empresas. Este nuevo procedimiento busca ser una solución única tanto para situaciones de insolvencia actual o inminente, como para situaciones preconcursales (cuando la insolvencia es probable) y se aplica de manera obligatoria a todos los deudores que sean considerados microempresas.

A efectos concursales, por microempresas (o micropymes) se entienden aquellas empresas que hayan empleado durante el año anterior a la solicitud de inicio del procedimiento especial una media de menos de diez trabajadores y tengan un volumen de negocio anual inferior a setecientos mil euros o un pasivo inferior a trescientos cincuenta mil euros (según las últimas cuentas cerradas en el ejercicio anterior a la presentación de la solicitud).

El artículo 80.Tres de la LIVA se refiere al concurso de acreedores, y la Ley Concursal regula este procedimiento. No obstante, este artículo 80.Tres no menciona específicamente el procedimiento especial para microempresas introducido por la Ley 16/2022, lo que podría llevar a la interpretación de que la modificación de la base imponible del IVA no se aplicaría en los casos de microempresas que se someten al procedimiento especial.

A fin de evitar esta distorsión derivada de la interpretación estricta y literal de la Ley, la consulta vinculante de Tributos V0080/2025, de 3 de febrero (sobre una entidad mercantil que tiene una deuda pendiente de cobro de un cliente, quien ha notificado el inicio de un procedimiento especial para microempresas), siguiendo un criterio teleológico (considerando los fines y la finalidad de la norma), concluye que debe permitirse la modificación de la base imponible del IVA para las microempresas que se acojan al procedimiento especial único de insolvencia.

Como este procedimiento especial se inicia con un "auto de apertura", la consulta de Tributos interpreta que la referencia al "auto de declaración de concurso" en el artículo 80.Tres LIVA debe considerarse, para microempresas, como aplicable al "auto de apertura" del procedimiento especial, ya que ambos "autos" (resoluciones de ordenación dictadas por el Juez del concurso) sirven como acto formal de inicio de los procedimientos de insolvencia.

En relación al plazo, una vez reconocida la procedencia de la modificación de la base imponible, en este procedimiento especial también resultará de aplicación el de tres meses: **"la modificación de la base imponible no podrá hacerse después de tres meses desde la publicación de dicho auto de apertura en el registro"**, como se dispone en la Ley Concursal para la modificación en casos de concurso.

## 1.3.2. Procedimiento de modificación de base

Además del cumplimiento de los plazos temporales indicados, el interesado a modificar la base imponible deberá seguir el siguiente procedimiento si la causa de la modificación deriva de auto judicial de declaración de concurso del destinatario de las operaciones sujetas al impuesto, así como en los demás casos en que los créditos correspondientes a las cuotas repercutidas sean total o parcialmente incobrables:

- Las operaciones cuya base imponible se pretenda rectificar deberán haber sido facturadas y anotadas en el Libro registro de facturas expedidas por el acreedor en tiempo y forma.

- El acreedor tendrá que comunicar por vía electrónica a través del formulario disponible a tal efecto en la Sede Electrónica de la AEAT, en el plazo de un mes contado desde la fecha de expedición de la factura rectificativa, la modificación de la base imponible practicada, y hará constar que dicha modificación no se refiere a créditos garantizados, afianzados o asegurados, a créditos entre personas o entidades vinculadas, ni a operaciones cuyo destinatario no está establecido en el territorio de aplicación del impuesto ni en Canarias, Ceuta o Melilla, salvo cuando se trate de destinatarios no establecidos en dicho territorio pero incursos en un procedimiento de insolvencia al que resulte de aplicación el Reglamento (UE) 2015/848 del Parlamento Europeo y del Consejo, de 20 de mayo de 2015, sobre procedimientos de insolvencia, en los términos previstos en el artículo 80 de la Ley del Impuesto y, en el supuesto de créditos incobrables, que el deudor no ha sido declarado en concurso o, en su caso, que la factura rectificativa expedida es anterior a la fecha del auto de declaración del concurso o de la resolución de apertura del procedimiento de insolvencia al que resulte de aplicación el Reglamento (UE) 2015/848.

- A esta comunicación deberán acompañarse los siguientes documentos:

  a) La copia de las facturas rectificativas, en las que se consignarán las fechas de expedición de las correspondientes facturas rectificadas.

  b) En el supuesto de créditos incobrables, los documentos que acrediten que el acreedor ha instado el cobro del crédito mediante reclamación judicial al deudor o mediante requerimiento notarial o cualquier otro medio que acredite fehacientemente la reclamación del cobro al deudor.

  c) En el caso de créditos adeudados por Entes públicos, el certificado expedido por el órgano competente del Ente público deudor a que se refiere la condición 4.ª de la letra A) del artículo 80.Cuatro de la Ley del Impuesto.

En caso de que el destinatario de las operaciones tenga la condición de empresario o profesional, deberá comunicar por vía electrónica, a través del formulario disponible a tal efecto en la sede electrónica de la Agencia Estatal de Administración Tributaria, la circunstancia de haber recibido las facturas rectificativas que le envíe el acreedor, y consignará el importe total de las cuotas rectificadas y, en su caso, el de las no deducibles.

La aprobación del convenio de acreedores, en su caso, no afectará a la modificación de la base imponible que se hubiera efectuado previamente [art. 24.2.d) RIVA].

Una vez practicada la reducción de la base imponible, ésta no se volverá a modificar al alza aunque el sujeto pasivo obtuviese el cobro total o parcial de la contraprestación, salvo cuando el destinatario no actúe en la condición de empresario o profesional. En este caso, se entenderá que el Impuesto sobre el Valor Añadido está incluido en las cantidades percibidas y en la misma proporción que la parte de contraprestación percibida.

## 2. Tipos impositivos

El IVA es un impuesto proporcional que grava cada operación, individualmente considerada, que realiza el sujeto pasivo (gravamen "operación por operación"), a la que se aplicará el tipo impositivo correspondiente. En el sistema español se establecen tres tipos de IVA: el 21%, con carácter general, y dos tipos especiales, el reducido del 10% y el "superreducido" del 4%.

## 2.1. Tipo general

La cuota del impuesto se obtiene de aplicar sobre la base imponible el tipo de gravamen que fija la LIVA en sus artículos 90 y 91.

Salvo en los casos que se indicarán a continuación, el tipo a aplicar a las operaciones gravadas por el impuesto es el 21%, que es el tipo normal o general. El tipo impositivo aplicable a cada operación será el vigente en el momento del devengo.

## 2.2. Tipo reducido

El tipo de gravamen reducido se aplica a las operaciones que se enumeran a continuación. Este tipo reducido será del 10%. Las operaciones a las que se aplicarán estos tipos son las entregas interiores, AIB o importaciones de los siguientes bienes:

1. Las sustancias o productos, cualquiera que sea su origen que, por sus características, aplicaciones, componentes, preparación y estado de conservación, sean susceptibles de ser habitual e idóneamente utilizados para la nutrición humana o animal, de acuerdo con lo establecido en el Código Alimentario y las disposiciones dictadas para su desarrollo.

 Por Resolución del 24 de febrero de 2025 de la Dirección General de Tributos será de aplicación también el tipo reducido del 4% al pan especial o productos semielaborados referidos al mismo, que hayan sido elaborados con harina exenta de gluten, bien sea de forma natural o porque haya sido objeto de un tratamiento especial, que hasta la fecha venía tributando al 10%.

Se excluyen de lo dispuesto en el párrafo anterior, que tributará al 21%:

a) Las bebidas alcohólicas. Se entiende por bebida alcohólica todo líquido apto para el consumo humano por ingestión que contenga alcohol etílico.

b) Las bebidas refrescantes, zumos y gaseosas con azúcares o edulcorantes añadidos.

A los efectos de este número no tendrán la consideración de alimento el tabaco ni las sustancias no aptas para el consumo humano o animal en el mismo estado en que fuesen objeto de entrega, adquisición intracomunitaria o importación.

2. Animales, vegetales y demás productos destinados a la obtención de productos para la nutrición humana o animal, animales reproductores y los destinados a su engorde antes de su consumo.

3. Los bienes que se indican a continuación, cuando puedan ser utilizados para la realización de actividades agrícolas, forestales o ganaderas:

⇨ Semillas.

⇨ Fertilizantes y residuos orgánicos.

⇨ Herbicidas y plaguicidas.

⇨ Correctores y enmiendas.

⇨ Herbicidas, plaguicidas, plásticos y bolsas de papel para cultivos.

4. Las aguas aptas para la alimentación humana o animal, incluso en estado sólido.

5. Los medicamentos para uso veterinario, excepto las sustancias medicinales y principios activos utilizadas en su obtención, que tributarán al 21%.

6. Productos farmacéuticos de uso directo por consumidor final (guatas, gasas, vendas, etc.):

Los equipos médicos, aparatos y demás instrumental enumerados en un nuevo apartado octavo del anexo de la Ley del IVA, que por sus características objetivas, estén diseñados para aliviar o tratar deficiencias, para uso personal y exclusivo de personas que tengan deficiencias físicas, mentales, intelectuales o sensoriales. Se incluyen gafas graduadas, lentillas y productos para su cuidado.

No se incluyen en esta letra otros accesorios, recambios y piezas de repuesto de dichos bienes, a los que les será aplicable el 21%.

Los equipos médicos, aparatos y demás instrumental usado para suplir deficiencias físicas de los animales o con fines de prevención, diagnóstico o tratamiento de enfermedades de los animales, se acogerán al 21%.

También se aplicará el 21% a los cosméticos y productos de higiene personal, excepto las compresas, tampones, protegeslips y preservativos, que pasan a tributar, desde el 2023 y con carácter indefinido, al 4%.

A las mascarillas quirúrgicas y productos sanitarios para diagnóstico in vitro del SARSCOV-2 les será aplicable el 21%.

7. Los edificios o partes de los mismos aptos para su utilización como vivienda, incluidas las plazas de garaje, con un máximo de dos, y anexos en ellos situados (por ejemplo, un trastero) que se transmitan conjuntamente, cuando no es aplicable la exención del IVA como en el caso de las entregas realizadas por el promotor. No se considera parte anexa la que corresponda a un local de negocio, aunque se transmita conjuntamente con la vivienda.

8. Los locales de negocio y las edificaciones destinadas a su demolición tributarán al 21%.

9. Las flores, las plantas vivas de carácter ornamental, así como las semillas, bulbos, esquejes y otros productos de origen exclusivamente vegetal susceptibles de ser utilizados en su obtención. Tributarán también al 10% aquellas plantas y flores de carácter ornamental entregadas por funerarias y cementerios.

El resto de entregas de bienes relacionados con su actividad por empresas funerarias tributarán al 21%.

10. Prestaciones de servicios

El tipo reducido del 10% se aplica a las siguientes:

a) Los transportes de viajeros y sus equipajes.

b) Los servicios de hostelería, acampamento y balneario, así como los de restaurante y, en general, suministro de comidas y bebidas para consumir en el acto, incluso aunque se confeccionen previamente por encargo del destinatario.

Tributan también al 10% los servicios mixtos de hostelería, espectáculos, discotecas, salas de fiesta, barbacoas u otros análogos.

c) Determinados servicios que se prestan en favor de titulares de explotaciones agrícolas, forestales o ganaderas y que aparecen exhaustivamente detallados en la LIVA. Estos servicios, de naturaleza eminentemente agraria, incluyen desde la siembra y el abonado hasta la tala y limpieza de bosques, o la cria y engorde de animales, entre otros.

Se excluyen las cesiones de uso o disfrute y el arrendamiento de bienes, que tributarán al 21%.

Por el contrario, tributarán también al 10% los servicios de las cooperativas agrarias a sus socios como consecuencia de su actividad cooperativizada y en cumplimiento de su objeto social, incluida la utilización por los socios de la maquinaria en común.

d) Los servicios de limpieza de vías públicas, parques y jardines públicos.

e) Los servicios de recogida, almacenamiento, transporte, valorización o eliminación de residuos, limpieza de alcantarillados públicos y desratización de los mismos y la recogida o tratamiento de las aguas residuales.

f) La entrada a bibliotecas, archivos, centros de documentación, museos, galerías de arte, pinacotecas, la entrada a teatros, conciertos; circos, festejos taurinos y demás espectáculos culturales en vivo. También tributarán al 10% la entrada a salas cinematográficas o las corridas de toros.

Por el contrario, tributarán al 21% la entrada a zoológicos, exposiciones, parques de atracciones y atracciones de feria.

g) Las prestaciones de servicios de carácter social, cuando no están exentos (art. 20.Uno.8°) salvo los que tributen al 4%.

h) Los espectáculos deportivos de carácter aficionado.

i) Las exposiciones y ferias de carácter comercial.

11. Las ejecuciones de obras de renovación y reparación en edificios o partes de los mismos destinados a viviendas cuando el destinatario sea una persona física que utilice la vivienda para uso particular o sea una comunidad de propietarios; la construcción o rehabilitación de la vivienda a que se refieren las obras haya concluido al menos dos años antes del inicio de estas últimas y que la persona que realice las obras no aporte materiales para su ejecución o, en el caso de que los aporte, su coste no exceda del 40% de la base imponible de la operación.

12. Los arrendamientos con opción de compra de edificios o parte de los mismos destinados exclusivamente a viviendas, incluidas las plazas de garaje, con un máximo de dos unidades, y anexos en ellos situados que se arrienden conjuntamente (cuando no es aplicable la exención).

13. La cesión de los derechos de aprovechamiento por turno de edificios, conjuntos inmobiliarios o sectores de ellos arquitectónicamente diferenciados cuando el inmueble tenga, al menos, diez alojamientos, de acuerdo con lo establecido en la normativa reguladora de estos servicios.

14. Los prestados por intérpretes, artistas, directores y técnicos, que sean personas físicas, a productores de cine y organizadores de teatro.

15. Las ejecuciones de obras, con o sin aportación de materiales, consecuencia de contratos directamente formalizados entre el promotor y el contratista que tengan por objeto la construcción o rehabilitación de edificaciones o partes de las mismas destinadas principalmente a viviendas, incluidos los locales, anejos, garajes, instalaciones y servicios complementarios en ellos situados.

    Se considerarán destinadas principalmente a viviendas, las edificaciones en las que al menos el 50% de la superficie construida se destine a dicha utilización.

16. Las ventas con instalación de armarios de cocina y de baño y de armarios empotrados para las edificaciones a que se refiere el número 1º. anterior, que sean realizadas como consecuencia de contratos directamente formalizados con el promotor de la construcción o rehabilitación de dichas edificaciones.

17. Las ejecuciones de obra, con o sin aportación de materiales, consecuencia de contratos directamente formalizados entre las comunidades de propietarios de las edificaciones o partes de las mismas a que se refiere el número 1º anterior y el contratista que tengan por objeto la construcción de garajes complementarios de dichas edificaciones, siempre que dichas ejecuciones de obra se realicen en terrenos o locales que sean elementos comunes de dichas comunidades y el número de plazas de garaje a adjudicar a cada uno de los propietarios no exceda de dos unidades.

18. Entregas de objetos de arte adquiridos a empresarios o profesionales en virtud de las operaciones de importación de objetos de arte, antigüedades y objetos de colección, cualquiera que sea el importador de los mismos, y las entregas y adquisiciones intracomunitarias de objetos de arte realizadas por las siguientes personas

    a) Por sus autores o derechohabientes.

    b) Por empresarios o profesionales distintos de los revendedores de objetos de arte, cuando tengan derecho a deducir íntegramente el impuesto soportado por repercusión directa o satisfecho en la adquisición o importación del mismo bien.

19. El suministro eléctrico, el gas natural y combustibles naturales tributan al 21%.

    Sin embargo en 2023 y 2024 este tipo de suministros ha tributado al 5%, al 10% y al 21%.

20. No se aplicará el tipo reducido a los servicios funerarios efectuados por las empresas funerarias y cementerios (no incluye la entrega de flores y coronas), a las que se aplicará el tipo general del 21%.

## 2.3.  Tipo superreducido

Se aplicará el el tipo impositivo del 4% en las operaciones siguientes:

1. **Las entregas, adquisiciones intracomunitarias o importaciones**

   a)  Los siguientes productos:

   - El pan común, así como la masa de pan común congelada y el pan común congelado destinados exclusivamente a la elaboración del pan común.

   - Las harinas panificables.

   - Los siguientes tipos de leche producida por cualquier especie animal: natural, certificada, pasterizada, concentrada, desnatada, esterilizada, UHT, evaporada, en polvo y fermentada.

   - Los quesos.

   - Los huevos.

   - Las frutas, verduras, hortalizas, legumbres, tubérculos y cereales, que tengan la condición de productos naturales de acuerdo con el Código Alimentario y las disposiciones dictadas para su desarrollo.

   - Los aceites de oliva.

   > Por Resolución del 24 de febrero de 2025 de la Dirección General de Tributos será de aplicación también el tipo reducido del 4% al pan especial o productos semielaborados referidos al mismo, que hayan sido elaborados con harina exenta de gluten, bien sea de forma natural o porque haya sido objeto de un tratamiento especial.
   >
   > La leche fermentada ha sido objeto de reducción mediante Ley 7/2024, de 20 de diciembre, ya que con anterioridad venía gravada al 10%.

   b)  Los **libros, periódicos y revistas** incluso cuando tengan la consideración de servicios prestados por vía electrónica, que no contengan única o fundamentalmente publicidad y no consistan íntegra o predominantemente en contenidos de vídeo o música audible, así como los elementos complementarios que se entreguen conjuntamente con aquellos mediante precio único.

Se comprenderán en este número las ejecuciones de obra que tengan como resultado inmediato la obtención de un libro, periódico o revista en pliego o en continuo, de un fotolito de dichos bienes o que consistan en la encuadernación de los mismos.

Se entiende que los libros, periódicos y revistas contienen fundamentalmente publicidad cuando más del 90% de los ingresos que proporcionen a su editor se obtengan por este concepto. También se beneficia del tipo superreducido la entrega de los productos complementarios que se facilitan conjuntamente con este tipo de bienes a precio único.

Se engloban en este concepto las partituras, mapas, cuadernos de dibujo (con excepción de artículos y aparatos electrónicos).

Se consideran elementos complementarios las cintas, vídeos, discos u otros soportes que constituyan una unidad funcional con el libro, periódico o revista perfeccionando o complementando su contenido.

No obstante, no se aplica el tipo superreducido, sino el ordinario del 21%, a los elementos complementarios que sean discos o cintas con obras musicales con valor de mercado superior al del libro, vídeos con películas cuyo valor de mercado sea superior al del libro, periódico o revista con el que se entreguen conjuntamente, o productos informáticos que, en el mercado, se comercializan de forma independiente.

Tampoco se aplica el tipo del 4%, sino el del 21%, a los objetos que, por sus características, solo pueden utilizarse como material escolar.

c) Los medicamentos de uso humano, así como las formas galénicas, fórmulas magistrales y preparados oficiales. Las sustancias medicinales, principios activos y productos intermedios utilizados en su obtención tributarán al 21%.

d) Los vehículos para el transporte de personas con movilidad reducida, las sillas de ruedas, los vehículos destinados a ser utilizados como autotaxis o los autoturismos especiales para el transporte de personas con discapacidad.

Para aplicar el tipo del 4% a estos bienes, el adquirente deberá justificar el destino del vehículo.

e) Las prótesis, órtesis e implantes internos de personas con discapacidad.

f) Las viviendas calificadas administrativamente como de protección oficial de régimen especial o de promoción pública, cuando la entrega se realiza por el promotor, incluyéndose los garajes (con un máximo de dos plazas) y otros elementos anexos transmitidos conjuntamente.

 Las viviendas que sean adquiridas por las entidades que apliquen el régimen especial de entidades dedicadas al arrendamiento de viviendas siempre que a las rentas derivadas de su posterior arrendamiento les sea aplicable la bonificación establecida en el artículo 49.1 de la LIS.

g) Las compresas, tampones, protegeslips, preservativos y otros anticonceptivos no medicinales.

2. **Las prestaciones de servicios**

a) Los servicios de reparación de los vehículos y de las sillas de ruedas comprendidos en el párrafo primero del número 4.º del apartado dos.1 de este artículo y los servicios de adaptación de los autotaxis y autoturismos para personas con discapacidad y de los vehículos a motor a los que se refiere el párrafo segundo del mismo precepto, independientemente de quién sea el conductor de los mismos.

b) Los arrendamientos con opción de compra de edificios o partes de los mismos destinados exclusivamente a viviendas calificadas administrativamente como de protección oficial de régimen especial o de promoción pública, incluidas las plazas de garaje, con un máximo de dos unidades, y anexos en ellos situados que se arrienden conjuntamente.

c) Servicios de reparaciones de los coches y sillas de ruedas comprendidos en el párrafo primero del número 4.º del apartado dos.1 del art. 91 de la LIVA.

d) Arrendamientos con opción de compra de edificios o partes de los mismos destinados exclusivamente a viviendas cualificadas como de protección oficial de régimen especial o de promoción pública.

e) Servicios de **teleasistencia, ayuda a domicilio, centro de día y de noche y atención residencial,** a que se refieren las letras b), c), d) y e) del apartado 1 del artículo 15 de la Ley 39/2006, de 14 de diciembre, de Promoción de la Autonomía Personal y Atención a las personas en situación de dependencia.

Siempre que se presten en **plazas concertadas en centros o residencias o mediante precios derivados de un concurso administrativo adjudicado a las empresas prestadoras, o como consecuencia de una prestación económica vinculada a tales servicios que cubra más del 10% de su precio**, en aplicación, en ambos casos, de lo dispuesto en dicha Ley (esto no se aplicará a los servicios que resulten exentos por aplicación del número 8º del apartado uno del artículo 20 de la LIVA).

## 3. Deducciones (supuestos de deducción y supuestos de no deducción)

Los sujetos pasivos podrán deducir de las cuotas del IVA devengadas por las operaciones gravadas que realicen en el interior del país (TAI) las cuotas, devengadas en el mismo territorio, que hayan soportado por repercusión directa o indirecta correspondan a las siguientes operaciones:

- Entregas de bienes y prestaciones de servicios efectuadas por otro sujeto pasivo del Impuesto.

- Las importaciones de bienes.

- Las entregas de bienes y prestaciones de servicios comprendidas en los artículos 9.1°; 84.uno.2° (E/P para quienes se realicen las EB y PS sujetas al IVA) y 4° (E/P destinatarios de entregas de gas y electricidad o entregas de calor o de frío a través de las redes de calefacción o de refrigeración en el TAI), y 140 quinque (entregas de oro de inversión) de la Ley.

- Las adquisiciones intracomunitarias de bienes.

El derecho a la deducción solo procederá en la medida en que los bienes y servicios adquiridos se utilicen en la realización de las operaciones comprendidas en el artículo 94.Uno de la Ley.

### 3.1. Requisitos necesarios para poder deducir el impuesto

Para poder deducir las cuotas de IVA soportado es necesario que se cumplan determinados requisitos:

- **Requisitos de carácter subjetivo**

  Se refiere al sujeto que pretende ejercitar su derecho a deducir el impuesto. Se concreta en la necesidad de que concurran las siguientes circunstancias:

  a) Debe tenerse la condición de empresario o profesional, por lo que no existe la posibilidad de que un particular, por ejemplo, pretenda la deducción del IVA que le ha sido repercutido por quien le ha entregado un determinado bien o le ha prestado un servicio.

  b) Debe haber iniciado la realización habitual de entregas de bienes o prestaciones de servicios correspondientes a sus actividades empresariales o profesionales.

 El Sr. Rodríguez, abogado, ha adquirido dos inmuebles en dos zonas diferentes de la ciudad. En ambos casos se trata de obras nuevas y las ventas han sido realizadas directamente por las empresas promotoras de cada uno de los inmuebles. La diferencia entre los bienes adquiridos es que uno de ellos será utilizado como sede del bufete del Sr. Rodríguez, mientras que en el otro pretende instalar su vivienda habitual.

En consecuencia, el IVA soportado en la adquisición del despacho es deducible porque al satisfacerlo el adquirente está actuando como un empresario o profesional que compra bienes para su actividad.

Cuando el Sr. Rodríguez adquiere, por el contrario, su vivienda, actúa como un particular (consumidor final, en definitiva) y no puede deducir el IVA soportado que el promotor de repercutirá.

No obstante las cuotas soportadas o satisfechas con anterioridad al inicio de la realización habitual de entregas de bienes o prestaciones de servicios correspondientes a las actividades empresariales o profesionales podrán también deducirse con arreglo a lo dispuesto en los artículos 111, 112 y 113 de la Ley del impuesto.

- **Requisitos en relación con las operaciones que realiza el sujeto pasivo**

    Cuando el sujeto pasivo adquiere bienes o servicios de otros empresarios o profesionales, estos proceden a repercutirle el IVA correspondiente. Para que el sujeto adquirente pueda entonces deducirse estas cuotas de IVA que ha soportado es necesario (los requisitos subjetivos anteriores):

    a)  Que el propio sujeto realice a su vez operaciones sujetas y no exentas del impuesto, es decir, que cuando realiza su actividad entregando bienes o prestando servicios, proceda a su vez a repercutir el IVA sobre quienes son sus clientes, y ello con independencia de que estos últimos sean otros empresarios o profesionales, o bien consumidores finales.

    b)  Las prestaciones de servicios cuyo valor esté incluido en la base imponible de las importaciones de bienes, de acuerdo con lo establecido en el artículo 83 de LIVA.

    c)  Las operaciones exentas en virtud de lo dispuesto en los artículos 20 bis, 21, 22, 23, 24 y 25 de LIVA, así como las demás exportaciones definitivas de bienes fuera de la Unión Europea que no se destinen a la realización de las operaciones a que se refiere el número 2.º del apartado Uno del artículo 94 LIVA.

d) Los servicios prestados por agencias de viajes que estén exentos del impuesto en virtud de lo establecido en el artículo 143 de LIVA.

Las operaciones realizadas fuera del territorio de aplicación del impuesto que originarían el derecho a la deducción si se hubieran efectuado en el interior del mismo.

La empresa española de consultoría ZETA S. L. presta un servicio de asistencia jurídica a una empresa italiana. Se trata entonces de un caso de inversión del sujeto pasivo en el que es la empresa italiana la que debe autorrepercutirse y soportar el IVA italiano, pues el servicio no se entiende prestado en España.

Sin embargo, a pesar de haber prestado, por tanto, un servicio no sujeto al IVA español, la empresa ZETA S. L. podrá deducir las diferentes cuotas de IVA que soporte en territorio español.

e) Que se deduzcan las cuotas de IVA que legalmente procedan, es decir, en ningún caso podrán deducirse cuotas de IVA soportado en cuantía superior a la que legalmente corresponda, ni tampoco antes de que se hubiesen devengado con arreglo a Derecho.

Una empresa que adquiere productos alimenticios advierte, al recibir la correspondiente factura, que le ha sido repercutido IVA al tipo del 21%, cuando el procedente era el 10%.

En tal caso, podrá solicitar la corrección correspondiente, pues en ningún caso podrá deducir más allá del 10% legalmente establecido.

## 3.2. Limitaciones y restricciones del derecho a deducir el IVA soportado

Adicionalmente a los requisitos básicos anteriores, deben añadirse las siguientes condiciones:

- **Primera condición**

Los bienes o servicios que se hayan adquirido deben encontrarse afectos a la actividad de manera directa y exclusiva. La LIVA indica expresamente que no se entienden directa y exclusivamente afectos a la actividad (y, por consiguiente, no podrían deducirse las cuotas de IVA soportadas en la adquisición):

a) Bienes que se destinan habitualmente a dicha actividad y a otras de naturaleza no empresarial ni profesional por períodos de tiempo alternativos.

b) Bienes o servicios que se utilizan simultáneamente para actividades empresariales o profesionales y para necesidades privadas.

c) Bienes o derechos que no figuran en la contabilidad o en los registros oficiales de la actividad.

d) Bienes y derechos que adquiere el sujeto pasivo pero que no se incorporan a su patrimonio empresarial o profesional.

e) Bienes, finalmente, que se destinan a satisfacer necesidades personales o particulares del empresario, de sus familiares, o del personal que dependa de aquel.

En la práctica existe, no obstante, la experiencia frecuente de que determinados bienes de inversión adquiridos por el empresario o profesional se destine, a la actividad económica de manera parcial, es decir, utilizándose tanto para necesidades de carácter no empresarial como para fines plenamente integrados en la actividad del citado empresario o profesional. La LIVA prevé para estos supuestos la siguiente regulación:

a) Cuando se trate de bienes de inversión distintos de los comprendidos en la regla siguiente, en la medida en que dichos bienes vayan a utilizarse previsiblemente, de acuerdo con criterios fundados, en el desarrollo de la actividad empresarial o profesional.

b) Cuando se trate de vehículos automóviles de turismo y sus remolques, ciclomotores y motocicletas, se presumirán afectados al desarrollo de la actividad empresarial o profesional en la proporción del 50 por 100.

El arquitecto Sr. C ha adquirido un automóvil que va a afectar simultáneamente a su actividad profesional y a necesidades privadas. En la adquisición ha soportado IVA por importe de 3.000,00 €.

En tal supuesto, el bien se presume afectado a la actividad en la proporción de un 50%, por lo que podrá deducir 1.500,00 euros.

No obstante lo anterior, esta afectación se presume del 100% (y, por tanto, podría deducirse la totalidad del IVA soportado) para los siguientes casos:

a) Vehículos mixtos utilizados para el transporte de mercancías.

b) Vehículos utilizados para el transporte de viajeros mediante contraprestación.

c) Vehículos utilizados para la enseñanza de conductores.

d) Vehículos utilizados por sus fabricantes para la realización de pruebas, ensayos, demostraciones o promoción de ventas.

e) Vehículos utilizados para los desplazamientos de los representantes comerciales.

f) Vehículos utilizados en servicios de vigilancia.

La empresa B, S. A., fabricante de cosméticos, ha adquirido una flota de 20 automóviles para los desplazamientos de sus representantes comerciales.

En este caso, es deducible el 100% del IVA soportado en la adquisición de los vehículos citados.

El Sr. Gómez es propietario de un negocio de reparación y venta de joyas en un establecimiento céntrico de una ciudad. Ha adquirido un vehículo de alta gama, y ha deducido en su declaración trimestral de IVA el 50% de la cuota soportada en la adquisición.

En tal caso, dadas las características de la actividad del Sr. Gómez, resulta muy complicado poder justificar que está utilizando el bien en su actividad, por lo que podría dudarse incluso de que existiese ni siquiera una afectación parcial. Por ello, no resulta procedente la deducción practicada por el empresario.

El grado de utilización en el desarrollo de la actividad empresarial deberá acreditarse por el sujeto pasivo por cualquier medio de prueba admitida en derecho.

Lo dispuesto anteriormente será también de aplicación a las cuotas soportadas o satisfechas por la adquisición o importación de los siguientes bienes y servicios directamente relacionados con aquellos bienes que no se han considerado parcialmente afectos:

1. Accesorios y piezas de recambio para los mencionados bienes.

2. Combustibles, carburantes, lubrificantes y productos energéticos necesarios para su funcionamiento.

3. Servicios de aparcamiento y utilización de vías de peaje.

4. Rehabilitación, renovación y reparación de los mismos.

- **Segunda condición**

  En ningún caso cabe la posibilidad de deducir las cuotas soportadas por la adquisición (o, en general, importación, arrendamiento, transformación, reparación, mantenimiento o utilización) de los bienes que se enumeran a continuación:

  a)  Joyas, alhajas, piedras preciosas, perlas u objetos elaborados con oro o platino.

  b)  Los alimentos, bebida y tabaco.

  c)  Los espectáculos y servicios de carácter recreativo.

  d)  Los bienes o servicios destinados a atenciones a clientes, asalariados o terceras personas. La LIVA excluye de este grupo las muestras gratuitas y los objetos publicitarios de escaso valor.

  e)  Los servicios de desplazamiento o viajes, hostelería o restauración, salvo que el importe de los mismos tuviera la condición de gasto deducible en el IRPF o en el IS. Con ello quiere decirse que si el gasto en cuestión no tiene tal carácter de deducible, tampoco podrá entonces restarse el IVA que se hubiera podido soportar en la adquisición de estos servicios.

La marca de bebidas SALT ha encargado la confección de 500 llaveros, con su anagrama, que pretende distribuir en una próxima fiesta a celebrar en un local alquilado al efecto.

La entrega gratuita de objetos publicitarios es una operación no sujeta al impuesto. Sin embargo, SALT podrá deducir el IVA que le repercuta el fabricante de los llaveros.

## 3.3.  Requisitos formales para la deducción del IVA

El empresario o profesional que pretenda ejercitar el derecho a deducir el IVA soportado por las adquisiciones de bienes o servicios deberá cumplir los requisitos y condiciones anteriormente enumerados. Adicionalmente, la Ley del impuesto exige además la posesión del "documento justificativo" del derecho a la deducción, considerándose como tal:

a)  La factura original expedida por quien realice la entrega o preste el servicio o, en su nombre y por su cuenta, por su cliente o por un tercero, siempre que, para cualquiera de estos casos, se cumplan los requisitos que establece el Reglamento en materia de facturación.

b)  Si ha existido importación, el documento en el que conste la liquidación practicada por la Administración o, si son operaciones asimiladas a las importaciones, la autoliquidación en la que se consigne el IVA devengado con ocasión de su realización.

c)  La factura original expedida por quien realice una entrega que dé lugar a una adquisición intracomunitaria de bienes sujeta al impuesto, siempre que dicha adquisición esté debidamente consignada en la declaración-liquidación a que se refiere el número 6.º del apartado uno del artículo 164 LIVA.

d)  La factura original o el justificante contable de la operación expedido por quien realice una entrega de bienes o una prestación de servicios al destinatario, sujeto pasivo del Impuesto, en los supuestos a que se refieren los números 2.º, 3.º y 4.º del apartado uno del artículo 84 y el artículo 140 quinque de LIVA, siempre que dicha entrega o prestación esté debidamente consignada en la declaración-liquidación a que se refiere el número 6.º del apartado uno del artículo 164 de LIVA.

Cuando quien realice la entrega de bienes o la prestación de servicios esté establecido en la Comunidad, la factura original a que se refiere el párrafo anterior deberá contener los requisitos recogidos en el artículo 226 de la Directiva 2006/112/CE, del Consejo, de 28 de noviembre de 2006, relativa al sistema común del impuesto sobre el valor añadido.

e)  El recibo original de los agricultores en régimen especial de agricultura, ganadería y pesca.

En ningún caso podrá deducirse una cuantía mayor que la que conste en el documento justificativo. Cuando se trata de bienes adquiridos en común por varios sujetos pasivos, en el original de la factura deberá hacerse constancia expresa de la parte de base imponible que corresponde a cada uno de ellos, distinguiéndose también las correspondientes cuotas repercutidas.

 En el supuesto que sean varios los destinatarios de una factura, y así se indique en el original y en cada uno de los duplicados de la factura, los adquirentes podrán efectuar la deducción, en su caso, en la parte proporcional, que deberá constar de forma distinta y separada, la porción de base imponible y cuota repercutida a cada uno de los destinatarios.

## 3.4. Nacimiento y ejercicio del derecho a deducir

El derecho a la deducción nace en el momento en que se devengan las cuotas deducibles, es decir, cuando se ha producido el devengo del IVA correspondiente.

En las declaraciones-liquidaciones correspondientes a cada uno de los períodos de liquidación, los sujetos pasivos podrán deducir globalmente la totalidad de las cuotas deducibles soportadas en dicho período del importe total de las cuotas devengadas durante el mismo período de liquidación.

La deducción deberá efectuarse en función del destino previsible de los bienes y servicios adquiridos.

Paralelamente al nacimiento al derecho a la deducción, en el ejercicio de este derecho debe tenerse en cuenta las siguientes puntualizaciones:

1. El derecho solo podrá ejercitarse en el período de liquidación (mes o trimestre) en que se hayan soportado las cuotas o en los sucesivos y siguientes, siempre que no haya transcurrido un plazo de cuatro años contados desde el nacimiento del derecho.

 Un empresario encuentra dos facturas que había extraviado, una correspondiente a un servicio que se le prestó en 2018 y otra de una compra de bienes recibidos en 2022. La cuota soportada por el servicio no es deducible porque han pasado más de 4 años desde que se efectuó el mismo. La cuota soportada en la adquisición de los bienes puede deducirla en la siguiente autoliquidación que presente porque no han pasado 4 años desde que los bienes se pusieron a disposición del comprador.

2. Si no se hubieran incluido las cuotas soportadas deducibles en dichas declaraciones-liquidaciones y siempre que no hubiera transcurrido el plazo de cuatro años, contados a partir del nacimiento del derecho a la deducción de tales cuotas, en todo caso, se exigirá que las cuotas soportadas estén debidamente contabilizadas en los libros registros.

3.  Debe tenerse en cuenta que las cuotas se entienden soportadas en el momento en que se recibe la correspondiente factura o los demás documentos justificativos. Con ello quiere decirse que, aunque la operación se hubiese realizado (y, por tanto, el IVA se hubiera devengado con el consiguiente nacimiento del derecho a deducir) si aún no se dispone de la correspondiente factura, no existe la posibilidad de deducir absolutamente ningún importe hasta que se disponga del documento en cuestión.

La empresa ALFA, S. A. realiza una compra de materiales que recibe en su almacén el día 31 de marzo. La factura, con el IVA soportado, llega sin embargo 1 mes más tarde.

ALFA, S. A., por tanto, no podrá incluir en su declaración del primer trimestre el IVA soportado en esta compra.

La empresa BETA, S. A. encuentra dos facturas extraviadas del año 20XX, y pretende deducir entonces las cuotas de IVA soportado consignándolas en su declaración del primer trimestre de 20XX+7.

Sin embargo, tal deducción no será admitida al haber transcurrido el plazo de cuatro años desde que se soportó el impuesto.

4.  Si el devengo del impuesto se produjese en un momento posterior al de la recepción de la factura, dichas cuotas se entenderán soportadas cuando se devenguen.

Una empresa leonesa, que presenta declaraciones mensuales de IVA, compra un camión a Renault por 26.000,00 € más el 21% de IVA, llegando la factura de la citada adquisición el día 28 de febrero, indicándole al efecto que podrá recogerlo el día 2 de marzo. En este supuesto el IVA no se devenga hasta que el camión es puesto a disposición de la empresa leonesa, esto es, marzo, y por tanto debe declarase en la declaración-liquidación de dicho mes y no en febrero (fecha de la factura).

Insistimos en la importancia de la afectación a la actividad económica, ya que no será deducible cualquier cuota soportada por la empresa, por elevado que sea su valor. Para que sean deducibles los bienes o servicios que se deben destinar a ser utilizados en la actividad, aunque posteriormente acaben afectándose total o parcialmente a la misma.

5. Finalmente, debe indicarse que, cuando exista requerimiento de la Administración o actuación inspectora, puede ponerse de manifiesto la existencia de cuotas soportadas por el empresario o profesional que, sin embargo, este no había incluido en sus declaraciones-liquidaciones. En tales casos serán deducibles en las declaraciones que procedan las cuotas que estuviesen contabilizadas en los libros registros, mientras que las cuotas que no estuvieran contabilizadas serán deducibles en la declaración-liquidación del período en que se contabilicen o en los siguientes.

El plazo para el ejercicio del derecho a la deducción es de caducidad, y por tanto, se pierde el derecho por el transcurso del tiempo.

No obstante, cuando el derecho a deducir –o la cuantía– esté pendiente de resolución por vía administrativa o jurisdiccional, el derecho a la deducción caducará cuando hubieren transcurrido cuatro años desde la fecha en que la resolución o sentencia sean firmes.

## 3.5. Rectificación de deducciones

Los sujetos pasivos, cuando no haya mediado requerimiento previo, podrán rectificar las deducciones practicadas cuando el importe de las mismas se hubiese determinado incorrectamente o el importe de las cuotas soportadas haya sido objeto de rectificación.

 La rectificación será obligatoria cuando implique una minoración del importe inicialmente deducido.

La rectificación de deducciones originada por la previa rectificación del importe de las cuotas inicialmente soportadas, se efectuará de la siguiente forma:

1. Cuando la rectificación determine un incremento del importe de las cuotas inicialmente deducidas, podrá efectuarse en la declaración-liquidación correspondiente al periodo impositivo en que el sujeto pasivo reciba el documento justificativo del derecho a deducir en el que se rectifiquen las cuotas inicialmente repercutidas, o bien en las declaraciones-liquidaciones siguientes, siempre que no hubiesen transcurrido cuatro años desde el devengo de la operación o, en su caso, desde la fecha en que se hayan producido las circunstancias que determinan la modificación de la base imponible de la operación.

En los supuestos en que la rectificación de las cuotas inicialmente soportadas hubiese estado motivada por causa distinta de las previstas en el artículo 80 de la LIVA, no podrá efectuarse la rectificación de la deducción de las mismas después de transcurrido un año desde la fecha de expedición del documento justificativo del derecho a deducir por el que se rectifican dichas cuotas.

2.  Cuando la rectificación determine una minoración del importe de las cuotas inicialmente deducidas, el sujeto pasivo deberá presentar una declaración-liquidación rectificativa aplicándose a la misma el recargo por extemporaneidad y los intereses de demora que procedan.

    Cuando la rectificación tenga su origen en un error fundado derecho deberá efectuarse en la declaración-liquidación correspondiente al periodo impositivo en que el sujeto pasivo reciba el documento justificativo del derecho a deducir en el que se rectifiquen las cuotas inicialmente soportadas.

 Desde 2019 la Agencia Tributaria incorporó en su página web una calculadora de plazos modificación base imponible y otras rectificaciones

## 3.6. Régimen especial del criterio de caja (artículos 163 decies a 163 sexiesdecies)

A través de la Ley 14/2013, de 27 de septiembre, de apoyo a los emprendedores y su internacionalización, se introdujo un nuevo régimen especial en el IVA, el del criterio de caja, ampliamente demandado desde algunos sectores, que pretende paliar problemas financieros que los empresarios venían padeciendo por la aplicación de las normas de este impuesto que les obliga a ingresar cuotas de IVA que aún no han percibido.

Se trata de un régimen basado en el criterio de caja doble, puesto que se retrasa el devengo y con ello la declaración e ingreso del IVA, hasta el momento del cobro a los clientes del sujeto pasivo e, igualmente, se retrasa la deducción del IVA soportado hasta el momento en que efectúe el pago a sus proveedores. Esta regla tiene una fecha límite, el 31 de diciembre del año inmediatamente posterior a aquel en que las operaciones se hayan efectuado.

 En caso de los sujetos pasivos no acogidos al régimen pero que sean destinatarios de las operaciones incluidas en el mismo, el derecho a la deducción de las cuotas soportadas por esas operaciones nace:

  • En el momento del pago total o parcial del precio por los importes efectivamente satisfechos.

  • Como máximo el 31 de diciembre del año inmediato.

### 3.6.1. Requisitos subjetivos y objetivos del régimen especial de criterio de caja

Podrán aplicar el régimen especial del criterio de caja los sujetos pasivos del impuesto cuyo volumen de operaciones durante el año natural anterior no haya superado los 2.000.000 €.

Cuando el sujeto pasivo hubiera iniciado la realización de actividades empresariales o profesionales en el año natural anterior, el importe del volumen de operaciones deberá elevarse al año.

A efectos de determinar el volumen de operaciones efectuadas por el sujeto pasivo, las mismas se entenderán realizadas cuando se produzca o, en su caso, se hubiera producido el devengo del IVA, si a las operaciones no les hubiera sido de aplicación el régimen especial del criterio de caja.

Quedarán excluidos del régimen especial del criterio de caja los sujetos pasivos cuyos cobros en efectivo respecto de un mismo destinatario durante el año natural supere la cuantía de 100.000 €.

Quedan excluidos:

- Operaciones de año anterior > a 2.000.000,00 €.

- Cobros en efectivo de un destinatario > a 100.000,00 €.

El régimen especial del criterio de caja podrá aplicarse por los sujetos pasivos que cumplan los requisitos a que hemos hecho mención y opten por su aplicación. La opción se entenderá prorrogada salvo renuncia. Esta renuncia tendrá una validez mínima de 3 años.

El régimen del IVA del criterio de caja puede aplicarse a todas las operaciones realizadas en el territorio de aplicación del impuesto, a excepción de:

a) Las acogidas a los regímenes especiales simplificados de la agricultura, ganadería y pesca, del recargo de equivalencia, del oro de inversión, aplicable a los servicios prestados por vía electrónica y del grupo de entidades.

b) Las entregas de bienes exentas de IVA.

c) Las adquisiciones intracomunitarias de bienes.

d) Aquellas en las que el sujeto pasivo del impuesto sea el empresario o profesional para quien se realiza la operación.

e) Las importaciones y las operaciones asimiladas a las importaciones.

f) El autoconsumo de bienes y servicios.

### 3.6.2. Contenido del régimen especial del criterio de caja

En las operaciones a las que sea de aplicación este régimen especial, el Impuesto se devengará en el momento del cobro total o parcial del precio por los importes efectivamente percibidos o si este no se ha producido, el devengo se producirá el 31 de diciembre del año inmediato posterior a aquel en que se haya realizado la operación.

A estos efectos, deberá acreditarse el momento del cobro, total o parcial, del precio de la operación.

- **Respecto al IVA repercutido**

    La repercusión del Impuesto en las operaciones a las que sea de aplicación este régimen especial deberá efectuarse al tiempo de expedir y entregar la factura correspondiente, pero se entenderá producida en el momento del devengo de la operación determinado.

    El impuesto se devengará en el momento del cobro, ya sea total o parcial, del importe percibido. Si no se ha producido el cobro, el devengo se producirá el 31 de diciembre del año inmediato posterior a aquel en que se haya realizado la operación. Cuando se trate de repercutir el IVA, la repercusión se efectuará en el momento de expedir y entregar la factura, pero no se entenderá como producida hasta el momento del devengo del impuesto, es decir, del cobro de la factura. Además, como veremos posteriormente, será necesario acreditar el momento del cobro de la operación, ya sea total o parcial.

- **Respecto al IVA soportado**

    Los sujetos pasivos a los que sea de aplicación este régimen especial podrán practicar sus deducciones en los términos establecidos en el Título VIII de LIVA, con las siguientes particularidades:

    a)  El derecho a la deducción de las cuotas soportadas por los sujetos pasivos acogidos a este régimen especial nace en el momento del pago total o parcial del precio por los importes efectivamente satisfechos, o si este no se ha producido, el 31 de diciembre del año inmediato posterior a aquel en que se haya realizado la operación.

        Lo anterior será de aplicación con independencia del momento en que se entienda realizado el hecho imponible.

        A estos efectos, deberá acreditarse el momento del pago, total o parcial, del precio de la operación.

    b)  El derecho a la deducción solo podrá ejercitarse en la declaración-liquidación relativa al periodo de liquidación en que haya nacido el derecho a la deducción de las cuotas soportadas o en las de los sucesivos, siempre que no hubiera transcurrido el plazo de cuatro años, contados a partir del nacimiento del mencionado derecho.

c) El derecho a la deducción de las cuotas soportadas caduca cuando el titular no lo hubiera ejercitado en el plazo anterior.

El empresario "X" adquiere productos a otro empresario "Y", acogido al régimen especial del criterio de caja, por un total de 480.000 € durante el segundo trimestre del año n. El 60% del importe se abona el 15 de septiembre del año n, y el 40% restante se paga el 10 de enero del año n+2.

¿En qué momento puede el empresario "X" deducirse el IVA soportado?

El devengo del impuesto, y con ello el derecho a la deducción, se producirá el 15 de septiembre del año n por el importe abonado en ese momento (288.000 € x 21% = 60.480 €) y el 31 de diciembre del año n+1 por el resto (192.000 € x 21% = 40.320 €).

### 3.6.3. Obligaciones registrales específicas

La opción por la aplicación del RECC (Régimen Especial del Criterio de Caja) debe ejercitarse al tiempo de presentar la declaración de comienzo de actividad, o bien, en la declaración censal (modelo 036 o 037) durante el mes de diciembre anterior al inicio del año natural en que deba surtir efecto. La opción se entiende prorrogada salvo renuncia.

La renuncia al RECC se ejercitará mediante comunicación al órgano competente de la AEAT a través de la declaración censal que se presentará en el mes de diciembre anterior al inicio del año natural en el que debe surtir efectos. Dicha renuncia tendrá efectos para un periodo mínimo de tres años.

Los sujetos pasivos acogidos al régimen especial del criterio de caja deberán indicar en sus facturas y sus copias referentes a operaciones a las que sea aplicable el mismo, contendrá la mención de "régimen especial del criterio de caja".

Asimismo, deberán incluir en el **Libro registro de facturas expedidas** la siguiente información:

a) Las fechas del cobro, parcial o total, de la operación, con indicación por separado del importe correspondiente, en su caso.

b) Indicación de la cuenta bancaria o del medio de cobro utilizado, que pueda acreditar el cobro parcial o total de la operación.

Los sujetos pasivos acogidos al régimen especial del criterio de caja así como los sujetos pasivos no acogidos al régimen especial del criterio de caja pero que sean destinatarios de las operaciones afectadas por el mismo deberán incluir en el libro registro de facturas recibidas la siguiente información:

a) Las fechas del pago, parcial o total, de la operación, con indicación por se parado del importe correspondiente, en su caso.

b) Indicación del medio de pago por el que se satisface el importe parcial o total de la operación.

 Cualquier factura y sus copias expedida por sujetos pasivos acogidos al régimen especial del criterio de caja referentes a operaciones a las que sea aplicable el mismo, contendrá la mención «régimen especial del criterio de caja».

### 3.6.4. Otros aspectos relacionados con el régimen especial de criterio de caja

#### A) Modificación de la base imponible

La modificación de la base imponible por créditos incobrables efectuada por sujetos pasivos que no se encuentren acogidos al régimen especial del criterio de caja, determinará el nacimiento del derecho a la deducción de las cuotas soportadas por el sujeto pasivo deudor acogido a dicho régimen especial correspondientes a las operaciones modificadas y que estuvieran aún pendientes de deducción.

#### B) Declaración de concurso

La declaración de concurso del sujeto pasivo acogido al régimen especial del criterio de caja o del sujeto pasivo destinatario de sus operaciones determinará, en la fecha del auto de declaración del concurso, el devengo de las cuotas repercutidas y la deducción de las cuotas soportadas respecto de las operaciones a las que haya sido de aplicación este régimen, que estuvieran aún pendientes de devengo o deducción.

El sujeto pasivo en concurso deberá declarar las cuotas devengadas y ejercitar la deducción de las cuotas soportadas referidas en los párrafos anteriores en la declaración-liquidación prevista reglamentariamente, correspondiente a los hechos imponibles anteriores a la declaración de concurso. Asimismo, el sujeto pasivo deberá declarar en dicha declaración-liquidación, las demás cuotas soportadas que estuvieran pendientes de deducción a dicha fecha.

### C) Declaración de operaciones con terceras personas (modelo 347)

Los sujetos pasivos que realicen operaciones a las que sea de aplicación el régimen especial del criterio de caja, deben hacerlas constar de forma separada en la declaración de operaciones con terceras personas (modelo 347), previéndose un sistema de doble información de las operaciones, por un lado, de acuerdo con las reglas generales de devengo y, por otro, cuando se produzca el devengo de acuerdo con el régimen especial.

Los sujetos pasivos que realicen operaciones a las que sea de aplicación el régimen especial del criterio de caja suministrarán toda la información que vengan obligados a relacionar en su declaración anual, sobre una base de cómputo anual, sin que sea necesario su desglose trimestral.

Estos registros de nuevo inciden no solo en los operadores acogidos al régimen, sino también en los destinatarios de sus entregas de bienes o prestaciones de servicios.

# 4. Regla de prorrata

## 4.1. Introducción

La regla de la prorrata será de aplicación cuando el sujeto pasivo, en el ejercicio de su actividad empresarial o profesional, efectúe conjuntamente entrega de bienes o prestaciones de servicios que originen el derecho a la deducción y otras operaciones de análoga naturaleza que no habiliten para el ejercicio de dicha deducción.

Aquellas cuotas soportadas que cuya adquisición de bienes o servicios se destine a la actividad por la que se devenga IVA será deducible. Por el contrario, aquellas cuotas soportadas cuyo destino sean actividades por las que no se devenga IVA no generan el derecho a la deducción.

El arrendamiento de locales de negocio es una operación que da derecho a deducir las cuotas de IVA que hubieran podido soportarse, pues en estos arrendamientos se repercute a su vez el impuesto sobre los arrendatarios.

El arrendamiento de viviendas, por el contrario, es una operación que no da derecho a deducir los IVA soportados, pues tales arrendamientos están exentos del tributo y, en consecuencia, no hay repercusión del mismo.

Sin embargo, las empresas habitualmente adquieren bienes que se utilizan en común en los distintos sectores diferenciados de la actividad, y por ello, será necesario prorratear la parte de ese IVA que pueda ser deducible.

Para ello se establece en la LIVA la regla de prorrata, que presenta dos modalidades: prorrata general y prorrata especial.

Un arquitecto que, adicionalmente, se dedique a la enseñanza, o una empresa constructora (y, además, alquile inmuebles para viviendas), deberá aplicar para cada uno de los sectores el régimen de deducciones que corresponda, pero siempre manteniendo la independencia entre ellos.

Así, en los ejemplos que se han enunciado se podrá deducir todo el IVA soportado que corresponda a las actividades plenamente sujetas al impuesto (profesión de arquitecto o construcción de edificaciones), mientras que no podrá deducirse ninguna de las cuotas que hubieran podido soportarse en el sector diferenciado que corresponda a la actividad exenta (enseñanza o arrendamiento de viviendas).

La prorrata no es sino una fracción o proporción que se traduce en un porcentaje que el sujeto pasivo aplicará a las cuotas soportadas para saber qué parte de las mismas es la que puede deducir y qué parte es la que no podrá deducir en sus correspondientes liquidaciones.

Es decir, que sobre determinadas actividades repercute IVA y sobre otras no. La prorrata expresa el porcentaje que las primeras representan respecto del total de las operaciones que realiza el empresario. Este porcentaje representará la parte de IVA soportado que podrá deducir.

La empresa inmobiliaria CASA, S. L. alquiló viviendas a particulares por importe de 48.000,00 €, que ya sabemos que están exentas, y alquiló locales de negocio por importe de 132.000,00 €, que como veremos tributan al tipo general del IVA, el 21%.

En su actividad ha registrado cuotas de IVA soportado por importe de 90.000 €.

Su prorrata provisional será: 132.000/(132.000 + 48.000) = 0,73333.

Luego solo podrá deducir el 74% de los 90.000,00 de IVA soportado, ya que el porcentaje de prorrata se redondea en la unidad superior.

La prorrata especial se aplicará cuando el sujeto pasivo opte de forma expresa o cuando el total de las cuotas deducibles en un año natural por aplicación de la regla de la prorrata general exceda en un 10% más del que resultaría de la aplicación de la prorrata especial.

En el resto de supuestos se aplicará la regla de la prorrata general.

## 4.2. Prorrata general

La prorrata general se obtiene a partir de la siguiente fracción:

- **En el numerador**: el importe total, para cada año natural, de las operaciones que originan el derecho a deducción de las cuotas soportadas. Recuérdese que básicamente son aquellas operaciones interiores sobre las que se ha repercutido el impuesto junto con las exportaciones y las entregas intracomunitarias (en las que, aun no existiendo repercusión, sí existe derecho a deducir cuotas soportadas).

- **En el denominador**: el importe total, determinado para el mismo período de tiempo, de las entregas de bienes y prestaciones de servicios realizadas por el sujeto pasivo en el desarrollo de su actividad empresarial o profesional o, en su caso, en el sector diferenciado que corresponda, incluidas aquellas que no originen el derecho a deducir.

Ni en el denominador ni en el numerador se incluirán:

1. Operaciones realizadas desde establecimientos permanentes situados fuera del territorio de aplicación del impuesto.

2. Las cuotas del IVA tampoco deben incluirse en la prorrata, es decir, que el importe de las operaciones se determinará sin incluir el impuesto.

3. Operaciones consistentes en entregas de bienes de inversión. Se pretende con ello que en la prorrata solo haya reflejo de operaciones comerciales o habituales de la empresa y no cualquier otro tipo de operación.

4. Operaciones inmobiliarias o financieras, cuando no sean la actividad habitual del empresario o profesional en cuestión, por la razón expuesta en el párrafo anterior.

5. Operaciones no sujetas al impuesto.

6. Operaciones que consistan en autoconsumos por el cambio de destino de un bien que pasa de ser considerado como existencia a ser calificado como bien de inversión.

Debe tenerse en cuenta:

a) Que la cifra que se obtenga de la fracción anterior se redondeará en la unidad superior.

b) Que para la imputación temporal de las operaciones se aplicarán los criterios de devengo del IVA.

Cada año natural, el empresario o profesional aplicará a lo largo de los tres primeros trimestres o, en su caso, los once primeros meses, según cuál sea su período de liquidación), de forma provisional, el porcentaje de deducción que hubiese tenido el año precedente, pudiendo solicitar uno distinto si hubieran concurrido circunstancias susceptibles de alterarlo significativamente. Si el sujeto pasivo se encontrase en el primer año de ejercicio de la actividad podrá proponer la aplicación de un determinado porcentaje que él estime pertinente y que será el que utilice salvo que la Administración fije uno diferente.

En la última declaración-liquidación del año natural el sujeto pasivo calculará el porcentaje de prorrata definitivo, lo que es razonable si se tiene en cuenta que es en ese momento cuando dispone del total de operaciones que ha desarrollado en el ejercicio. Por ello, a lo largo de este último vino utilizando, de manera provisional, la prorrata del año anterior. Calculada la prorrata definitiva, el empresario o profesional la aplicará sobre el total de IVA soportado en el ejercicio y procederá a regularizar, es decir, se pondrá de manifiesto la necesidad de realizar un ingreso complementario o una deducción complementaria.

## 4.3. Prorrata especial

La prorrata especial es aplicable en los siguientes casos:

a) En los casos de opción:

⇨ En la última autoliquidación del Impuesto correspondiente a cada año natural, procediéndose en tal caso, a la regularización de las deducciones practicadas durante el mismo.

⇨ En los casos de inicio de actividades mediante la correspondiente declaración censal, hasta la finalización del plazo de presentación de la autoliquidación correspondiente al período en que se produzca el comienzo de la realización habitual de las entregas de bienes o prestaciones de servicios propias de la actividad.

b) Cuando debe aplicarse obligatoriamente, porque la aplicación de la prorrata general supondría que el volumen de IVA soportado deducible fuese superior en un 10% al que resultaría de aplicarse la prorrata especial.

c) Solicitud por aplicación del régimen de deducción común para sectores diferenciados.

En cuanto a la aplicación de esta singular prorrata, hay que destacar que la misma se basa en una discriminación de los IVA que soporte el empresario o profesional:

1. El soportado en la adquisición de bienes o servicios que se utilizan exclusivamente en la realización de operaciones con derecho a deducción (recuérdese que son aquellas en las que se repercute IVA o, en su caso, exportaciones) podrá deducirse íntegramente.

2. El soportado en las adquisiciones de bienes o servicios que se utilizan exclusivamente en la realización de operaciones que no originan tal derecho, no podrán deducirse.

3. Finalmente, las cuotas soportadas en la compra de bienes o servicios que se van a utilizar solo en parte para realizar operaciones que dan derecho a deducción, podrán ser deducidas en la proporción resultante de aplicar al importe global de las mismas el porcentaje a que se refiere la prorrata general.

La opción por la aplicación de la regla de prorrata especial surtirá efectos en tanto no sea revocada por el sujeto pasivo, si bien, la opción por su aplicación tendrá una validez mínima de tres años naturales, incluido el año natural a que se refiere la opción ejercitada.

La revocación podrá efectuarse, una vez transcurrido el período mínimo mencionado, en la última declaración-liquidación correspondiente a cada año natural, procediéndose en tal caso, a la regularización de las deducciones practicadas durante el mismo.

## 4.4. Regularización de deducciones por bienes de inversión

Las cuotas deducibles por la adquisición o importación de bienes de inversión deberán regularizarse durante los cuatro años naturales siguientes a aquel en que los sujetos pasivos realicen las citadas operaciones.

No obstante, cuando la utilización efectiva o entrada en funcionamiento de los bienes se inicien con posterioridad a su adquisición o importación, la regularización se efectuará el año en que se produzcan dichas circunstancias y los cuatro siguientes.

Las regularizaciones indicadas en este apartado solo se practicarán cuando, entre el porcentaje de deducción definitivo correspondiente a cada uno de dichos años y el que prevaleció en el año en que se soportó la repercusión, exista una diferencia superior a diez puntos.

Tratándose de terrenos o edificaciones, las cuotas deducibles por su adquisición deberán regularizarse durante los nueve años naturales siguientes a la correspondiente adquisición.

Sin embargo, si su utilización efectiva o entrada en funcionamiento se inician con posterioridad a su adquisición la regularización se efectuará el año en que se produzcan dichas circunstancias y los nueve años naturales siguientes.

La regularización de las cuotas impositivas que hubiesen sido soportadas con posterioridad a la adquisición o importación de los bienes de inversión o, en su caso, del inicio de su utilización o de su entrada en funcionamiento, deberá efectuarse al finalizar el año en que se soporten dichas cuotas con referencia a la fecha en que se hubieran producido las circunstancias indicadas y por cada uno de los años transcurridos desde entonces.

En los supuestos de pérdida o inutilización definitiva de los bienes de inversión, por causa no imputable al sujeto pasivo debidamente justificada, no procederá efectuar regularización alguna durante los años posteriores a aquel en que se produzca dicha circunstancia.

Los ingresos o, en su caso, deducciones complementarias resultantes de la regularización de deducciones por bienes de inversión deberán efectuarse en la declaración-liquidación correspondiente al último período de liquidación del año natural a que se refieran, salvo en el supuesto mencionado en el apartado cuatro del art. 107 LIVA (cuotas soportadas con posterioridad a la adquisición o importación de los bienes de inversión o, en su caso, del inicio de su utilización o de su entrada en funcionamiento), en el que deberá realizarse en el mismo año en que se soporten las cuotas repercutidas.

Una empresa inmobiliaria que vende pisos nuevos (actividad plenamente sujeta) y pisos de segunda mano adquiere por 600.000,00 € un inmueble nuevo en el que pretende instalar su sede. En la adquisición soportó un IVA de 126.000,00 €.

- Si en el año de la adquisición la empresa hubiese tenido una prorrata del 20% hubiera podido deducir 25.200,00 € respecto del total soportado.

- Por el contrario, si hubiese tenido una prorrata del 90% habría podido deducir hasta 113.400,00 €.

Tal diferencia justifica que, dado que se trata de un bien que se va a utilizar en diferentes ejercicios, se tengan en cuenta las prorratas de años ulteriores.

A los efectos de este impuesto, se considerarán de inversión los bienes corporales, muebles, semovientes o inmuebles que, por su naturaleza y función, estén normalmente destinados a ser utilizados por un período de tiempo superior a un año como instrumentos de trabajo o medios de explotación.

No tendrán la consideración de bienes de inversión:

a)  Los accesorios y piezas de recambio.

b)  Ejecuciones de obra para la reparación de otros bienes de inversión.

c)  Los envases y embalajes.

d)  Las ropas que se utilizan para el trabajo.

e)  Cualquier otro bien cuyo valor de adquisición sea inferior a 3.005,06 €.

La regularización se efectúa del siguiente modo:

1.  Conocido el porcentaje de deducción definitivamente aplicable en cada uno de los años en que deba tener lugar la regularización (y exista una diferencia superior en diez puntos respecto al año que se soportó la repercusión), se determinará el importe de la deducción que procedería si la repercusión de las cuotas se hubiese soportado en el año que se considere.

2.    Dicho importe se restará del de la deducción efectuada en el año en que tuvo lugar la repercusión.

3.    La diferencia positiva o negativa se dividirá por cinco o, tratándose de terrenos o edificaciones, por diez, y el cociente resultante será la cuantía del ingreso o de la deducción complementarios a efectuar.

Téngase en cuenta que la regularización solo puede efectuarse en la última declaración-liquidación del año natural al que se refiera, pues solo entonces puede conocerse la prorrata definitiva de dicho año y podrá compararse con la prorrata que existía en el año de la compra del bien.

Respecto de la empresa que adquiría el edificio soportando un IVA de 126.000,00 €, supóngase que en el año de la compra la prorrata fue del 30%. En tal caso, dedujo 37.800,00 €.

Al año siguiente, se supondrá que la prorrata ha sido del 50% (más de diez puntos de diferencia).

La regularización se practicará de la siguiente forma:

⇨    Cantidad deducida: 37.800,00 €.

⇨    Cantidad que podría haber deducido con prorrata al 50%: 63.000,00 €.

⇨    Se calcula entonces la diferencia 63.000,00 – 37.800,00 = 25.200,00 €.

⇨    Y se calcula 25.200,00/10 = 2.520,00 €, de deducción adicional que podrá sumar al total de IVA soportado del cuarto trimestre.

El período de regularización del bien abarca los cuatro años posteriores (o nueve, si se trata de terrenos o edificaciones). No obstante, si el bien de inversión se transmitiera durante dicho período, deberá entonces realizarse una regularización única por los años que quedasen por transcurrir. **La LIVA establece para ello las siguientes reglas**:

•    Si la entrega ha estado plenamente sujeta al Impuesto (es decir, que se ha repercutido IVA al realizar la entrega o transmisión del bien), se toma como porcentaje de prorrata el 100%, tanto para el año de la transmisión como para los restantes que faltan hasta la total expiración del plazo de regularización. Es decir, la Ley del impuesto prescinde de cuál sería la auténtica prorrata de tales años y exige que se tome el 100%.

- En este supuesto, si al proceder a la regularización resultase que el empresario tiene derecho a una deducción complementaria, esta tiene como tope máximo el importe de la cuota devengada por la entrega del bien, es decir, del IVA que haya repercutido.

- Por el contrario, si la entrega ha estado exenta o no sujeta (es decir, no se ha repercutido IVA), la Ley exige que se tome como porcentaje el 0%. La norma exige que se aplique esta regla también en los supuestos en que el bien de inversión se destine a fines que limitan o excluyen la posibilidad de deducir el IVA soportado, como ocurriría, por ejemplo con la posible utilización posterior del bien para necesidades privadas del sujeto pasivo (pues en tal caso, no hay venta del bien, sino un cambio de afectación que exige no obstante la regularización).

En el caso de la empresa anterior, si al año siguiente a la compra vendiese el inmueble adquirido estaríamos ante una entrega exenta por segunda transmisión de edificaciones (salvo que se hubiese renunciado a la exención, si ello fuese posible). En consecuencia, se tendría:

⇨ Cantidad deducida: 37.800,00 €.

⇨ Cantidad que podría deducir teniendo en cuenta que la entrega del inmueble ha sido una operación exenta: 0 €.

Dado que se supone que se vende al año siguiente, quedarán por tanto un total de 9 años por regularizar. Se hará entonces:

Obtener la diferencia entre lo que debería haber deducido (0 €) y lo que dedujo (37.800,00 €):

$$0 - 37.800,00 = -37.800,00 \text{ €.}$$

(37.800/10) x 9 = 34.020,00 € que en este caso será un ingreso complementario a añadir.

Una empresa ha adquirido 5 máquinas que ha procedido a incorporar a una de sus líneas de actividad. La entidad se dedica a una actividad sujeta al IVA plenamente, así como a una segunda actividad económica exenta, por la que la LIVA permite renunciar a la exención. Como consecuencia de ello, la entidad se ve obligada a aplicar la regla de prorrata en su liquidación del IVA.

El precio de cada máquina ha sido de 12.000 €. El año de adquisición fue X, siendo la prorrata de dicho año del 60%.

Las prorratas sucesivas han sido las siguientes:

- X + 1: 55%

- X + 2: 80%

- X + 3: 95%

- X + 4: 40%

Debe tenerse en cuenta que en X + 2 vendió una de las máquinas adquiridas por 3.600 €, habiendo repercutido un IVA de 756 €.

Se pide hacer lo siguiente:

- Regularización de deducciones por bienes de inversión.

- Regularización por entrega de uno de los bienes de inversión durante el período de regularización.

**SOLUCIÓN:**

**Deducción en el año de la compra**

IVA soportado: 2.520 €

Total: 2.520 x 5 = 12.600 €

IVA deducible: 1.512 (60%)

Total: 1.512 x 5 = 7.560 €

**2º Deducción X + 1**

Prorrata: 55%

Se produce una diferencia de 5 puntos porcentuales en relación con la prorrata inicial del 60%; dicha diferencia es inferior a 10 puntos y, en consecuencia, no procede regularizar.

.../...

../..

**3º Deducción X + 2**

Prorrata: 80%

Se produce una diferencia de 20 puntos porcentuales en relación con la prorrata inicial del 60%; dicha diferencia implica la regularización de la deducción.

Declaración inicial: 60% sobre 2.520 = 1.512 €

Declaración X + 2: 80% sobre 2.520 = 2.016 €

Diferencia: 1.512 - 2.016 = - 504 €

Regularización: - 504 / 5 = - 100,8 €

Total: - 100,80 x 4 x 4 =1.612,80 € a deducir en la liquidación del 4º trimestre.

Se aplicará a todas las máquinas excepto a la que se ha vendido. En relación con el bien enajenado en X + 2, se procede en este año a "regularizar anticipadamente por los 4 años restantes

Deducción inicial: 1.512 € (60%)

Prorrata X+2 (año de venta): 80%

Deducción teórica: 2.016 €

Diferencia: +504 €

Se regulariza de forma anticipada: 504 × (4 años / 5) = 403,20 €

## 5. Régimen de deducciones en sectores diferenciados de la actividad

Los sujetos pasivos que realicen actividades económicas en sectores diferenciados de la actividad empresarial o profesional deberán aplicar separadamente el régimen de deducciones respecto de cada uno de ellos.

La aplicación de la regla de la prorrata especial podrá efectuarse independientemente respecto de cada uno de los sectores diferenciados de la actividad empresarial o profesional.

En principio, dos actividades realizadas por un sujeto pasivo constituyen sectores diferenciados cuando se dan estos dos requisitos simultáneamente:

- Que las actividades tengan asignados grupos diferentes en la Clasificación Nacional de Actividades Económicas (CNAE), aprobada por el Real Decreto 475/2007, de 13 de abril. Actualmente, el Real Decreto 10/2025, de 14 de enero, aprueba la Clasificación Nacional de Actividades Económicas 2025 (CNAE-2025). Estos grupos están formados por tres dígitos.

- Que los porcentajes de deducción difieran en más de 50 puntos porcentuales entre ambas actividades.

Si existen dos actividades distintas, pero una de ellas es accesoria a la principal, entonces se entiende que no forman sectores diferenciados. A estos efectos, la LIVA determina que una actividad es accesoria a otra cuando, en el año precedente, su volumen de operaciones no ha excedido del 15% del de la principal y, además, contribuye a su realización.

Adicionalmente, la normativa del impuesto considera directamente como sectores diferenciados las actividades acogidas a los regímenes especiales simplificado, de la agricultura, ganadería y pesca de las operaciones con oro de inversión o del recargo de equivalencia, así como las operaciones de arrendamiento financiero y de cesión de créditos o préstamos.

Cuando se efectúen adquisiciones o importaciones de bienes o servicios para su utilización en común en varios sectores diferenciados de actividad, será de aplicación lo establecido en el artículo 104, apartado dos, para determinar el porcentaje de deducción aplicable respecto de las cuotas soportadas en dichas adquisiciones o importaciones, computándose a tal fin las operaciones realizadas en los sectores diferenciados correspondientes y considerándose que, a tales efectos, no originan el derecho a deducir las operaciones incluidas en el régimen de la agricultura, ganadería o pesca o en el régimen especial de recargo de equivalencia.

Un empresario es titular de dos actividades distintas. Por una parte, es dueño de una flota de ambulancias para el transporte de enfermos. Por otra, es propietario de tres pequeños camiones con los que realiza transporte de mercancías. Estas actividades tienen clasificaciones diferentes en la CNAE (por tanto, serán sectores diferenciados si los porcentajes de deducción difieren en más de cincuenta puntos).

La actividad de transporte de enfermos en ambulancia es una operación interior que está exenta de IVA, es decir, el empresario no repercute el IVA sobre sus clientes cuando estos contratan sus servicios (situación que no se da en el transporte de bienes, donde el IVA se exige plenamente).

Cuando se adquieren bienes destinados a una actividad exenta, el IVA soportado no es deducible. Así, cuando el empresario adquiera un vehículo y lo utilice como ambulancia, el IVA soportado en la compra no puede deducirse. Sin embargo, si el vehículo lo utilizase para el transporte de mercancías, no existiría ninguna limitación para que pudiese deducir el impuesto soportado en esta actividad. En definitiva, en una actividad puede deducir el 100% del IVA que soporta, mientras que en la otra deducirá un 0% (lo que supone que, entre ambas actividades, el régimen de deducción difiere en más de 50 puntos porcentuales).

En el caso de que el empresario adquiriera un vehículo inicialmente destinado a transporte de mercancías y posteriormente lo utilizase (hechas las transformaciones pertinentes) en su actividad de ambulancia, estaría entonces ante un autoconsumo por llevar el bien de un sector diferenciado a otro. Es decir, se exigiría el IVA correspondiente, que el empresario debería autorrepercutirse.

El motivo por el que la Ley exige el gravamen de estas operaciones se debe a la necesidad de evitar actuaciones del sujeto pasivo orientadas a eludir la correcta aplicación del impuesto.

## 6. Deducciones anteriores al inicio de las operaciones

Quienes no viniesen desarrollando con anterioridad actividades empresariales o profesionales y adquieran la condición de empresario o profesional por efectuar **adquisiciones o importaciones de bienes o servicios** con la intención, confirmada por elementos objetivos, de destinarlos a la realización de actividades de tal naturaleza, podrán deducir las cuotas que, con ocasión de dichas operaciones, soporten o satisfagan antes del momento en que inicien la realización habitual de las entregas de bienes o prestaciones de servicios correspondientes a dichas actividades.

Será, asimismo, aplicable a aquellos empresarios o profesionales que vinieran realizando una actividad económica pero iniciaran una nueva actividad empresarial o profesional que constituya un **sector diferenciado** respecto de las actividades que venían desarrollando con anterioridad.

Los empresarios que deban quedar sometidos al régimen especial del recargo de equivalencia desde el inicio de su actividad comercial, no podrán efectuar estas deducciones.

 El empresario Sr. García ha iniciado una actividad de fabricación de ropa deportiva, indicando como fecha de inicio el 1 de junio de 20XX. Podrá entonces deducir las cuotas de IVA soportado anteriormente (en el término de los cuatro años anteriores) por operaciones tales como compra del local, contratación de suministros, gastos de asesoría, etc.

Las deducciones provisionales practicadas se regularizarán aplicando el porcentaje definitivo que globalmente corresponda al período de los cuatro primeros años naturales de realización de entregas de bienes o prestaciones de servicios efectuadas en el ejercicio de actividades empresariales o profesionales.

La regularización de las deducciones se realizará del siguiente modo:

1.  Conocido el porcentaje de deducción definitivamente aplicable a las cuotas soportadas o satisfechas con anterioridad al inicio de la realización de las entregas de bienes o prestaciones de servicios correspondientes a la actividad empresarial o profesional, se determinará el importe de la deducción que procedería en aplicación del mencionado porcentaje.

2.  Dicho importe se restará de la suma total de las deducciones provisionales practicadas conforme a lo dispuesto por el artículo 111 de LIVA.

3.  La diferencia, positiva o negativa, será la cuantía del ingreso o de la deducción complementaria a efectuar.

 Se considera primer año de realización de entregas de bienes o prestación de servicios en el desarrollo de actividades empresariales o profesionales, aquel durante el cual el empresario o profesional comience el ejercicio habitual de dichas operaciones, siempre que el inicio de las mismas sea antes del 1 de julio de ese año.

 El empresario Sr. García del ejemplo anterior podría presentar la declaración previa al inicio de actividad y poder así practicar la deducción de las cuotas que hubiese soportado solicitando la devolución del saldo a su favor que, en su caso, podría existir a 31 de diciembre.

## 7. Devoluciones

### 7.1. Conceptos previos

El supuesto más general de devolución del IVA al sujeto pasivo se produce cuando las **cuotas de IVA soportado han excedido de las correspondientes al IVA repercutido** y aquel opta por solicitar la devolución del saldo a su favor existente a 31 de diciembre mediante la última declaración-liquidación del año si presenta declaraciones-liquidaciones trimestrales, o bien solicitar la devolución mensual si presentan declaraciones-liquidaciones mensuales y están inscritos en el registro de devoluciones mensuales del IVA (REDEME) los sujetos pasivos a que se refiere el artículo 116 de LIVA. En este sistema, los sujetos podrán optar por solicitar la devolución del saldo a su favor existente al término de cada período de liquidación (no tienen que esperar al último período de liquidación para ello).

La Administración procederá, en su caso, a practicar liquidación provisional dentro de los seis meses siguientes al término del plazo previsto para la presentación de la autoliquidación en que se solicite la devolución del Impuesto.

Si no se ha practicado la liquidación provisional en el plazo indicado, la Administración procederá a devolver de oficio la cantidad solicitada. Transcurrido el plazo de 6 meses sin que se haya ordenado el pago de la devolución por causa imputable a la Administración tributaria, se aplicará a la cantidad pendiente de devolución el interés de demora a que se refiere el artículo 26.6 de la LGT, desde el día siguiente al de la finalización de dicho plazo y hasta la fecha del ordenamiento de su pago, sin necesidad de que el sujeto pasivo así lo reclame.

### 7.2. Solicitud de devoluciones al fin de cada período de liquidación

El Reglamento del IVA regula en su **artículo 30** la forma de obtener las devoluciones mensuales. Este procedimiento es el siguiente:

1. Para poder ejercitar el derecho a la devolución los sujetos pasivos deberán estar inscritos en el registro de devolución mensual (REDEME). En otro caso, solo podrán solicitar la devolución del saldo que tengan a su favor al término del último período de liquidación de cada año natural.

El registro de devolución mensual se gestionará por la AEAT, sin perjuicio de lo dispuesto en las normas reguladoras de los regímenes de Concierto Económico con la Comunidad Autónoma del País Vasco y de Convenio Económico con la Comunidad Foral de Navarra.

2.  Serán inscritos en el registro, previa solicitud, los sujetos pasivos en los que concurran los siguientes requisitos:

    a)  Que soliciten la inscripción mediante la presentación de una declaración censal.

    b)  Que se encuentren al corriente de sus obligaciones tributarias.

    c)  Que no se encuentren en alguno de los supuestos que podrían dan lugar a la baja cautelar en el registro de devolución mensual o a la revocación del NIF.

    d)  Que no realicen actividades que tributen en el régimen simplificado.

    e)  En el caso de entidades acogidas al régimen especial del grupo de entidades, la inscripción en el registro solo procederá cuando todas las entidades del grupo que apliquen dicho régimen especial así lo hayan acordado y reúnan determinados requisitos previstos en el artículo 30 RIVA.

3.  Las solicitudes de inscripción en el registro se presentarán en el mes de noviembre del año anterior a aquel en que deban surtir efectos. La inscripción en el registro se realizará desde el día 1 de enero del año en el que deba surtir efectos.

    No obstante, los sujetos pasivos que no hayan solicitado la inscripción en el registro en el citado plazo, así como los empresarios o profesionales que no hayan iniciado la realización de entregas de bienes o prestaciones de servicios correspondientes a actividades empresariales o profesionales pero hayan adquirido bienes o servicios con la intención, confirmada por elementos objetivos, de destinarlos al desarrollo de tales actividades, podrán igualmente solicitar su inscripción en el registro durante el plazo de presentación de las declaraciones-liquidaciones periódicas. En ambos casos, la inscripción en el registro surtirá efectos desde el día siguiente a aquel en el que finalice el período de liquidación de dichas declaraciones-liquidaciones.

4.  La entidad dominante de un grupo que vaya a optar por la aplicación del régimen especial del grupo de entidades en el que todas ellas hayan acordado solicitar la inscripción en el registro, deberá presentar la solicitud conjuntamente con la opción por dicho régimen especial, en la misma forma, lugar y plazo que esta, surtiendo efectos desde el inicio del año natural siguiente. En el supuesto de que los acuerdos para la inscripción en el registro se adoptaran con posterioridad, la solicitud deberá presentarse durante el plazo de presen-

tación de las declaraciones-liquidaciones periódicas, surtiendo efectos desde el día siguiente a aquel en el que finalice el período de liquidación de dichas declaraciones-liquidaciones.

5.  La presentación de solicitudes de inscripción en el registro fuera de los plazos establecidos conllevará su desestimación y archivo sin más trámite que el de comunicación al sujeto pasivo.

    Los sujetos pasivos podrán entender desestimada la solicitud de inscripción en el registro si transcurridos tres meses desde su presentación no han recibido notificación expresa de la resolución del expediente.

    El incumplimiento de alguno de los requisitos o la constatación de la inexactitud o falsedad de la información censal facilitada a la Administración Tributaria, será causa suficiente para la denegación de la inscripción en el registro o, en caso de tratarse de sujetos pasivos ya inscritos, para la exclusión por la Administración Tributaria de dicho registro.

6.  La exclusión del registro surtirá efectos desde el primer día del período de liquidación en el que se haya notificado el respectivo acuerdo.

    La exclusión del registro determinará la inadmisión de la solicitud de inscripción durante los tres años siguientes a la fecha de notificación de la resolución que acuerde la misma.

7.  Los sujetos pasivos inscritos en el registro de devolución mensual estarán obligados a permanecer en él al menos durante el año para el que se solicitó la inscripción o, tratándose de sujetos pasivos que hayan solicitado la inscripción durante el plazo de presentación de las declaraciones-liquidaciones periódicas o de empresarios o profesionales que no hayan iniciado la realización de entregas de bienes o prestaciones de servicios correspondientes a actividades empresariales o profesionales, al menos durante el año en el que solicitan la inscripción y el inmediato siguiente.

8.  Las solicitudes de baja voluntaria en el registro se presentarán en el mes de noviembre del año anterior a aquel en que deban surtir efectos. En el supuesto de un grupo que aplique el régimen especial del grupo de entidades, la solicitud de baja voluntaria se presentará por la entidad dominante en el plazo y con los efectos establecidos por el artículo 61 bis.5 RIVA.

    No obstante, los sujetos pasivos estarán obligados a presentar la solicitud de baja en el registro cuando pase a realizar actividades que tributen en el régimen simplificado. Dicha solicitud deberá presentarse en el plazo de presentación de la declaración-liquidación correspondiente al mes en el que se produzca el incumplimiento, surtiendo efectos desde el inicio de dicho mes.

9.  No podrá volver a solicitarse la inscripción en el registro en el mismo año natural para el que el sujeto pasivo hubiera solicitado la baja del mismo.

Los sujetos pasivos inscritos en el registro de devolución mensual deberán presentar sus declaraciones-liquidaciones del IVA exclusivamente por vía telemática y con periodicidad mensual.

10. La inscripción en el registro de devolución mensual resultará plenamente compatible con el alta en el servicio de notificaciones en dirección electrónica para las comunicaciones que realice la AEAT. En el caso de entidades acogidas al régimen especial del grupo de entidades, la inscripción en el mencionado servicio, en su caso, deberá ser cumplida por la entidad dominante.

La devolución que corresponda se efectuará exclusivamente por transferencia bancaria a la cuenta que indique al efecto el sujeto pasivo en cada una de sus solicitudes de devolución mensual.

## 7.3. Declaraciones a compensar

Cuando una declaración-liquidación de IVA resulta negativa (IVA soportado mayor que IVA repercutido), además de solicitar la devolución también cabe la posibilidad, según el artículo 71 y siguientes de la LGT, de solicitar la compensación para declaraciones-liquidaciones posteriores, pudiendo en cada declaración posterior compensar como máximo el importe positivo resultante de la misma, y siempre dentro de un plazo máximo de 4 años para compensar esas declaraciones negativas.

 Una empresa tiene 2.300,00 € para compensar de declaraciones anteriores. En la declaración mensual de octubre obtiene un resultado positivo  ingresar de 1.200,00 €. En este caso podrá compensar 1.200,00 €, y el resto, 1.100,00 € lo podrá compensar en declaraciones posteriores.

## 7.4. Devolución de cuotas deducibles a los sujetos pasivos que ejerzan la actividad de transporte de viajeros o de mercancías por carretera

Desde el 1 de enero del 2019, los sujetos pasivos que ejerzan la actividad de transporte de viajeros o de mercancías por carretera, tributen por el régimen simplificado del impuesto y hayan soportado cuotas deducibles del impuesto como consecuencia de la adquisición de medio de transporte afectos a tales actividades, podrán solicitar la devolución de dichas cuotas deducibles durante los primeros 20 días naturales del mes siguiente a aquel en el cual hayan realizado la adquisición de los medios de transporte.

Los medios de transporte que hayan sido adquiridos por los sujetos pasivos que ejerzan la actividad de transporte de mercancías por carretera, deberán estar comprendidos en la categoría N1 y tener al menos 2.500 kilos de masa máxima autorizada o en las categorías N2 y N3, todas ellas del anexo II de la Directiva 2007/46/CE, del Parlamento Europeo y del Consejo, de 5 de septiembre de 2007, por la que se crea un marco para la homologación de los vehículos de motor y de los remolques, sistemas, componentes y unidades técnicas independientes destinados a dichos vehículos.

La categoría N comprende los vehículos de motor destinados al transporte de mercancías, con al menos cuatro ruedas (o tres ruedas y peso >1Tm). Se clasifican por su masa máxima técnicamente autorizada (MMTA) en tres categorías: N1 (MMTA ≤ 3.5T) como furgonetas, *pickups* y similares; N2 (entre 3.5T y 12T) que son la mayoría de camiones medianos; y N3 (> 12T) que incluye los camiones pesados y otros.

## 7.5. Solicitudes de devolución de empresarios o profesionales establecidos en el territorio de aplicación del impuesto correspondientes a cuotas soportadas por operaciones efectuadas en la Unión Europea

Los empresarios o profesionales que estén establecidos en el territorio de aplicación del impuesto, Islas Canarias, Ceuta y Melilla, solicitarán la devolución de las cuotas soportadas por adquisiciones o importaciones de bienes o servicios efectuadas en la Unión Europea, con excepción de las realizadas en dicho territorio (TAI), mediante la presentación por vía electrónica de una solicitud a través de los formularios dispuestos al efecto en el portal electrónico de la Agencia Estatal de la Administración Tributaria. Actualmente es el formulario 360. El plazo para la presentación se iniciará al día siguiente del final del período de devolución y concluirá el 30 de septiembre siguiente al año natural en el que se hayan soportado las cuotas.

La recepción y tramitación de la solicitud a que se refiere este artículo se llevarán a cabo a través del procedimiento que se regula en el artículo 30 ter del RIVA.

Recibida la solicitud de devolución, la Agencia Tributaria informará sin demora al solicitante de la recepción de un acuse de recibo electrónico y decidirá su remisión por vía electrónica al Estado miembro en el que se hayan soportado las cuotas en el plazo de 15 días contados desde dicha recepción.

No obstante, se notificará por vía electrónica al solicitante de que no procede la remisión de su solicitud cuando, durante el período al que se refiera, concurra cualquiera de las siguientes circunstancias:

a)  No haya tenido la condición de empresario o profesional actuando como tal.

b)  Haya realizado exclusivamente operaciones que no originen el derecho a la deducción total del impuesto.

c)  Realice exclusivamente actividades que tributen por los regímenes especiales de la agricultura, ganadería y pesca o del recargo de equivalencia.

El solicitante deberá estar inscrito en el servicio de notificaciones en dirección electrónica para las comunicaciones que realice la Agencia Estatal de Administración Tributaria relativas a las solicitudes anteriores.

 Un arquitecto toledano ha soportado cuotas de IVA por servicios de restauración y hospedaje, por importe de 1.200,00 € como consecuencia de unos trabajos realizados en Brujas, territorio holandés al que tuvo que desplazarse durante 8 días.

## 7.6. Régimen especial de devolución de empresarios o profesionales no establecidos en el territorio de aplicación del impuesto, pero sí establecidos en la Unión Europea, Islas Canarias, Ceuta o Melilla (art. 119)

Los empresarios o profesionales no establecidos en el TAI pero establecidos en la Unión Europea, Islas Canarias, Ceuta o Melilla, podrán solicitar la devolución de las cuotas del IVA que hayan soportado por las adquisiciones o importaciones de bienes o servicios realizadas en dicho territorio (TAI), de acuerdo con lo previsto en el artículo 119 y con arreglo a los plazos y al procedimiento que se establece en el artículo 31 del RIVA.

A estos efectos, se considerarán no establecidos en el TAI los empresarios o profesionales que, siendo titulares de un establecimiento permanente situado en el mencionado territorio, no realicen desde dicho establecimiento entregas de bienes ni prestaciones de servicios durante el período a que se refiera la solicitud.

Los empresarios o profesionales que soliciten las devoluciones deberán reunir las siguientes **condiciones** durante el período al que se refiera su solicitud:

- Estar establecidos en la Unión Europea o en las Islas Canarias, Ceuta o Melilla.

- No haber realizado en el TAI entregas de bienes o prestaciones de servicios sujetas al mismo distintas de las que se relacionan a continuación:

  a) Entregas de bienes y prestaciones de servicios en las que los sujetos pasivos del impuesto sean sus destinatarios, de acuerdo con lo dispuesto en los números 2º, 3º y 4º del apartado Uno del artículo 84 de la LIVA.

  b) Servicios de transporte y sus servicios accesorios que estén exentos del Impuesto en virtud de lo dispuesto en los artículos 21, 23, 24 y 64 de la LIVA.

- No ser destinatarios de entregas de bienes ni de prestaciones de servicios respecto de las cuales tengan dichos solicitantes la condición de sujetos pasivos en virtud de lo dispuesto en los números 2º y 4º del apartado Uno del artículo 84 de la LIVA.

- Cumplir con la totalidad de los requisitos y limitaciones establecidos en el Cap. I del Título VIII para el ejercicio del derecho a la deducción, en particular, en los artículos 95 y 96 y los referidos en el artículo 119 de la LIVA.

- Destinar los bienes adquiridos o importados o los servicios de los que hayan sido destinatarios en el TAI a la realización de operaciones que originen el derecho a deducir de acuerdo con la normativa vigente en el Estado miembro en donde estén establecidos y en función del porcentaje de deducción aplicable en dicho Estado.

- Presentar su solicitud de devolución por vía electrónica a través del portal electrónico dispuesto al efecto por el Estado miembro en el que estén establecidos.

La solicitud comprenderá las cuotas soportadas por las adquisiciones de bienes o servicios por las que se haya devengado el impuesto y se haya expedido la correspondiente factura en el período a que se refieran. En el caso de las importaciones de bienes, la solicitud deberá referirse a las realizadas durante el período de devolución definido en el apartado 3 del artículo 31 del RIVA.

Asimismo, podrá presentarse una nueva solicitud referida a un año natural que comprenda, en su caso, las cuotas soportadas por operaciones no consignadas en otras anteriores siempre que las mismas se hayan realizado durante el año natural considerado.

El ministro competente en la materia podrá determinar que la solicitud se acompañe de copia electrónica de las facturas o documentos de importación a que se refiera cuando la base imponible consignada en cada uno de ellos supere el importe de 1.000,00 euros con carácter general o de 250 euros cuando se trate de carburante.

La **solicitud de devolución** deberá contener la siguiente información:

a) Nombre y apellidos o denominación social y dirección completa del solicitante.

b) Número de identificación a efectos del IVA o número de identificación fiscal del solicitante.

c) Una dirección de correo electrónico.

d) Descripción de la actividad empresarial o profesional del solicitante a la que se destinan los bienes y servicios correspondientes a las cuotas del impuesto cuya devolución se solicita. A estos efectos, el Ministro competente en la materia podrá establecer que dicha descripción se efectúe por medio de unos códigos de actividad.

e) Identificación del período de devolución a que se refiera la solicitud de acuerdo con lo dispuesto en el apartado 3 del artículo 31 de la LIVA.

f) Una declaración del solicitante en la que manifieste que no realiza en el territorio de aplicación del impuesto operaciones distintas de las indicadas en el número 2º del apartado dos del artículo 119 de la LIVA.

Asimismo, cuando se trate de un empresario o profesional titular de un establecimiento permanente situado en el TAI, deberá manifestarse en dicha declaración que no se han realizado entregas de bienes ni prestaciones de servicios desde ese establecimiento permanente durante el período a que se refiera la solicitud.

g) Identificación y titularidad de la cuenta bancaria, con mención expresa a los códigos IBAN y BIC que correspondan. En el caso de que no se trate de una cuenta abierta en un establecimiento de una entidad de crédito ubicado en el TAI, Islas Canarias, Ceuta o Melilla, todos los gastos que origine la transferencia se detraerán del importe de la devolución acordada.

h) Los datos adicionales y de codificación que se soliciten por cada factura o documento de importación en el formulario.

 Un abogado italiano ha soportado cuotas de IVA por servicios de restauración y hospedaje, por importe de 1.200,00 € como consecuencia de unos trabajos realizados en Castellón, ciudad levantina a la que tuvo que desplazarse durante 8 días.

Las solicitudes de devolución deberán referirse a períodos no superiores al año natural ni inferiores a tres meses.

Las solicitudes de devolución podrán referirse a un período de tiempo inferior a tres meses cuando dicho período constituya el saldo de un año natural.

El plazo para la presentación de la solicitud de devolución se iniciará el día siguiente al final de cada trimestre natural o de cada año natural y concluirá el 30 de septiembre siguiente al año natural en el que se hayan soportado las cuotas a que se refiera.

Si la solicitud de devolución se refiere a un periodo de devolución inferior a un año natural, pero no inferior a tres meses, el importe del Impuesto incluido en la solicitud de devolución no podrá ser inferior a 400 euros.

Si la solicitud de devolución se refiere a un período de devolución de un año natural o a la parte restante de un año natural, el importe del Impuesto incluido en la solicitud no podrá ser inferior a 50 euros.

La resolución de la solicitud de devolución deberá adoptarse y notificarse al solicitante durante los cuatro meses siguientes a la fecha de su recepción por el órgano competente para la adopción de la misma.

No obstante, cuando sea necesaria la solicitud de información adicional o ulterior, la resolución deberá adoptarse y notificarse al solicitante en el plazo de dos meses desde la recepción de la información solicitada o desde el fin del transcurso de un mes desde que la misma se efectuó, si dicha solicitud no fuera atendida por su destinatario. En estos casos, el procedimiento de devolución tendrá una duración mínima de seis meses contados desde la recepción de la solicitud por el órgano competente para resolverla.

En todo caso, cuando sea necesaria la solicitud de información adicional o ulterior, el plazo máximo para resolver una solicitud de devolución será de ocho meses contados desde la fecha de la recepción de esta, entendiéndose desestimada si transcurridos los plazos no se ha recibido notificación expresa de su resolución.

## 7.7.  Régimen especial de devolución de empresarios o profesionales no establecidos en el territorio de aplicación del impuesto, ni en la Unión Europea, Islas Canarias, Ceuta o Melilla (art. 119 bis de la LIVA)

Los empresarios o profesionales no establecidos en el territorio de aplicación del impuesto ni en la Unión Europea, Islas Canarias, Ceuta o Melilla, podrán solicitar la devolución de las cuotas del IVA que hayan soportado por las adquisiciones o importaciones de bienes o servicios realizadas en dicho territorio, cuando concurran las condiciones y limitaciones previstas en el artículo 119 de la LIVA sin más especialidades que las que se indican a continuación y con arreglo al procedimiento que se establece en el artículo 31 bis del RIVA:

a) Los solicitantes deberán nombrar con carácter previo un representante que sea residente en el territorio de aplicación del impuesto que habrá de cumplir las obligaciones formales o de procedimiento correspondientes y que responderá solidariamente con aquellos en los casos de devolución improcedente. La Hacienda Pública podrá exigir a dicho representante caución suficiente a estos efectos.

b) Dichos solicitantes deberán estar establecidos en un Estado en que exista reciprocidad de trato a favor de los empresarios o profesionales establecidos en el territorio de aplicación del Impuesto, Islas Canarias, Ceuta y Melilla.

El reconocimiento de la existencia de la reciprocidad de trato se efectuará por resolución del Director General de Tributos del Ministerio competente en Hacienda.

Por excepción cualquier empresario y profesional no establecido a que se refiere el artículo 119 bis, podrá obtener la devolución de las cuotas del Impuesto soportadas respecto de las importaciones de bienes y las adquisiciones de bienes y servicios relativas a:

a) El suministro de plantillas, moldes y equipos adquiridos o importados en el territorio de aplicación del impuesto por el empresario o profesional no establecido, para su puesta a disposición a un empresario o profesional establecido en dicho territorio para ser utilizados en la fabricación de bienes que sean expedidos o transportados fuera de la Unión Europea con destino al empresario o profesional no establecido, siempre que al término de la fabricación de los bienes sean expedidos con destino al empresario o profesional no establecido o destruidos.

b) Los servicios de acceso, hostelería, restauración y transporte, vinculados con la asistencia a ferias, congresos y exposiciones de carácter comercial o profesional que se celebren en el territorio de aplicación del impuesto.

## • Proceso para solicitar la devolución

La presentación se realizará por vía electrónica a través del modelo y con los requisitos de acreditación aprobados por el ministro competente en materia de Hacienda que se encontrarán alojados en el portal electrónico de la Agencia Estatal de Administración Tributaria, órgano competente para su tramitación y resolución.

La solicitud de devolución podrá comprender las cuotas soportadas en un periodo no superior al año natural ni inferior a tres meses.

No obstante, la solicitud podrá comprender las cuotas soportadas en un periodo inferior a tres meses cuando dicho periodo constituya lo que resta del año natural.

En la solicitud se consignarán las cuotas soportadas por las adquisiciones de bienes o servicios por las que se haya devengado el impuesto y se haya expedido la correspondiente factura en el período a que se refieran. En el caso de las importaciones de bienes, la solicitud deberá referirse a las realizadas durante el período de devolución definido en el párrafo anterior.

Asimismo, podrá presentarse una nueva solicitud referida a un año natural que comprenda, en su caso, las cuotas soportadas por operaciones no consignadas en otras anteriores siempre que las mismas se hayan realizado durante el año natural considerado.

La solicitud de devolución deberá contener:

1. Una declaración suscrita por el solicitante o su representante en la que manifieste que no realiza en el territorio de aplicación del impuesto operaciones distintas de las indicadas en el número 2º del apartado dos del artículo 119 de la Ley del Impuesto.

   Asimismo, cuando se trate de un empresario o profesional titular de un establecimiento permanente situado en el territorio de aplicación del impuesto, deberá manifestarse en dicha declaración que no se han realizado entregas de bienes ni prestaciones de servicios desde ese establecimiento permanente durante el período a que se refiera la solicitud.

   No obstante, los empresarios o profesionales no establecidos en la Unión Europea que se acojan a los regímenes especiales aplicables a las ventas a distancia y a determinadas entregas interiores de bienes y prestaciones de servicios, regulados en el capítulo XI del título IX de la Ley del Impuesto, no estarán obligados al cumplimiento de lo dispuesto en este número 1.º respecto de las operaciones acogidas a dichos regímenes.

2. Compromiso suscrito por el solicitante o su representante de rembolsar a la Hacienda Pública el importe de las devoluciones que resulten improcedentes.

3. Certificación expedida por las autoridades competentes del Estado donde radique el establecimiento del solicitante en la que se acredite que realiza en el mismo actividades empresariales o profesionales sujetas al IVA o a un tributo análogo durante el período en el que se hayan devengado las cuotas cuya devolución se solicita.

El plazo para la presentación de la solicitud se iniciará el día siguiente al final de cada trimestre natural o de cada año natural y concluirá el 30 de septiembre siguiente al año natural en el que se hayan soportado las cuotas a que se refiera.

Los originales de las facturas y demás documentos justificativos del derecho a la devolución deberán mantenerse a disposición de la Administración Tributaria durante el plazo de prescripción del impuesto.

Si la solicitud de devolución se refiere a un período de devolución inferior a un año natural, pero no inferior a tres meses, el importe del Impuesto incluido en la solicitud de devolución no podrá ser inferior a 400 euros.

Si la solicitud de devolución se refiere a un período de devolución de un año natural o a la parte restante de un año natural, el importe del Impuesto incluido en la solicitud no podrá ser inferior a 50 euros.

 Un abogado suizo ha soportado cuotas de IVA por servicios de restauración y hospedaje, por importe de 1.200,00 € como consecuencia de unos trabajos realizados en Castellón, ciudad levantina a la que tuvo que desplazarse durante 8 días.

## 7.8. Devoluciones a exportadores en régimen de viajeros

Las personas que tengan su residencia habitual fuera de la Unión Europea gozan de exención en las adquisiciones efectuadas en el territorio de aplicación del impuesto, siempre que esas adquisiciones cumplan los requisitos determinados en el artículo 21 de la Ley del IVA.

La Ley del impuesto declara exentas las entregas de bienes a viajeros, haciendo efectiva esta exención mediante el reembolso al viajero del impuesto soportado. Es decir, en el momento de la compra soportan el impuesto, pero pueden solicitar la devolución posteriormente.

La devolución de las cuotas de IVA soportadas en las adquisiciones de bienes por aquellos viajeros no establecidos en el territorio de la UE se realiza mediante el reembolso de las cantidades satisfechas mediante el DER (documento electrónico de reembolso), si cumplen estos requisitos:

- Los viajeros han de tener su residencia habitual fuera del territorio de la Comunidad (UE). La residencia habitual de los viajeros se acreditará mediante el pasaporte, un documento de identidad u otro medio de prueba admitido en derecho.

- El conjunto de bienes adquiridos no constituirá una expedición comercial, es decir, que se trate de bienes adquiridos ocasionalmente para uso personal o familiar o para ser ofrecidos como regalos y que por su naturaleza y cantidad no pueda presumirse su utilización comercial.

- Los bienes adquiridos han de salir efectivamente del territorio de la Unión; y la adquisición de estos bienes ha de estar documentada en factura.

Los requisitos para la exención y consiguiente recuperación del IVA satisfecho en la adquisición se ajustarán a las siguientes normas de procedimiento:

a) El vendedor deberá expedir la correspondiente factura y el documento electrónico de reembolso disponible en la Sede electrónica de la Agencia Estatal de Administración Tributaria, en los que se consignarán los bienes adquiridos y, separadamente, el impuesto que corresponda.

   En estos supuestos, el vendedor está obligado a expedir factura completa, no pudiendo sustituir esta por otro documento. En el documento electrónico de reembolso deberá consignarse la identidad, fecha de nacimiento y número de pasaporte o, en su caso, el número del documento de identidad del viajero.

   La residencia del viajero se acreditará mediante pasaporte, documento de identidad o cualquier otro medio de prueba admitido en derecho.

b) Los bienes habrán de salir del territorio de la Unión Europea en el plazo de los tres meses siguientes a aquel en que se haya efectuado la entrega. El viajero presentará los bienes en la aduana de exportación, que acreditará la salida mediante e visado en el documento electrónico de reembolso. Dicho visado se realizará por medios electrónicos cuando al aduana de exportación se encuentre situada en el territorio de aplicación del impuesto.

c) El viajero remitirá el documento electrónico de reembolso visado por la aduana al proveedor, quien le devolverá la cuota repercutida en el plazo de quince días mediante cheque, transferencia bancaria, abono en tarjeta de crédito u otro medio que permita acreditar el reembolso.

   El reembolso del impuesto satisfecho también puede hacerse efectivo a través de entidades colaboradoras autorizadas por la AEAT. En este caso, el viajero presentará el documento electrónico de reembolso visado por la aduana a la entidad, quien abonará el importe.

   Posteriormente estas entidades remitirán los documentos electrónicos de reembolso, en papel o en formato electrónico, a los proveedores, los cuales estarán obligados a efectuar el correspondiente reembolso.

   El proveedor o, en su caso, la entidad colaboradora deberán comprobar el visado del documento electrónico de reembolso en la Sede electrónica de la Agencia Estatal de Administración Tributaria haciendo constar electrónicamente que el reembolso se ha hecho efectivo.

1. En esta unidad hemos aprendido a calcular la base imponible del IVA, y a determinar qué conceptos forman parte de la misma, y qué conceptos quedan excluidos.

2. Hemos conocido que existen tres tipos de gravamen, el general, el reducido y el superreducido. En la unidad 3 conoceremos los porcentajes de los recargos de equivalencia aplicable en un régimen especial.

3. Hemos determinado cuándo es posible deducir el IVA soportado, qué circunstancias tanto objetivas, subjetivas como temporales deben concurrir para que un IVA pagado sea deducible.

4. En relación al anterior punto, hemos aprendido a calcular el porcentaje de deducción según la regla de la prorrata general o especial.

5. Finalmente, si el resultado de la liquidación es negativo, podemos presentar la autoliquidación con solicitud de devolución o compensación.

# UNIDAD DIDÁCTICA 3

*Regímenes especiales de IVA*

Introducción

1. Regímenes especiales

2. Régimen simplificado (artículos 122 y 123 LIVA)

3. Régimen especial de la agricultura, ganadería y pesca (REAGP, artículos 124 a 134 LIVA)

4. Régimen especial de los bienes usados, objetos de arte, antigüedades y objetos de colección (artículos 135 a 139 LIVA)

5. Régimen especial de las agencias de viajes (artículos 141 a 147 LIVA)

6. Régimen especial del recargo de equivalencia

7. Régimen especial de oro de inversión (artículos 140 a 140 sexies LIVA)

8. Regímenes especiales aplicables a las ventas a distancia y a determinadas entregas interiores de bienes y prestaciones de servicios (artículos 163 septiesdecies a 163 octovicies LIVA)

9. Directiva (UE) 2025/516 del Consejo, de 11 de marzo de 2025

10. Régimen especial del grupo de entidades

Los **objetivos** de esta unidad son:

1. Diferenciar para los sujetos pasivos del IVA los regímenes que les son aplicables.

2. Definir las variables y factores de cálculo en cada régimen.

3. Comparar la tributación del régimen especial con la general.

# Introducción

En esta unidad vamos a conocer los diferentes regímenes especiales que se aplican en el IVA (salvo el régimen especial del criterio de caja, RECC, que fue objeto de estudio en la unidad anterior).

La particularidad de estos regímenes consiste en que no siguen el esquema de cálculo presentado en la unidad 2 en sus liquidaciones, sino que unos realizan una estimación en función de módulos, otros autoliquidan según los márgenes en sus operaciones, otros realizan los cálculos operación por operación, etc.

# 1.  Regímenes especiales

Además del régimen general del impuesto, en los artículos 120 y ss. de la LIVA se recogen una serie de regímenes de aplicación del IVA específicamente diseñados para determinados empresarios en los que, por las características de su actividad, resulta necesario adaptar la mecánica del impuesto a la reducida dimensión de sus operaciones, o al tipo de productos (bienes o servicios) que comercializan.

Los regímenes especiales que contempla la Ley del impuesto son los siguientes:

1.  Régimen simplificado.

2.  Régimen especial de la agricultura, ganadería y pesca.

3.  Régimen especial de los bienes usados, objetos de arte, antigüedades y objetos de colección.

4.  Régimen especial aplicable a las operaciones con oro de inversión.

5.  Régimen especial de las agencias de viajes.

6.  Régimen especial del recargo de equivalencia.

7.  Régimen especial aplicable a los servicios de telecomunicaciones, de radiodifusión o de televisión y a los prestados por vía electrónica (régimen suprimido).

8.  Régimen especial del grupo de entidades.

9.  Régimen especial del criterio de caja.

10. Regímenes especiales aplicables a las ventas a distancia y a determinadas entregas interiores de bienes y prestaciones de servicios.

Los regímenes especiales tendrán **carácter voluntario**, salvo los aplicables a las operaciones con oro de inversión (sin perjuicio de la posibilidad de renuncia), agencias de viajes y recargo de equivalencia.

El **régimen especial de los bienes usados**, objetos de arte, antigüedades y objetos de colección se aplicará a los sujetos pasivos que hayan presentado la declaración de comienzo de actividades, salvo renuncia, que podrá efectuarse para cada operación y sin comunicación expresa a la Administración.

El **régimen simplificado y el de la agricultura, ganadería y pesca** se aplicarán salvo renuncia de los sujetos pasivos, ejercitada en determinados plazos y forma.

El **régimen especial de los bienes usados, objetos de arte, antigüedades y objetos de colección** se aplicará salvo renuncia de los sujetos pasivos, que podrá efectuarse para cada operación en particular y sin comunicación expresa a la Administración.

Los regímenes especiales **aplicables a las ventas a distancia y a determinadas entregas interiores de bienes y prestaciones de servicios** se aplicarán a aquellos empresarios o profesionales que hayan presentado las declaraciones previstas en los artículos 163 noniesdecies, 163 duovicies y 163 septvicies de LIVA.

Se entenderá por volumen de operaciones el importe total, excluido el propio impuesto sobre el Valor Añadido y, en su caso, el recargo de equivalencia y la compensación a tanto alzado, de las entregas de bienes y prestaciones de servicios efectuadas por el sujeto pasivo durante el año natural anterior, incluidas las exentas del Impuesto.

En los supuestos de transmisión de la totalidad o parte de un patrimonio empresarial o profesional, el volumen de operaciones a computar por el sujeto pasivo adquirente será el resultado de añadir al realizado, en su caso, por este último durante el año natural anterior, el volumen de operaciones realizadas durante el mismo período por el transmitente en relación a la parte de su patrimonio transmitida.

Las operaciones se entenderán realizadas cuando se produzca o, en su caso, se hubiera producido el devengo del Impuesto sobre el Valor Añadido.

Para la determinación del volumen de operaciones no se tomarán en consideración las siguientes:

1. Las entregas ocasionales de bienes inmuebles.

2. Las entregas de bienes calificados como de inversión respecto del transmitente, de acuerdo con lo dispuesto en el artículo 108 de LIVA.

3. Las operaciones financieras mencionadas en el artículo 20, apartado uno, número 18.º de esta Ley, incluidas las que no gocen de exención, así como las operaciones exentas relativas al oro de inversión comprendidas en el artículo 140 bis de LIVA, cuando unas y otras no sean habituales de la actividad empresarial o profesional del sujeto pasivo.

## 2. Régimen simplificado (artículos 122 y 123 LIVA)

### 2.1. Introducción

La Orden HAC/1425/2025, de 9 de diciembre, desarrolla para el ejercicio 2026 los índices, módulos y normas del método de estimación objetiva en IRPF y el régimen especial simplificado del IVA, estableciendo cómo calcular las cuotas devengadas por actividades económicas (hay que tener presente que la actividad solo puede tributar en el régimen simplificado del IVA si tributa en estimación objetiva del IRPF, pues ambos impuestos están coordinados en este aspecto). Esta Orden mantiene los módulos, así como las instrucciones para su aplicación, aplicables en el régimen especial simplificado de años anteriores, con escasas novedades.

El régimen simplificado se aplica, salvo renuncia efectuada en plazo y forma, a personas físicas, o entidades en régimen de atribución de rentas (comunidades de bienes, herencias yacentes...) cuando todos los miembros que la integren sean también personas físicas, y realicen cualquiera de las actividades incluidas en la Orden Ministerial que regula este régimen, siempre que no superen los límites establecidos para cada una de las actividades por el Ministerio de Hacienda.

Quedan **excluidos** de este régimen:

1. Los empresarios o profesionales que realicen otras actividades económicas no comprendidas en el régimen simplificado, salvo que por tales actividades estén acogidos a los regímenes especiales de la agricultura, ganadería y pesca o del recargo de equivalencia. No obstante, no supondrá la exclusión del régimen simplificado la realización por el empresario o profesional de otras actividades.

2. Aquellos empresarios o profesionales cuyo volumen de ingresos en el año inmediato anterior, supere cualquiera de los siguientes importes:

   a) Para el conjunto de sus actividades empresariales o profesionales, 150.000,00 € anuales (transitoriamente desde 2016, este límite es de 250.000 euros).

   b) Para el conjunto de las actividades agrícolas, forestales y ganaderas que se determinen por el ministro competente en materia de Hacienda, 250.000,00 € anuales.

   Cuando en el año inmediato anterior se hubiese iniciado una actividad, el volumen de ingresos se elevará al año.

117

 A efectos de lo previsto en este número, el volumen de ingresos incluirá la totalidad de los obtenidos en el conjunto de las actividades mencionadas, no computándose entre ellos las subvenciones corrientes o de capital ni las indemnizaciones, así como tampoco el Impuesto sobre el Valor Añadido y, en su caso, el recargo de equivalencia que grave la operación.

3.  Aquellos empresarios o profesionales cuyas adquisiciones e importaciones de bienes y servicios para el conjunto de sus actividades empresariales o profesionales, excluidas las relativas a elementos del inmovilizado, hayan superado en el año inmediato anterior el importe de 150.000,00 euros anuales, excluido el IVA.

    Cuando en el año inmediato anterior se hubiese iniciado una actividad, el importe de las citadas adquisiciones e importaciones se elevará al año.

 La LIVA establece que el límite de volumen de operaciones a efectos de ser excluido del régimen simplificado es de 150.000 €, no obstante, desde 2016 y hasta la actualidad se ha ampliado mediante disposición transitoria a la cantidad de 250.000 €.

4.  Los empresarios o profesionales que renuncien o hubiesen quedado excluidos de la aplicación del régimen de estimación objetiva del IRPF por cualquiera de sus actividades por superar unas magnitudes específicas, para cada actividad económica, en función del número de personas empleadas, vehículos o bateas cualquier día del año.

    La renuncia al régimen simplificado tendrá efecto para un período mínimo de tres años.

## 2.2.  Aplicación del régimen simplificado

El régimen simplificado se aplica, salvo renuncia efectuada en plazo y forma, a las personas físicas o entidades en régimen de atribución de rentas (comunidades de bienes, herencias yacentes...) cuando todos los miembros que la integren sean también personas físicas, y realicen cualquiera de las actividades incluidas en la Orden Ministerial que regula este régimen, siempre que, en relación con tales actividades, no superen los límites establecidos para cada una de ellas por el Ministerio de Hacienda. Estos límites o requisitos son:

1.  Que el volumen de ingresos en el año inmediato anterior, no supere cualquiera de los siguientes importes:

    •   Para el conjunto de sus actividades, excepto las agrícolas, forestales y ganaderas, 250.000 euros anuales. A estos efectos se computará la totalidad de las operaciones, con independencia de que exista o no obligación de expedir factura.

    •   Para el conjunto de actividades agrícolas, forestales y ganaderas que se determinen por el Ministerio de Hacienda, 250.000 euros anuales. A estos efectos, solo se computarán las operaciones que deban anotarse en los Libros Registro.

2.  Que el volumen de adquisiciones e importaciones de bienes y servicios para el conjunto de todas las actividades económicas desarrolladas, excluidas las relativas a elementos del inmovilizado, no supere los 250.000 euros (IVA excluido). Dentro de este límite se tendrán en cuenta las obras y servicios subcontratados y se excluirán las adquisiciones de inmovilizado.

3.  Que no haya renunciado a su aplicación. Ni haya renunciado ni esté excluido de la estimación objetiva en el IRPF.

4.  Que ninguna de las actividades que desarrolle se encuentre en estimación directa en el IRPF o en alguno de los regímenes del IVA incompatibles con el simplificado. A estos efectos, resultan compatibles las actividades acogidas al régimen especial de la agricultura y al régimen especial del recargo de equivalencia.

De forma sintética puede afirmarse que la aplicación del modelo de tributación simplificado en el IVA consiste en calcular, mediante la aplicación de los módulos correspondientes, el importe de las cuotas a satisfacer debiendo añadirse, si las hubiera, las cuotas devengadas por la realización de las siguientes operaciones:

•   Adquisiciones intracomunitarias de bienes.

•   Operaciones que han dado lugar a inversión del sujeto pasivo.

•   Entregas de activos fijos materiales e inmateriales.

El régimen simplificado se aplicará a cada una de las actividades desarrolladas por el empresario o profesional que se encuentren recogidas en la Orden Ministerial vigente que regula este régimen, entendiéndose por actividades independientes cada una de las recogidas específicamente en dicha Orden.

## 2.3. Normas generales de aplicación de los índices y módulos en el IVA

• Determinación del importe a ingresar o a devolver

El resultado de la liquidación del IVA en el régimen simplificado se determina al término de cada ejercicio. No obstante, el empresario o profesional realizará un ingreso a cuenta con periodicidad trimestral.

Con carácter general, la liquidación del IVA por la realización de cada actividad acogida al régimen simplificado resultará de la diferencia entre "cuotas devengadas por operaciones corrientes" y "cuotas soportadas por operaciones corrientes".

Así, para cuantificar la cuota que debe ser objeto de ingreso, se sigue el procedimiento siguiente:

a) **Se calcula la llamada "cuota devengada por operaciones corrientes"** que será la suma de las cuantías aplicables por los módulos previstos para la actividad. Para ello se multiplica el número de unidades del módulo que se esté utilizando (número de plazas, superficie de local, personal empleado, etc.) por el valor correspondiente. De este modo, la cuantía de los módulos se calculará multiplicando la cantidad asignada a cada módulo por el número de unidades (del mismo) empleadas.

Para ello se multiplica el número de unidades del módulo que se esté utilizando (número de plazas, superficie de local, personal empleado, etc.) por el valor correspondiente.

Los módulos a utilizar en cada actividad son los mismos que los señalados para el IRPF, si bien en el IVA se utiliza el concepto de personal empleado para englobar tanto el personal no asalariado, incluyendo el titular de la actividad, como el asalariado.

Imaginemos la actividad 642.1 "Elaboración de productos de charcutería por minoristas de carne". Se tienen los siguientes datos:

⇨ Personal empleado: 3 personas todo el año.

⇨ Superficie del local: 500 m².

⇨ Potencia del vehículo: 50 CV.

.../...

.../...

Según la Orden Ministerial por la que se desarrollan el método de estimación objetiva del IRPF y el régimen especial simplificado del IVA, la cuota devengada por operaciones corrientes sería:

| Actividad: Elaboración de productos de charcutería por minoristas de carne. Epígrafe I.A.E. 642.1, 2 y 3 | | | |
|---|---|---|---|
| Módulo | Definición | Unidad | Cuota devengada anual por unidad Euros |
| 1. | Personal empleado | Persona | 1.753,76 |
| 2. | Superficie del local | Metro cuadrado | 2,21 |

Cuota mínima por operaciones corientes: 32% de la cuota devengada por operaciones corrientes.

NOTA: La cuota resultante de la aplicación de los signos o módulos anteriores, incluyen en su caso, la derivada de la elaboración de plato precocinados, siempre que se desarrolle con carácter accesorio a la actividad principal.
NOTA: Se entiende por superficie del local, en este caso, la dedicada a la elaboración de productos de chacutería y platos precocinados.

3 x 1.753,76 = 5.261,28 €
500 x 2.21 = 1.105 €
En total sumaria 6.366,28 €.

b) **De la "cuota devengada por operaciones corrientes" se restan las cuotas soportadas por la adquisición de bienes**, pero sin incluir las que puedan haberse satisfecho por la compra de activos fijos.

La **"cuota soportada por operaciones corrientes"** será la suma de todas las cuotas soportadas o satisfechas por la adquisición o importación de bienes y servicios, distintos de los activos fijos, destinados al desarrollo de la actividad, en la medida en que sean deducibles, por aplicación de los criterios generales de deducción de las cuotas soportadas en el IVA. Serán deducibles también las compensaciones satisfechas a sujetos pasivos acogidos al régimen especial de la agricultura, ganadería y pesca. Asimismo, será deducible en concepto de cuotas soportadas de difícil justificación el 1 por ciento del importe de la cuota devengada por operaciones corrientes.

Pero no serán deducibles las cuotas soportadas fuera del ejercicio ni las cuotas soportadas por los servicios de desplazamiento o viajes, hostelería y restauración en el supuesto que los empresarios o profesionales desarrollen su actividad en local determinado.

121

Cuando se realicen adquisiciones o importaciones de bienes y servicios para su utilización en común en varias actividades sujetas a este régimen, la cuota a deducir será la que resulte del prorrateo en función de su utilización efectiva, y si no fuera posible aplicar dicho procedimiento, por partes iguales.

Además hay que tener en cuenta que la deducción de las cuotas soportadas o satisfechas por operaciones corrientes no se verá afectada por la percepción de subvenciones que no formen parte de la base imponible a la actividad en régimen simplificado.

Por último, debe tenerse en cuenta que las cuotas soportadas o satisfechas solo serán deducibles en la autoliquidación correspondiente al último período impositivo del año en que deban entenderse soportadas o satisfechas.

c) **La cuota derivada del régimen simplificado** será la mayor de:

1. La resultante de restar a la cuota devengada por operaciones corrientes, las cuotas soportadas por operaciones corrientes en los términos descritos anteriormente. En las actividades de temporada, esta cantidad se multiplicará por el índice corrector de temporada.

2. La cuota mínima resultante de aplicar el porcentaje establecido para cada actividad en la Orden de aprobación de los módulos sobre la cuota devengada por operaciones corrientes incrementada en el importe de las cuotas soportadas fuera del territorio de aplicación del impuesto y devueltas al empresario o profesional en el ejercicio. En actividades de temporada la cuota mínima se multiplicará por el índice corrector de temporada.

---

El empresario anterior realizó, además, adquisiciones de materiales, herramientas y suministros de luz, teléfono y agua, presentando las facturas recibidas un IVA soportado total de 2.020,24 €.

Adicionalmente, adquirió en el último trimestre una máquina especial por la que soportó una cuota de IVA de 3.980 €.

| | |
|---|---|
| Cuota devengada por operaciones corrientes: | 6.366,28 € |
| Cuota soportada (sin incluir la máquina): | -2.020,24 € |
| 1% de la cuota devengada: | - 63,66 € |
| Resultado: | 4.282,38 € |

La "cuota derivada del régimen simplificado" será la mayor de:

- Los 4.282,38 euros obtenidos por la operación anterior.

.../...

---

.../...

- El resultado de calcular la cuota mínima, que para la actividad 642,1 resulta ser el 32% de la cuota devengada por operaciones corrientes, es decir, 32% sobre 6.366,28 =2.037,21 euros.

Luego la "cuota derivada del régimen simplificado" será 4.282,38 euros. No obstante, a esta cifra se le restarán los 3.980 euros. soportados en la adquisición de la maquinaria, resultando finalmente un importe de:

4.282,38 - 3.980 = 302,38 euros.

## 2.4. Cuotas trimestrales

Todos los cálculos anteriores se realizan al final del ejercicio. A lo largo del mismo, el sujeto pasivo acogido al régimen simplificado, durante los veinte primeros días naturales de los meses de abril, julio y octubre, efectuará el ingreso de una cantidad que resultará de aplicar a la "cuota devengada por operaciones corrientes" unos porcentajes que, para cada actividad, se señalan en la Orden Ministerial, utilizando el modelo determinado por el Ministerio de Hacienda (mod. 303).

La particularidad reside en que tal "cuota derivada de operaciones corrientes" se calcula con los datos-base a 1 de enero de cada año. Si un dato-base no puede determinarse el primer día del año, se tomará el del año anterior. Esta misma regla se aplica para las actividades de temporada.

Si se trata de una actividad que se inicia, se toman los datos-base correspondientes al día de comienzo. A tal efecto, si la actividad se inicia con posterioridad a 1 de enero, o se cesa en la misma antes de 31 de diciembre, por cada trimestre natural completo se ingresa la cuota completa, procediéndose a prorratearla en función del número de días de actividad cuando tal cuota corresponde a un trimestre incompleto.

En el caso de actividades de temporada (aquellas cuyo ejercicio no llega a 180 días al año, continuados o alternos), la "cuota devengada diaria" se obtiene de dividir la anual por el número de días de ejercicio de la actividad en el año anterior. En cada trimestre natural se ingresa la cuota devengada diaria multiplicada por el número de días que, durante ese trimestre, se ejerció la actividad, incrementada por los siguientes índices:

a) Temporada hasta 60 días: 1,5.

b) Temporada de 61 a 120 días: 1,35.

c) Temporada de 121 a 180 días: 1,25.

En todas las actividades de temporada se debe presentar declaración-liquidación, aunque la cuota a ingresar sea de cero euros.

## 2.5. Cálculo de la cuota anual

Al finalizar el año (o cesar la actividad o la temporada), se calcula el promedio de los módulos utilizados durante el período de ejercicio de la actividad, calculándose entonces la "cuota derivada del régimen simplificado" (anteriormente descrita) detrayéndose las cantidades ingresadas en los tres primeros trimestres. Si el resultado fuese negativo, el sujeto pasivo podrá solicitar la devolución del exceso ingresado u optar por la compensación del saldo a su favor en las siguientes declaraciones-liquidaciones.

Sobre la "cuota derivada del régimen simplificado", no obstante, deben producirse los siguientes ajustes, caso de que se hayan llevado a cabo las siguientes operaciones:

- Por un lado, debe incrementarse en el importe de las cuotas devengadas por la realización de AIB, de operaciones que dan lugar a inversión del sujeto pasivo o por las entregas de activos fijos materiales o inmateriales.

- Por otro lado, podrá reducirse en el importe de las cuotas soportadas por la adquisición de activos fijos, considerándose también como adquisición el arrendamiento financiero con opción de compra (lo que equivale a decir que también puede deducirse el IVA soportado en las cuotas de leasing satisfechas).

 En el caso de la adquisición de la máquina por parte del empresario del ejemplo anterior se consignaba en la factura un IVA soportado de 3.980,00 €, que podía restarse a la hora de calcular la autoliquidación en su integridad.

Estas cuotas deberán **reflejarse en el período trimestral en que se hayan devengado**; no obstante, a elección del sujeto pasivo, podrán liquidarse en la declaración correspondiente al último período del año natural.

Si la actividad se ha visto afectada por incendios, inundaciones, hundimientos o grandes averías que hayan alterado gravemente el desarrollo de la actividad, los sujetos pasivos pueden solicitar la reducción de los índices o módulos en el plazo de treinta días desde que se produjeron tales circunstancias. Tal reducción también puede solicitarse cuando el titular de la actividad se encuentre en situación de incapacidad temporal y no tenga personal empleado.

Por último reseñar, que la declaración-liquidación correspondiente al último trimestre del año natural debe presentarse durante los primeros treinta días naturales del mes de enero del año siguiente.

## 2.6. Obligaciones formales

Los sujetos pasivos acogidos al régimen simplificado deben llevar el Libro registro de facturas recibidas y, conservar los justificantes de los índices o módulos aplicados.

Asimismo, deben conservar las facturas recibidas y aquellas que deban emitir. En todo caso, ha de expedirse factura en el supuesto de transmisión de activos fijos materiales o inmateriales.

La Sra. Álvarez tributa en régimen simplificado de IVA (epígrafe IAE 972.1): "Servicios de peluquería de señora y caballeros". A los efectos del cálculo de la cuota anual correspondiente a la liquidación del IVA por dicho régimen, la Sra. Álvarez comunica la siguiente información:

- En la actividad trabaja su titular (1.800 horas/año), dos empleadas a jornada completa (1.800 horas/año), y un tercer empleado, menor de diecinueve años, que ha sido contratado en la segunda mitad del año (900 horas trabajadas).

- La superficie del local es de 150 m².

- El consumo de energía ha ascendido en el año X a 20.000 kW.

Información adicional:

- A lo largo del ejercicio adquirió cuatro nuevos aparatos de tratamiento y secado, soportando en la adquisición una cuota de IVA de 2.000 €.

- Por adquisiciones corrientes de bienes y servicios ha soportado IVA por importe de 900 €.

- El año pasado el consumo facturado ascendió a 20.500 kW.

Vamos a calcular la cuota indicada, siguiendo la normativa vigente en el presente ejercicio.

**SOLUCIÓN:**

1. **Cuota devengada por operaciones corrientes**

|  | Nº DE UNIDADES | UNIDAD X CUOTA | |
|---|---|---|---|
| Personal empleado: | 1 titular | | |
| | 2,3 empleados | | |
| | Total -3,3 | 3,3 x 2.562,75 | 8.457,08 |
| Superficie local: | 150 m2 | 150 x 41,33 | 6.199,50 |
| Consumo energía: | 20.000 kw | 20.000 x 17,48/100 | 3.496,00 |
| Cuota devengada por operaciones corrientes (CDOC): | | | 18.152,58 |

2. **Diferencia entre cuota devengada y soportada en operaciones corrientes**

| | |
|---|---|
| Cuota devengada (CDOC) | 18.152,58 |
| Cuota soportada en adquisiciones corrientes | -900,00 |
| 1% de CDOC por difícil justificación | 181,53 |
| Diferencia | 17.071,05 |

a) Se tomará la mayor entre dicha diferencia y la "cuota mínima" prevista en la OM (13% de CDOC = 2.359,84).

b) Se obtiene entonces:

c) Cuota devengada del régimen simplificado: 17.071,05.

d) Se resta finalmente el IVA soportado en adquisición de Activos Fijos (2.000):

Cuota final: 17.071,05 - 2.000 = 15.071,05

3. **Cuotas trimestrales**

Es el 5% de la CDOC calculadora según los datos-base a 1 de enero:

| | | |
|---|---|---|
| Personal empleado: | 3 x 2.562,75 = | 7.688,25 |
| Superficie local: | 150 x 41,33 = | 6.199,5 |
| Consumo año anterior: | 20.500 x 17,48/100 = | 3.583,40 |
| Total: | | 17.471,15 |
| Cuota trimestral: | 0,05 x 17.471,15 = | 873,56 |

| Esquema de liquidación del IVA en el régimen simplificado |
| --- |
| (+) IVA devengado (según módulos) |
| (-) IVA soportado (según reglas específicas, y adicionalmente un 1% de difícil justificación) |
| (=) **Cuota derivada del régimen simplificado** |
| Se toma la mayor de: (i) Cuota mínima = un % s/IVA devengado; o (ii) Cuota derivada del régimen |
| (+) Cuotas devengadas en: (i) AIB, (ii) Supuestos de ISP, (iii) Entregas de activos fijos |
| (-) Cuotas soportadas/satisfechas en adquisición/importación de activos fijos |
| (=) **Cuota final del régimen simplificado** |

## 3. Régimen especial de la agricultura, ganadería y pesca (REAGP, artículos 124 a 134 LIVA)

### 3.1. Conceptos previos

En este régimen especial los sujetos pasivos no deben presentar autoliquidaciones periódicas por IVA, pero recuperan las cuotas soportadas a través del mecanismo de la compensación, que abonan a los destinatarios de los bienes y servicios a los que se aplica este régimen.

El régimen es aplicable, salvo renuncia, a los titulares de explotaciones agrícolas, forestales, ganaderas o pesqueras, así como a los servicios accesorios a estas, excluidas las actividades de transformación, elaboración o manufactura de los productos naturales obtenidos en las explotaciones y las demás previstas en el artículo 126 LIVA. Sin que puedan acogerse a él las sociedades mercantiles ni las cooperativas, entre otros.

No se consideran titulares de explotaciones agrícolas, forestales, ganaderas o pesqueras a efectos de este régimen:

a) Los propietarios de fincas o explotaciones que las cedan en arrendamiento o en aparcería o que de cualquier otra forma cedan su explotación, así como cuando cedan el aprovechamiento de la resina de los pinos ubicados en sus fincas o explotaciones.

b) Los que realicen explotaciones ganaderas en régimen de ganadería integrada.

Podrán acogerse también los sujetos pasivos que no superen, para la totalidad de las operaciones realizadas tanto de venta como de adquisiciones, durante el año inmediato anterior, un importe de 250.000,00 €, bien sea en este o en otro régimen del impuesto.

No obstante, los empresarios o profesionales que, habiendo quedado excluidos de este régimen especial por haber superado los límites de volumen de operaciones o de adquisiciones o importaciones de bienes o servicios, no superen dichos límites en años sucesivos, quedarán sometidos al régimen especial de la agricultura, ganadería y pesca, salvo que renuncien al mismo.

 La LIVA establece el límite de operaciones en 150.000 € como causa de exclusión, pero, por disposición transitoria, desde 2016 este límite es de 250.000 €.

El titular de la actividad podrá presentar la renuncia al régimen especial de la agricultura, ganadería y pesca. En este caso, tendrá efecto para un período mínimo de tres años.

El régimen se aplica a las explotaciones agrícolas, forestales, ganaderas o pesqueras que obtengan directamente productos naturales, vegetales o animales para su transmisión a terceros, incluyéndose también determinados servicios accesorios que pueden considerarse integrados en el régimen por ser prestados por los titulares de las explotaciones a terceros con los medios que, ordinariamente, se utilizan en esas mismas explotaciones.

No se considerará que un servicio es accesorio cuando durante el año inmediato anterior el importe del conjunto de los servicios accesorios prestados excediera del 20% del volumen total de operaciones de las operaciones a las que resulte de aplicación este régimen.

La exclusión del régimen también puede producirse cuando los productos naturales obtenidos se utilicen para cualquiera de los siguientes fines:

a)   Transformación, elaboración y manufactura para su posterior transmisión.

 No tienen esta consideración los actos de mera conservación como: pasteurización, congelación, secado, limpieza, descascarado, troceado, desinfección, etc.; ni la obtención de materias primas agropecuarias que no requieran el sacrificio del ganado.

No se aplicaría el régimen a un agricultor que cultiva melocotones y parte de su producción la vende ya transformada en mermelada.

b)   La comercialización de mezclados con otros productos adquiridos a terceros, salvo que estos últimos tengan por objeto la mera conservación.

c) La comercialización continuada en establecimientos fijos situados fuera del lugar donde radica la explotación.

d) La comercialización en establecimientos en los que, además, el sujeto pasivo realice otras actividades empresariales o profesionales distintas de la propia explotación.

Adicionalmente, se establece que el régimen especial de la agricultura, ganadería y pesca no es aplicable a las explotaciones cinegéticas de carácter deportivo o recreativo, a la pesca marítima o a la ganadería independiente, o la prestación de servicios distintos de los previstos en el artículo 127 de LIVA.

## 3.2. Obligaciones de los sujetos pasivos acogidos al régimen

Estos sujetos pasivos no están sometidos a las obligaciones de liquidación, repercusión y pago del impuesto, no afectándoles tampoco las obligaciones de índole contable o registral. Sin embargo, estarán obligados a satisfacer el IVA correspondiente a las importaciones de bienes, AIB y operaciones en las que se produzca la inversión del sujeto pasivo.

Como única obligación formal deben llevar un Libro registro en el que anoten las operaciones comprendidas en este régimen especial, y deben conservar copia del recibo acreditativo del pago de la compensación durante 4 años a partir del devengo del impuesto.

En definitiva, no presentan otras declaraciones que las de inicio, modificación o cese de la actividad, y en sus ventas no repercuten el IVA sobre sus clientes, sino que obtienen de los mismos una cuantía adicional que recibe el nombre de "compensación", pues estos sujetos pasivos tampoco pueden deducir las cuotas de IVA que soportan cuando adquieren los bienes y servicios que utilizan en su actividad.

La no repercusión del IVA sobre sus clientes se refiere también a los casos de entregas de bienes de inversión. Sin embargo, en el caso de entrega de bienes inmuebles el IVA sí deberá repercutirse (aunque en el ámbito inmobiliario, existen diferentes exenciones que pueden resultar de aplicación).

Cuando el ganadero que se dedica a la venta de leche enajena su antigua ordeñadora, no repercutirá el impuesto. Consulta DGT V0814-15.

Si transmitiese un inmueble, la operación sí estaría sujeta al IVA y, por tanto, deberá repercutir e ingresar el impuesto, salvo que sea aplicable alguna exención.

No tienen cabida dentro del régimen especial operaciones tales como:

a)   Importaciones de bienes.

b)   Adquisiciones Intracomunitarias de Bienes.

c)   Operaciones que dan lugar a inversión del sujeto pasivo.

Por tanto, caso de que se realicen estas operaciones sí existe obligación de pagar el impuesto y, en su caso, de repercutirlo.

## 3.3.  Deducciones y compensaciones

Como se ha indicado, los sujetos pasivos acogidos al régimen no pueden deducir las cuotas que soportan en las adquisiciones o importaciones de los bienes que destinan a su actividad. En definitiva, su actuación es similar a la de los consumidores finales, al ser incapaces de recuperar los IVA soportados restándolos de los IVA devengados o repercutidos.

 No es deducible el IVA que se pueda soportar al adquirir un tractor, semillas, fertilizantes, útiles y herramientas de trabajo, etc.

En este supuesto, para compensar a estos sujetos pasivos del encarecimiento a tanto alzado por, la LIVA establece que tendrán derecho a percibir una compensación a tanto por las cuotas del IVA que hayan soportado o satisfecho por las adquisiciones o importaciones de bienes cuando realicen las siguientes operaciones:

a)   Entregas de los productos naturales que han obtenido en sus explotaciones, cuando dichas entregas se realicen a otros empresarios o profesionales. Estos últimos no han de estar acogidos a este mismo régimen especial ni ser de aquellos que realizan exclusivamente operaciones exentas (sin incluir exportadores), pues en tales casos no podrá percibirse de ellos la compensación.

b)   Entregas intracomunitarias exentas de los citados productos naturales, cuando se realicen a una persona jurídica que no actúe como empresario o profesional.

c)   Prestaciones de servicios accesorios que están incluidos en el régimen especial, aunque en este caso tampoco se obtendrá compensación alguna si el destinatario de los servicios prestados es otro empresario acogido al régimen especial.

La compensación será la cantidad resultante de aplicar, al precio de los productos vendidos, el siguiente porcentaje:

a) **12%** en las entregas de productos naturales obtenidos en las explotaciones agrícolas o forestales y en los servicios accesorios de las mismas.

Un ganadero vende el 10 de abril mercancía a una empresa con domicilio en Zaragoza por un valor de 28.000 €. Al estar acogido al régimen especial de agricultura, ganadería y pesca, tiene derecho a percibir una compensación del 12% sobre el importe de la venta.

Por tanto, el comprador deberá abonarle adicionalmente 3.360 € (28.000 × 12%) en concepto de compensación.

El empresario adquirente será quien emita el recibo correspondiente, el cual deberá ser firmado por el ganadero y servirá como documento justificativo de la operación.

Un agricultor español realiza el 5 de junio una venta de productos agrícolas a un empresario establecido en Italia, por un importe de 3.200 €. Esta operación constituye una entrega intracomunitaria exenta de IVA, dado que se cumplen los requisitos establecidos en la normativa.

Al estar acogido al régimen especial de agricultura, ganadería y pesca, el agricultor tiene derecho a solicitar la compensación del 12% sobre el importe de la venta, lo que supone 384 € (3.200 × 12%).

Para ello, deberá presentar el modelo 341 dentro de los primeros veinte días naturales del trimestre siguiente a la operación, salvo si se trata del cuarto trimestre, en cuyo caso el plazo se amplía hasta el 30 de enero del año siguiente.

b) **10,5%** en las entregas de productos naturales obtenidos en explotaciones ganaderas o pesqueras y en los servicios de carácter accesorio de las mismas.

Para la determinación de los referidos precios, no se computarán los tributos indirectos que graven las citadas operaciones, ni los gastos accesorios o complementarios a las mismas cargados separadamente al adquirente, tales como comisiones, embalajes, portes, transportes, seguros, financieros u otros.

El porcentaje aplicable en cada operación será el vigente en el momento en que nazca el derecho a percibir la compensación.

La compensación, por su parte, será satisfecha:

a) Por el propio adquirente de los bienes o servicios.

b) Si se ha producido una exportación o una entrega intracomunitaria será la propia Hacienda Pública la que procederá al abono de la compensación.

 Si el ganadero vende una partida de leche a una empresa holandesa por valor de 30.030,61 €, estará realizando una entrega intracomunitaria exenta de IVA. Será entonces la Hacienda española la que le satisfaga la compensación por importe del 10,5% de los 30.030,61 €.

En estas operaciones no existirá propiamente una factura, sino un recibo emitido por el destinatario (por tanto, no por el sujeto pasivo), pero que irá firmado por el empresario acogido al régimen. El importe de la compensación, para quien la ha satisfecho, será tratado como si de una cuota de IVA soportado se tratase por el pagador, pudiendo entonces deducírsela en su declaración-liquidación.

Los datos que deben constar en el recibo son:

a) Serie y número: la numeración será correlativa.

b) Nombre y dos apellidos o denominación social, NIF y domicilio del expedidor y del destinatario, así como indicación de que el titular de la explotación está acogido al régimen especial de la agricultura, ganadería y pesca.

c) Descripción de los bienes entregados o servicios prestados, así como el lugar y fecha de las respectivas operaciones.

d) Precio de los bienes o servicios.

e) Porcentaje de compensación aplicado.

f) Importe de la compensación.

g) Firma del titular de la explotación agrícola, ganadera, forestal o pesquera.

## 3.4.  Renuncia al régimen especial

La práctica de las deducciones de las cuotas soportadas o satisfechas antes del inicio de la realización habitual de las entregas de bienes o prestaciones de servicios equivale a la renuncia.

En general, la renuncia debe efectuarse a través de la correspondiente declaración censal (modelo 036), tiene una **vigencia mínima de tres años** y se entenderá prorrogada para cada uno de los años siguientes en que pudiera resultar aplicable el régimen, salvo que se revoque expresamente en el mes de diciembre anterior al inicio del año natural en que deba surtir efecto.

 La renuncia se entiende realizada con la presentación en plazo de la autoliquidación correspondiente al primer trimestre del año natural en que deba surtir efectos o de la primera declaración que deba presentarse después del comienzo de la actividad aplicando el régimen general.

# 4. Régimen especial de los bienes usados, objetos de arte, antigüedades y objetos de colección (artículos 135 a 139 LIVA)

Este régimen especial del IVA pretende evitar la doble imposición que se produciría en los bienes incluidos en él, debido a que proceden de personas que no tuvieron derecho a la deducción de las cuotas soportadas en su adquisición, y además son bienes que el empresario revendedor vuelve a introducir en el mercado. La característica esencial del régimen es que se se aplican unas reglas especiales para el cálculo de la base imponible, bien de forma global o bien se determina "operación por operación".

## 4.1. Elementos

La LIVA determina de forma muy exhaustiva los elementos que se corresponden con los bienes indicados. Así se determina que:

- Son bienes usados los bienes muebles corporales susceptibles de uso duradero que, habiendo sido utilizados con anterioridad por un tercero, sean susceptibles

133

de nueva utilización para sus fines específicos. No se incluyen en el concepto los bienes que han sido utilizados o renovados por el propio sujeto pasivo, ni tampoco los materiales de recuperación, envases, embalajes, oro, platino y piedras preciosas.

• Son objetos de arte, si se cumplen determinadas condiciones, los cuadros, pinturas, dibujos, grabados, estampas, litografías, esculturas, estatuas, tapicerías, textiles murales, cerámica, esmaltes sobre cobre o fotografías.

• Son antigüedades los objetos que tengan más de cien años de antigüedad, y no sean objeto de arte o colección.

Son objetos de colección los artículos de filatelia, así como las colecciones y especímenes para colecciones de zoología, botánica, mineralogía o anatomía, o que tengan interés histórico, arqueológico, paleontológico, etnográfico o numismático.

## 4.2.  Operaciones a las que se aplica el régimen

Los empresarios revendedores de los bienes indicados aplicarán el régimen especial a las siguientes entregas de bienes:

1.  Ventas de bienes usados, cuando hayan sido adquiridos:

    a)  A quien no tenga la condición de empresario o profesional.

    b)  A quienes se lo han entregado sin haberse repercutido el IVA correspondiente por tratarse de una operación exenta, por haberlo utilizado el transmitente en operaciones exentas sin derecho a deducción, o bien porque no pudo deducir las cuotas soportadas cuando adquirió el bien que ahora transmite al empresario revendedor.

    c)  A otro revendedor que se lo entregue aplicando este mismo régimen.

    d)  Finalmente, como caso singular y de reducida práctica, también puede aplicarse a bienes de inversión transmitidos en una operación intracomunitaria por quien se ha beneficiado del régimen de franquicia en su Estado miembro de origen.

2.  Entregas de objetos de arte, antigüedades u objetos de colección. Se aplican los mismos puntos anteriores, si bien se podrá aplicar el régimen cuando estos bienes hayan sido importados por el propio revendedor.

3.  Entregas de objetos de arte adquiridos a empresarios o profesionales en virtud de las operaciones a las que haya sido de aplicación el tipo impositivo reducido establecido en el artículo 91, apartado uno, números 4 y 5, de la LIVA.

No obstante lo anterior, los sujetos pasivos revendedores podrán aplicar a cualquiera de las operaciones enumeradas el régimen general del impuesto, en cuyo caso tendrán derecho a deducir las cuotas del impuesto soportadas o satisfechas en la adquisición o importación de los bienes objeto de reventa, con sujeción a las reglas establecidas en el Título VIII de la Ley (artículos 92 a 119).

A estos efectos, debe señalarse que empresario revendedor es quien habitualmente ha adquirido los bienes señalados anteriormente para su posterior reventa, así como quien organiza ventas en subasta pública de estos bienes, cuando actúe en nombre propio en virtud de un contrato de comisión de venta.

## 4.3.  Cálculo de la base imponible

La característica más singular de este régimen es la forma en que se determina la base imponible, ya que los sujetos pasivos la determinarán por el margen de beneficio de cada operación aplicado por el sujeto pasivo revendedor, minorado en la cuota del Impuesto sobre el Valor Añadido correspondiente a dicho margen.

A estos efectos, se considerará margen de beneficio la diferencia entre el precio de venta y el precio de compra del bien.

El precio de venta estará constituido por el importe total de la contraprestación de la transmisión, determinada de conformidad con lo establecido en los artículos 78 y 79 de LIVA, más la cuota del IVA que grave la operación.

El precio de compra estará constituido por el importe total de la contraprestación correspondiente a la adquisición del bien transmitido, determinada de acuerdo con lo dispuesto por los artículos 78, 79 y 82 de LIVA, más el importe del IVA que, en su caso, haya gravado la operación.

- **Determinación de la base imponible operación por operación**

    Esta opción, a su vez, presenta dos alternativas:

    a) **Aplicar el régimen general del impuesto**

        En este caso, sin necesidad de ninguna comunicación previa, los sujetos pasivos repercutirán el IVA sobre la totalidad de la contraprestación. Pueden deducir las cuotas que eventualmente hubiesen soportado en la adquisición de los bienes revendidos, aunque sin poder practicar la deducción hasta que se devenguen las correspondientes entregas.

b) **Aplicar el régimen especial a sus entregas**

La base imponible de las entregas a las que se aplique el régimen especial está constituida por el margen de beneficio de cada operación, minorado en la cuota de IVA correspondiente a dicho margen. En concreto, el margen de beneficio será la diferencia entre:

⇨ El precio de venta, IVA incluido.

⇨ El precio de compra, IVA incluido.

Un revendedor de coches usados adquiere a un particular un turismo satisfaciendo 4.500,00 €.

Posteriormente lo vende por 6.900,00 €, IVA incluido.

Margen de beneficio: 6.900,00 - 4.500,00 = 2.400,00 €.

Base = 2.400/(1 + 0,21) = 1.983,47 €.

Por lo tanto, el IVA a declarar sería 2400 - 1.983,47 = 416,53 €.

Un comerciante que revende objetos de colección adquiere una escultura por 200 euros (IVA incluido) y la vende posteriormente por 290 euros (también IVA incluido).

El margen de beneficio obtenido en la operación es de 90 euros (290 € – 200 €).

Al aplicar el régimen especial de bienes usados, se calcula la base imponible sobre el margen:

Base imponible = 90 / (1 + 0,21) = 74,38 €

Cuota de IVA devengado = 74,38 × 21% = 15,62 €

(1) En este caso se ha aplicado el tipo general del 21%. Si en lugar de una escultura se tratara, por ejemplo, de un libro, se aplicaría el tipo reducido del 4%, ya que los libros tributan a ese tipo.

• **Determinación de la base imponible por beneficio global**

Los sujetos pasivos revendedores podrán optar por determinar la base imponible mediante el margen de beneficio global, para cada período de liquidación, aplicado por el sujeto pasivo, minorado en la cuota del Impuesto sobre el Valor Añadido correspondiente a dicho margen.

El margen de beneficio global será la diferencia entre el precio de venta y el precio de compra de todas las entregas de bienes efectuadas en cada período de liquidación. Estos precios se determinarán en la forma prevista en el apartado anterior para calcular el margen de beneficio de cada operación sujeta al régimen especial.

 Este segundo método solo puede aplicarse a sellos, efectos, billetes, moneda, discos, cintas y otros soportes sonoros o de imagen, libros, revista y, finalmente, otros bienes autorizados por la Administración Tributaria.

La opción por el método del margen global la formulará el sujeto pasivo al iniciar la actividad, o en el mes de diciembre anterior al año en que deba surtir efecto y surtirá efecto hasta su renuncia y, como mínimo, hasta la finalización del año natural siguiente a aquél en que comenzó a aplicarse el régimen.

Finalmente, en este método debe destacarse:

a) Si el margen fuese negativo, la base imponible será cero. El margen se añadirá al importe de las compras del siguiente año.

b) El sujeto pasivo debe hacer una regularización de existencias anual calculando la diferencia entre el saldo final y el saldo inicial. Si esta es positiva, se añadirá a las ventas del último período. Si es negativa, se añadirá a las compras.

Cuando los bienes fuesen objeto de entregas exentas en aplicación de los artículos 21, 22, 23 o 24 de LIVA, el sujeto pasivo deberá disminuir del importe total de las compras del período el precio de compra de los citados bienes. Cuando no fuese conocido el citado precio de compra podrá utilizarse el valor de mercado de los bienes en el momento de su adquisición por el revendedor.

Asimismo, el sujeto pasivo no computará el importe de las referidas entregas exentas entre las ventas del período.

## 4.4. Repercusión del impuesto y deducciones

En las facturas que se entreguen por el revendedor, no se puede consignar separadamente la cuota de IVA repercutido, pues se entiende que esta ya se incluye en el precio total de la operación. Los adquirentes no pueden tampoco deducir la cuota soportada.

En la factura se indicará que se ha aplicado este régimen especial incluyendo la mención "régimen especial de los bienes usados", "régimen especial de los objetos de arte" o "régimen especial de las antigüedades y objetos de colección".

En las compras a quienes no tengan la consideración de empresarios o profesionales debe expedirse un documento de compra por cada adquisición efectuada, que debe ser firmada por el transmitente.

Respecto del propio empresario revendedor, no podrá este deducir las cuotas que soporte por la adquisición de los bienes que luego revenderá de acuerdo con el régimen especial.

## 4.5.  Renuncia al régimen

Debe recordarse que este régimen se aplica salvo renuncia de los sujetos pasivos (como ocurre, por ejemplo, con el simplificado o el de agricultura, ganadería y pesca), pero se singulariza porque tal renuncia puede efectuarse para cada operación en particular y sin comunicación expresa a la Administración.

Por este motivo, el empresario revendedor tiene dos posibilidades:

a) Si decide optar por el método del margen global, entonces determinará por este procedimiento la base imponible de todas sus entregas. En ningún caso podría aplicar el régimen general del impuesto.

b) Si opta por determinar la base operación a operación, en cada una de ellas podrá aplicar el régimen de cálculo del margen de cada operación, o bien renunciar a él y aplicar el régimen general del impuesto, en cuyo caso en la factura correspondiente especificará el IVA repercutido sobre el importe total de la venta.

## 4.6.  Obligaciones formales

Además de las obligaciones establecidas con carácter general, los sujetos pasivos que apliquen el  régimen especial deben llevar dos Libros registro adicionales y específicos:

1. Uno en el que se anotarán, de manera individualizada y con la debida separación, las adquisiciones, importaciones y entregas en las que se determina la base imponible calculándose el **margen de beneficio operación a operación**.

Este libro deberá disponer de las siguientes columnas:

a) Descripción del bien.

b) Nº de factura o documento de adquisición o importación.

c) Precio de compra.

d) Nº de documento de facturación expedido por el sujeto pasivo al transmitir el bien.

e) Precio de venta.

f)   IVA repercutido o indicación de la exención aplicada.

g)   Indicación, en su caso, de la aplicación del régimen general de la entrega.

2.   Otro distinto en el que se anotarán las adquisiciones, importaciones y entregas de aquellos períodos de liquidación en los que se ha determinado la base imponible por el **margen de beneficio global.**

Este libro deberá disponer de las siguientes columnas:

a)   Descripción de los bienes.

b)   Nº de factura o documento de adquisición o importación.

c)   Precio de compra.

d)   Nº de documento de facturación expedido por el sujeto pasivo al transmitir los bienes.

e)   Precio de venta.

f)   Indicación, en su caso, de la exención aplicada.

g)   Valor de las existencias iniciales y finales de cada año natural.

## 5.   Régimen especial de las agencias de viajes (artículos 141 a 147 LIVA)

Este régimen especial del IVA se caracteriza por una determinación especial de la base imponible, como en el régimen de bienes usados, objetos de arte, antigüedades y objetos de colección (REBU). Es un régimen obligatorio aplicable a cualquier empresario o profesional que organice viajes (hostelería, transporte y/o accesorios). Específicamente es aplicable a:

a)   Las operaciones realizadas por agencias de viajes que actúan en nombre propio respecto de los viajeros (es decir, que aparecen ellas mismas como organizadoras), y que utilizan en la realización del viaje bienes entregados o servicios prestados por otros empresarios o profesionales (por ejemplo, los propietarios de las cadenas de hoteles o de empresas de transporte de viajeros).

b)   A las operaciones realizadas por organizadores de circuitos turísticos y cualquier empresario o profesional, cuando se dan las circunstancias enunciadas en el apartado anterior.

 Se entiende por viajes aquellos servicios que incluyen aloja-
miento, transporte, o ambos, ya se ofrezcan de forma conjunta o
individual, y que pueden ir acompañados de otros servicios adicionales o complementarios

Por tanto, este régimen no es aplicable a las operaciones llevadas a cabo utilizando
para la realización del viaje exclusivamente medios de transporte o de hostelería
propios. Tratándose de viajes realizados utilizando en parte medios propios y en parte
medios ajenos, el régimen especial sólo se aplicará respecto de los servicios prestados
mediante medios ajenos.

- **Repercusión y exención del impuesto**

  Como ocurría con el régimen de bienes usados, objetos de arte, antigüedades y
  objetos de colección, tampoco es necesario en el régimen de agencias de viajes
  consignar separadamente en la factura la cuota de IVA repercutido, entendiéndose incluido en el precio de la operación.

  Por su parte, están exentos del impuesto los servicios prestados por los empresarios sometidos a este régimen especial cuando las entregas de bienes o prestaciones de servicios, que se han adquirido en beneficio del viajero y que se van
  a utilizar para efectuar el viaje, se han realizado fuera de la Unión Europea.

- **Lugar de realización del hecho imponible**

  Las operaciones efectuadas por la agencia respecto de cada viajero, tienen
  la consideración de prestación única, aunque se le proporcionen ciertamente
  varias entregas o servicios en el marco del viaje. La prestación, por su parte,
  se entiende realizada en el lugar donde la agencia tenga la sede de su actividad económica o un establecimiento permanente desde donde realice la
  operación.

- **Base imponible**

  De forma muy similar al régimen especial de bienes usados, objetos de arte,
  antigüedades y objetos de colección, la base imponible también se obtiene
  para las operaciones de este régimen mediante el cálculo del margen bruto.

  A estos efectos, se considerará margen bruto de la agencia la diferencia entre
  la cantidad total cargada al cliente, excluido el IVA que grave la operación, y el
  importe efectivo, impuestos incluidos, de las entregas de bienes o prestaciones
  de servicios que, efectuadas por otros empresarios o profesionales, sean adquiridos por la agencia para su utilización en la realización del viaje y redunden
  directamente en beneficio del viajero.

A efectos de lo dispuesto en el párrafo anterior, se considerarán adquiridos por la agencia para su utilización en la realización del viaje, entre otros, los servicios prestados por otras agencias de viajes con dicha finalidad, excepto los servicios de mediación prestados por las agencias minoristas, en nombre y por cuenta de las mayoristas, en la venta de viajes organizados por estas últimas.

Para la determinación del margen bruto de la agencia no se computarán las cantidades o importes correspondientes a las operaciones exentas del impuesto en virtud de lo dispuesto en el artículo 143 de la LIVA (entregas de bienes o prestaciones de servicios, adquiridos en beneficio del viajero y utilizados para efectuar el viaje fuera de la UE), ni los de los bienes o servicios utilizados para la realización de las mismas.

Tampoco se consideran prestados para la realización del viaje los servicios tales como la compra-venta o cambio de moneda extranjera, ni los gastos de teléfono, télex, correspondencia, u otros análogos.

El Reglamento del IVA establece que la opción por la aplicación del régimen general del impuesto se practicará por cada operación realizada por el sujeto pasivo y deberá ser comunicada por escrito por el sujeto pasivo al destinatario de la operación con carácter previo o simultáneo a la prestación de los servicios integrantes del viaje. No obstante, se presumirá realizada la comunicación cuando en la factura no se incluya la mención anteriormente indicada "régimen especial de las agencias de viajes" (artículo 52 del Reglamento del IVA).

- **Deducciones**

  Las agencias de viajes a las que se aplique este régimen especial podrán practicar sus deducciones en los términos establecidos en el Título VIII de LIVA.

  No obstante, no podrán deducir el Impuesto soportado en las adquisiciones de bienes y servicios que, efectuadas para la realización del viaje, redunden directamente en beneficio del viajero.

# 6. Régimen especial del recargo de equivalencia

Se trata de un régimen especial del IVA propio del comercio minorista caracterizado por su obligatoriedad (no renunciable), y porque solo afecta a minoristas personas físicas o entidades en régimen de atribución de rentas cuando todos sus miembros sean también personas físicas.

 Zapatería, peluquerías, comercio textil, etc.

Es **comerciante minorista** aquel en quien concurren los siguientes **requisitos**:

a)  Realiza con habitualidad entregas de bienes muebles o semovientes sin haberlos sometido a ningún proceso de fabricación, elaboración o manufactura, por sí mismo o por medio de terceros.

b)  Durante el año precedente a aquel en que se aplica el régimen especial, las ventas realizadas a particulares o a la Seguridad Social o a sus entidades gestoras o colaboradoras han supuesto más del 80%.

Este régimen especial no es aplicable a la venta de determinados bienes tales como:

- Vehículos.

- Embarcaciones y buques.

- Aviones.

- Accesorios y piezas de recambio de los bienes anteriores.

- Joyas, piedras preciosas, perlas y prendas de piel.

- Objetos de arte, antigüedades y objetos de colección.

- Bienes usados.

- Aparatos de avicultura y apicultura.

- Productos petrolíferos.

- Maquinaria industrial.

- Materiales de construcción de edificaciones.

- Minerales, excepto el carbón.

- Cintas magnetoscópicas grabadas.

- Metales no manufacturados.

- Oro de inversión.

La mecánica del régimen consiste en el hecho de que el proveedor del minorista le repercutirá, además de IVA, y de forma independiente, un porcentaje que se denomina "**recargo de equivalencia**", elevándose a las siguientes cuantías:

| | |
|---|---|
| IVA 21% | recargo adicional del 5,2% |
| IVA 10% | recargo adicional del 1,4% |
| IVA 4% | recargo adicional del 0,5% |
| Tabaco | recargo adicional del 1,75% |

Será el propio proveedor el que ingrese tanto el IVA repercutido como el recargo de equivalencia que, adicionalmente, habrá percibido del minorista. El régimen exige, sin embargo, que en caso de realización de AIB, y operaciones que dan lugar a inversión del sujeto pasivo, sea el propio empresario minorista el que autoliquide tanto el IVA como el recargo correspondiente.

Finalmente, debe señalarse que los minoristas en recargo de equivalencia deben, efectivamente, repercutir el IVA correspondiente sobre sus clientes (que, como se indicó, serán particulares en la mayoría de los casos), pero no están obligados a efectuar la liquidación ni el pago del impuesto en relación con sus operaciones de venta, ni tampoco en los casos de transmisión de los bienes o derechos utilizados en sus actividades. No obstante, en el caso de transmisión de un inmueble habiendo renunciado a la exención, el transmitente minorista sí deberá liquidar e ingresar la cuota devengada por la enajenación del bien.

Estos sujetos pasivos no están obligados a llevar registros de ningún tipo en relación n el IVA por las operaciones acogidas al régimen.

El Sr. Gómez, comerciante minorista en recargo de equivalencia, realiza las siguientes operaciones:

a) **Compras por valor de 6.000,00 €, IVA no incluido al 10%**

En este caso la factura que recibirá será de la siguiente forma:

| Base imponible | 6.000,00 € |
|---|---|
| IVA soportado 10% | 600,00 € |
| Recargo Equivalencia 1,4% | 84,00 € |
| TOTAL | 6.684,00 € |

b) **Compras por valor de 10.000 euros, IVA no incluido al 21%**

En este caso la factura que recibirá será de la siguiente forma:

| Base imponible | 10.000,00 € |
|---|---|
| IVA soportado 21% | 2.100,00 € |
| Recargo Equivalencia 5,2% | 520,00 € |
| TOTAL | 12.620 € |

c) **Satisface la factura de la luz: 1.800,00 € más IVA**

En este caso, dado que se recibe un servicio, no existirá recargo de equivalencia, pues este solo se aplica a las entregas de bienes.

## 7. Régimen especial de oro de inversión (artículos 140 a 140 sexies LIVA)

 La Ley del IVA entiende por oro de inversión los lingotes o láminas de oro de ley igual o superior a 995 milésimas, así como las monedas de oro de ley superior a 900 milésimas que hayan sido acuñadas después de 1800 habiendo sido asimismo moneda de curso legal en su país de origen. Tales monedas deben ser comercializadas habitualmente por un precio no superior en un 80% al valor de mercado del oro que contienen.

Es un régimen obligatorio, sin perjuicio de la posibilidad de renuncia por parte del sujeto pasivo operación por operación.

El régimen de oro de inversión pretende dar un tratamiento particular a aquellas operaciones de compra de oro con la finalidad de invertir en el mismo, y no con la pretensión de utilizarlo como un material más para fabricar bienes. Cuando se adquiere con una finalidad inversora la Ley permite que la adquisición quede exenta.

1. **Exención de determinadas operaciones con oro de inversión**

   Se establece la exención, con posibilidad de renuncia cuando concurran los requisitos que más adelante se indican, de las siguientes operaciones:

   a) Las entregas, adquisiciones intracomunitarias e importaciones de oro de inversión.

      Se incluyen, en concepto de entregas, los préstamos y las operaciones de permuta financiera, así como las operaciones derivadas de contratos de futuro o a plazo, siempre que tengan por objeto oro de inversión e impliquen la transmisión del poder de disposición.

      No se aplica esta exención:

      ⇨ A las prestaciones de servicios que tengan por objeto oro de inversión.

      ⇨ A las adquisiciones intracomunitarias de oro de inversión cuando el empresario que efectúe la entrega renuncie a la exención en el régimen especial previsto en el Estado miembro de origen.

   b) Los servicios de mediación en nombre y por cuenta ajena en las operaciones exentas. En caso de concurrencia de esta exención con la prevista en el artículo 25 (entregas de bienes destinadas a otro Estado miembro) prevalece la prevista para el oro de inversión, salvo renuncia.

2. **Renuncia a la exención**

El transmitente puede renunciar a esta exención cuando concurran las condiciones siguientes:

- En caso de entregas de oro de inversión:

    a) Que el transmitente se dedique de forma habitual a la realización de actividades de producción de oro de inversión o de transformación de oro que no sea de inversión en oro de inversión.

    b) Que la entrega respecto de la que se efectúa la renuncia a la exención tenga por objeto oro de inversión resultante de las actividades citadas en la letra a) anterior.

    c) Que el adquirente sea un empresario o profesional que actúe como tal.

    La renuncia a la exención se practicará por cada operación realizada por el transmitente y debe comunicarse por escrito al adquirente con carácter previo o simultáneo a la entrega de oro de inversión. Asimismo, deberá comunicarle por escrito que la condición de sujeto pasivo recae sobre el adquirente.

- En caso de servicios de mediación en nombre y por cuenta ajena en las operaciones exentas:

    a) Que el destinatario del servicio sea un empresario o profesional que actúe como tal.

    b) Que se efectúe la renuncia a la exención correspondiente a la entrega del oro de inversión a que se refiere el servicio de mediación.

    La renuncia a la exención se practicará por cada operación realizada por el prestador del servicio, el cual deberá estar en posesión de un documento suscrito por el destinatario del servicio en el que este haga constar que, en la entrega de oro a que el servicio de mediación se refiere, se ha efectuado la renuncia a la exención.

3. **Deducciones**

Al tratarse de un régimen de exención, las cuotas del IVA soportado por la compra de bienes o servicios utilizados en la realización de entregas de oro de inversión no serán deducibles. Sin embargo, sí existirá deducibilidad plena cuando:

a) Las soportadas por la adquisición de ese oro cuando el proveedor del mismo haya efectuado la renuncia a la exención regulada en el artículo 140 ter, apartado uno.

b) Las soportadas o satisfechas por la adquisición o importación de ese oro, cuando en el momento de la adquisición o importación no reunía los requisitos para ser considerado como oro de inversión, habiendo sido transformado en oro de inversión por quien efectúa la entrega exenta o por su cuenta.

c) Las soportadas por los servicios que consistan en el cambio de forma, de peso o de ley de ese oro.

4. **Sujeto pasivo**

Será sujeto pasivo del impuesto correspondiente a las entregas de oro de inversión que resulten gravadas por haberse efectuado la renuncia a la exención a que se refiere el artículo 140 ter, el empresario o profesional para quien se efectúe la operación gravada.

5. **Conservación de las facturas**

Los empresarios que realicen operaciones que tengan por objeto oro de inversión, deberán conservar las copias de las facturas correspondiente a dichas operaciones, así como los registros durante un período de cinco años.

## 8. Regímenes especiales aplicables a las ventas a distancia y a determinadas entregas interiores de bienes y prestaciones de servicios (artículos 163 septiesdecies a 163 octovicies LIVA)

Bajo esta amplia denominación se recogen los supuestos en el ámbito de regulación del **comercio electrónico en el IVA** y las reglas de tributación de las entregas de bienes y prestaciones de servicios por empresarios o profesionales, contratadas generalmente en internet por consumidores finales en la UE. Por tanto, es un régimen aplicable, en principio, a las ventas a distancia de bienes importados de países o territorios terceros.

En el régimen se establece, con carácter general, la **tributación en destino** de las entregas de bienes y prestaciones de servicios cuando los destinatarios no tengan la condición de empresarios o profesionales y se supere el importe de 10.000 euros. Por debajo de este umbral, los empresarios o profesionales que realicen estas ventas a distancia podrán optar por tributar:

1. En el Estado miembro de origen donde estén establecidos, o bien

2. En el Estado miembro de consumo.

Y con el fin de simplificar la gestión y recaudación del IVA en estos supuestos, se amplían los regímenes especiales de **"ventanilla única"**, que estarán a disposición no solo de los empresarios y profesionales establecidos en la Unión, sino también para los establecidos fuera de ella (los "no establecidos").

## 8.1. Definiciones

Con esta denominación se regulan tres regímenes distintos:

a) "Régimen exterior de la Unión": el régimen especial regulado en la sección 2.ª del capítulo XI del título IX de la Ley del Impuesto (artículos 163 octiesvicies a 163 vicies).

b) "Régimen de la Unión": el régimen especial regulado en la sección 3.ª del capítulo XI del título IX de la Ley del Impuesto (artículos 163 unvicies a 163 quatervicies).

c) "Régimen de importación": el régimen especial regulado en la sección 4.ª del capítulo XI del título IX de la Ley del Impuesto (artículos 163 quinvicies a 163 octovicies).

Además, al respecto hay que tener en cuenta varias definiciones relevantes:

- **Estado miembro de identificación**. Puede ser:

  a) El Estado miembro en el que el empresario o profesional tenga establecida la sede de su actividad económica.

  b) Cuando no tenga establecida la sede de su actividad económica en la UE, se atenderá al único Estado miembro en el que tenga un establecimiento permanente.

  c) Cuando el empresario o profesional no tenga establecida la sede de su actividad económica en la UE, pero disponga de establecimiento permanente en varios Estados miembros, el Estado por el que opte de entre los Estados miembros en los que disponga de un establecimiento permanente.

  d) Cuando el empresario o profesional no tenga establecida la sede de su actividad económica ni tenga establecimiento permanente alguno, el Estado miembro en el que se inicie la expedición o el transporte de los bienes y si hubiera más de uno el Estado miembro por el que opte.

  e) Finalmente, en su caso, el Estado miembro de la UE por el que haya optado el empresario o profesional no establecido en la UE para declarar el inicio de su actividad. La opción por un Estado miembro vinculará en tanto no sea revocada y será válida, como mínimo, durante el año natural en que se ejercita la opción y los dos años siguientes.

- **Estado miembro de consumo.** En el caso de las prestaciones de servicios, el Estado miembro en el que se considera que tiene lugar la prestación de servicios. En el caso de ventas a distancia intracomunitarias de bienes, el Estado miembro de llegada de la expedición o el transporte de los bienes con destino

147

al cliente. En el caso de entregas de bienes por medio de una interfaz, cuando la expedición o el transporte de los bienes entregados comience y acabe en el mismo Estado miembro.

- **Empresario o profesional no establecido en la Comunidad (UE)**: todo empresario o profesional que tenga la sede de su actividad económica fuera de la Comunidad y no tenga un establecimiento permanente en el territorio de la UE.

- **Empresario o profesional no establecido en el Estado miembro de consumo**: todo empresario o profesional que tenga establecida la sede de su actividad económica en el territorio de la UE o que tenga un establecimiento permanente, pero que no tenga establecida dicha sede en el territorio del Estado miembro de consumo ni posea en él un establecimiento permanente.

- **Intermediario**: toda persona establecida en la Comunidad (UE) a quien designa el empresario o profesional que realiza ventas a distancia de bienes importados y que, en nombre y por cuenta de este, quede obligado al cumplimiento de las obligaciones materiales y formales derivadas del régimen de importación.

## 8.2. Opción y renuncia. Efectos

La opción por alguno de estos regímenes especiales se realizará a través de la presentación, en el Estado miembro de identificación, de la correspondiente declaración de inicio en los regímenes especiales y surtirá efecto:

a) A partir del primer día del trimestre natural siguiente a la presentación de la indicada declaración, en el caso del régimen exterior de la Unión y del régimen de la Unión.

b) Desde el día en que se haya asignado al empresario o profesional, o al intermediario que actúe por su cuenta, el número individual de identificación a efectos del Impuesto para el régimen de importación.

No obstante lo anterior, en el régimen exterior de la Unión o el régimen de la Unión, cuando un empresario o profesional inicie las operaciones incluidas en estos regímenes especiales con carácter previo a la fecha de efectos a la que se refiere la letra a) anterior, el régimen especial correspondiente surtirá efecto a partir de la fecha de la primera entrega o prestación de servicios, siempre y cuando el empresario o profesional presente dicha declaración de inicio a más tardar el décimo día del mes siguiente a la fecha de inicio de las mismas.

El operador no establecido ni identificado en la UE puede optar por identificarse en un solo Estado miembro, y presentará en ese Estado de identificación una única declaración, ingresando el impuesto correspondiente a todas las operaciones realizadas con sus clientes en la Unión (y la Administración tributaria de ese Estado miembro distribuirá las cuotas al resto de los países europeos que proceda).

La renuncia voluntaria a cualquiera de estos regímenes especiales se realizará a través de la presentación de la declaración de cese en los regímenes especiales al Estado miembro de identificación, que deberá efectuarse:

a) Al menos quince días antes de finalizar el trimestre natural anterior a aquel en que vaya a dejar de utilizarse el régimen especial y surtirá efecto a partir del primer día del trimestre natural siguiente a la presentación de la indicada declaración de cese, en el caso del régimen exterior de la Unión y del régimen de la Unión.

b) Al menos quince días antes del mes anterior a aquel en que vaya a dejar de utilizarse el régimen de importación y surtirá efecto a partir del primer día del mes siguiente a la presentación de la indicada declaración de cese. En este caso, el empresario o profesional dejará de estar autorizado a utilizar este régimen especial para las entregas de bienes que realice a partir de esa fecha.

El intermediario cuyo Estado miembro de identificación sea el Reino de España, que ponga fin a su actividad por cuenta de empresarios o profesionales acogidos al régimen de importación, deberá informar de su decisión a la Agencia Estatal de Administración Tributaria, al menos quince días antes de finalizar el mes natural anterior a aquel en el que se pretenda dejar de actuar como intermediario.

Cuando un empresario o profesional o, en su caso, un intermediario que actúe por su cuenta, establecido en la Unión Europea traslade la sede de su actividad económica de un Estado miembro a otro o deje de estar establecido en el Estado miembro de identificación, pero continúe establecido en la Unión Europea y cumpla las condiciones para poder seguir acogido a los regímenes especiales de la Unión o de importación, podrá presentar la declaración de cese en el Estado miembro de identificación en el que deje de estar establecido y presentar una nueva declaración de inicio en un nuevo Estado miembro en la fecha en que se produzca el cambio de sede o de establecimiento permanente.

## 8.3. Exclusión y efectos

La exclusión de un empresario o profesional de cualquiera de los regímenes especiales se adoptará exclusivamente por el Estado miembro de identificación, cuya decisión deberá comunicarse a dicho empresario o profesional por vía electrónica y surtirá efecto:

a) A partir del primer día del trimestre natural siguiente a la fecha de la indicada comunicación, en el caso del régimen exterior de la Unión y del régimen de la Unión.

b) A partir del primer día del mes siguiente a la fecha de la indicada comunicación, en el caso del régimen de importación, salvo que la exclusión derive del incumplimiento reiterado de las normas de este régimen, en que surtirá efectos a partir del día siguiente a la fecha de la indicada comunicación.

Cuando el empresario o profesional actúe con intermediario, el acuerdo de exclusión del intermediario conforme al apartado siguiente supone la exclusión en el régimen de importación de los empresarios o profesionales acogidos al mismo por cuya cuenta actuaba el intermediario. La exclusión de dichos empresarios o profesionales por ese motivo será comunicada a cada uno de ellos y surtirá efectos a partir del primer día del mes siguiente a la fecha de la comunicación, cualquiera que haya sido la causa de exclusión del intermediario.

La exclusión de un intermediario que actúe por cuenta de un empresario o profesional acogido al régimen de importación se adoptará exclusivamente por el Estado miembro de identificación, cuya decisión deberá serle comunicada por vía electrónica y surtirá efecto a partir del primer día del mes siguiente a la fecha de la indicada comunicación.

No obstante lo anterior, cuando:

a) La exclusión traiga causa en el cambio de sede de actividad económica o de establecimiento permanente, surtirá efecto a partir de la fecha de dicho cambio, siempre y cuando el intermediario presente la declaración de modificación a cada uno de los dos Estados miembros de identificación afectados, en la que informe del cambio de Estado miembro de identificación a más tardar el décimo día del mes siguiente a aquel en que se haya producido el cambio de sede o de establecimiento permanente.

b) La exclusión derive del incumplimiento reiterado de las normas del citado régimen, surtirá efectos a partir del día siguiente a la fecha de la indicada comunicación.

En todo caso, el intermediario deberá presentar la declaración-liquidación del último mes natural en el régimen correspondiente a cada empresario o profesional por cuya cuenta actúa.

Serán causas de exclusión de los regímenes especiales a que se refiere este capítulo cualesquiera de las que se relacionan a continuación:

a) La presentación por el empresario o profesional de la declaración de cese por haber dejado de realizar las operaciones comprendidas en cualquiera de los regímenes especiales; a tal efecto el empresario o profesional deberá presentar dicha declaración al Estado miembro de identificación a más tardar el décimo día del mes siguiente a que se produzca dicha situación.

b) La existencia de hechos que permitan presumir que el empresario o profesional ha dejado de desarrollar sus actividades en cualquiera de los regímenes especiales. Se considerará que se ha producido lo anterior cuando el empresario o profesional no realice en ningún Estado miembro de consumo alguna de las operaciones a que se refieren los regímenes especiales durante un período de dos años.

c) El incumplimiento de los requisitos necesarios para acogerse a estos regímenes especiales.

d) El incumplimiento reiterado de las obligaciones impuestas por la normativa de estos regímenes especiales, el cual concurrirá, entre otros, cuando:

— Se hayan enviado al empresario o profesional comunicaciones o recordatorios de la obligación de presentar una declaración durante los tres periodos de declaración anteriores y no se haya presentado la correspondiente declaración del Impuesto en el plazo de diez días a computar desde el envío de cada recordatorio o comunicación.

— Se hayan enviado al empresario o profesional comunicaciones o recordatorios de la obligación de efectuar un pago durante los tres periodos de declaración anteriores y no se haya abonado la suma íntegra en el plazo de diez días a computar desde el envío de cada recordatorio o comunicación, a menos que el importe pendiente correspondiente a cada declaración sea inferior a 100 euros.

— El empresario o profesional haya incumplido su obligación de poner a disposición del Estado miembro de identificación o del Estado miembro de consumo sus registros por vía electrónica en el plazo de un mes desde el correspondiente recordatorio o comunicación remitido por el Estado miembro de identificación.

— El empresario o profesional acogido al régimen de importación utilice de forma reiterada el régimen especial para la importación de bienes con valor intrínseco superior a 150 euros o sujetos a impuestos especiales.

e) Para el empresario o profesional acogido al régimen de importación, que opere a través de un intermediario, que dicho intermediario notifique a la Administración tributaria que ha dejado de representarle; a tal efecto el intermediario deberá notificar este extremo al Estado miembro de identificación a más tardar el décimo día del mes siguiente a que se produzca dicha situación.

Cuando la exclusión traiga causa en los supuestos a que se refiere la letra d) anterior surtirá efectos para un período mínimo de dos años contados a partir de la fecha de efecto de la exclusión y respecto de los tres regímenes especiales.

Serán causas de exclusión del intermediario que actúe por cuenta de un empresario o profesional acogido al régimen de importación:

a) La falta de actuación durante dos trimestres naturales como intermediario.

b) El incumplimiento de los requisitos necesarios para actuar como intermediario.

c) El incumplimiento reiterado de las obligaciones impuestas por la normativa del citado régimen especial, el cual concurrirá, entre otros, cuando:

— Se hayan enviado al intermediario comunicaciones o recordatorios de la obligación de presentar una declaración durante los tres periodos de declaración anteriores y no se haya presentado la correspondiente declaración del Impuesto en el plazo de diez días a computar desde el envío de cada recordatorio o comunicación.

— Se hayan enviado al intermediario comunicaciones o recordatorios de la obligación de efectuar un pago durante los tres periodos de declaración anteriores y no se haya abonado la suma íntegra en el plazo de diez días a computar desde el envío de cada recordatorio o comunicación, a menos que el importe pendiente correspondiente a cada declaración sea inferior a 100 euros.

— El intermediario haya incumplido su obligación de poner a disposición del Estado miembro de identificación o del Estado miembro de consumo sus registros por vía electrónica en el plazo de un mes desde el correspondiente recordatorio o comunicación remitido por el Estado miembro de identificación.

— El intermediario incurra en las circunstancias establecidas en el art. 144.4, letra c), del Reglamento General de las actuaciones y procedimientos de gestión e inspección tributaria y de desarrollo de las normas comunes de los procedimientos de aplicación de los tributos, aprobado por el Real Decreto 1065/2007, de 27 de julio.

En el supuesto de esta letra c), el intermediario no podrá actuar como tal durante los dos años siguientes al mes durante el cual haya sido excluido del régimen especial.

## 8.4. Obligaciones de información

El empresario o profesional, o el intermediario que actúe por su cuenta, en su caso, acogido a cualesquiera de estos regímenes especiales deberá presentar una declaración de modificación al Estado miembro de identificación ante cualquier cambio en la información proporcionada al mismo; dicha declaración se deberá presentar a más tardar el décimo día del mes siguiente a aquel en que se haya producido el cambio correspondiente.

## 8.5.   Obligaciones formales

Los empresarios y profesionales acogidos al régimen exterior de la Unión y al régimen de la Unión han de llevar un registro de las operaciones incluidas en estos regímenes especiales, con el detalle suficiente para que la Administración tributaria del Estado miembro de consumo pueda comprobar los datos incluidos en las declaraciones del Impuesto.

Los empresarios o profesionales, o los intermediarios que actúen por su cuenta, acogidos al régimen de importación deberán llevar un registro de las operaciones incluidas en este régimen especial con el detalle suficiente para que la Administración tributaria del Estado miembro de consumo pueda comprobar los datos incluidos en las declaraciones del Impuesto.

## 8.6.   Régimen exterior de la Unión

Podrán acogerse a este régimen especial los empresarios o profesionales no establecidos en la Comunidad (UE), que presten servicios a personas establecidas que no tengan la condición de empresario o profesional, o que tengan su domicilio o residencia habitual en la UE. El régimen se aplicará a todas las prestaciones de servicios que deban entenderse realizadas en la Comunidad.

El régimen especial se aplicará a todas las prestaciones de servicios que, de acuerdo con lo dispuesto en la LIVA, o sus equivalentes en las legislaciones de otros Estados miembros, deban entenderse efectuadas en la Unión Europea por aplicación de las reglas de localización.

La Administración tributaria identificará al empresario o profesional no establecido a efectos de este régimen mediante un número individual que le notificará por vía electrónica.

Las **obligaciones formales** (en caso de que España sea el Estado miembro de identificación) de estos empresarios y profesionales, son:

1.   Disponer de un número de identificación fiscal.

2.   Presentar la declaración de inicio, modificación o cese de las operaciones comprendidas en este régimen especial (formulario 035). La declaración de inicio incluirá esta información:

    a)   Nombre y apellidos o denominación social.

    b)   Direcciones postales y de correo electrónico.

    c)   Direcciones electrónicas de los sitios de internet a través de los que opere.

d) Número de identificación fiscal en el país en que radique la sede.

e) Declaración de no tener en la Comunidad (UE) la sede de actividad o algún establecimiento permanente.

3. Presentar una autoliquidación por cada trimestre natural, independientemente de que haya suministrado o no servicios cubiertos por este régimen (modelo 369). Esta autoliquidación se presentará durante el mes siguiente al del período al que se refiere la misma. Además, ingresará el impuesto correspondiente a cada autoliquidación dentro del plazo de presentación de la misma.

4. Llevar y mantener un registro de las operaciones incluidas en este régimen especial, que estará a disposición tanto del Estado miembro de identificación como del de consumo y deberá conservarse durante un período de diez años.

5. Expedir y entregar factura por todas las operaciones incluidas en este régimen.

• **Deducción de las cuotas soportadas**

En caso de que España sea el Estado miembro de identificación, los empresarios o profesionales acogidos a este régimen especial, que no realicen otras operaciones distintas de las acogidas a dicho régimen que le obliguen a presentar autoliquidación del IVA por el régimen general, los requisitos serán:

— No podrán deducir en la autoliquidación objeto de este régimen (modelo 369), las cuotas soportadas en la adquisición o importación de bienes y servicios destinados a la realización de las operaciones acogidas al régimen.

— Por las cuotas soportadas en el territorio de aplicación del Impuesto (TAI) solicitarán la devolución por el procedimiento previsto en el artículo 119 bis de la Ley, sin que se exija la reciprocidad de trato a favor de los empresarios o profesionales establecidos en el territorio de aplicación del Impuesto.

— Por las cuotas soportadas en otros Estados miembros, solicitarán la devolución a través del procedimiento previsto en la normativa del Estado miembro en que se hayan soportado en base a la Directiva 86/560/CEE, del Consejo, sin que se pueda exigir el reconocimiento de reciprocidad de trato ni la designación de representante fiscal en ese Estado miembro.

Los empresarios o profesionales establecidos en las Islas Canarias, Ceuta o Melilla:

— Solicitarán la devolución de las cuotas soportadas en los demás Estados miembros (excepción de las soportadas en el TAI) a través del procedimiento previsto en el artículo 117 bis de la Ley del IVA.

— Solicitarán la devolución de las cuotas soportadas en el territorio de aplicación del Impuesto (TAI) a través del procedimiento previsto en el artículo 119 de la LIVA.

En caso de que empresarios o profesionales que, además de las operaciones objeto del régimen especial, realicen otras que le obligan a presentar autoliquidación del IVA por el régimen general, el IVA soportado se incluirá en esa autoliquidación.

## 8.7. Régimen de la Unión

Este régimen será de aplicación a los servicios prestados por empresarios o profesionales establecidos en la Unión, (pero no en el Estado miembro de consumo), a destinatarios que no tengan la condición de empresarios o profesionales actuando como tales, a las ventas a distancia intracomunitarias de bienes y a las entregas interiores de bienes imputadas a los titulares de una "interfaz digital", que faciliten la entrega de estos bienes por un proveedor no establecido en la Unión al consumidor final.

El régimen especial se aplicará a:

1. Los servicios prestados a destinatarios que no actúen como empresarios o profesionales y que estén localizados en un Estado miembro distinto de aquel en que esté establecido el prestador.

2. Las ventas a distancia intracomunitarias de bienes.

3. Las entregas de bienes en el interior de la Unión imputadas a los titulares de una interfaz electrónica que haya facilitado la entrega de bienes desde un proveedor no establecido a una persona que actúe como consumidor final.

Así, podrán acogerse al régimen de la Unión:

1. Los empresarios o profesionales establecidos en la UE, pero no en el Estado miembro de consumo, que presten servicios que se consideren prestados en este último, a destinatarios que no tengan la condición de empresario o profesional.

2. Los empresarios o profesionales que realicen ventas a distancia intracomunitarias de bienes.

3. Las interfaces electrónicas que realicen las entregas interiores de bienes en las condiciones previstas en el artículo 8bis.b) de la LIVA.

Las **obligaciones formales** (en caso de que España sea el Estado miembro de identificación) de estos empresarios y profesionales son:

— Disponer de número de identificación fiscal.

— Declarar el inicio, modificación o cese de las operaciones acogidas a este régimen especial (modelo 035).

155

— Presentar una autoliquidación por cada trimestre natural, independientemente de que haya realizado o no operaciones a las que se aplique este régimen especial. La autoliquidación se presentará durante el mes siguiente al del período al que se refiere; y se ingresará el impuesto correspondiente a cada autoliquidación en el plazo de presentación de la misma.

— Llevar y mantener un registro de las operaciones incluidas en este régimen especial. Este registro estará a disposición tanto del Estado miembro de identificación como del de consumo y se conservará durante un período de diez años.

— Expedir y entregar factura por todas las operaciones acogidas a este régimen especial.

- **Deducción de las cuotas soportadas**

En caso de que España sea el Estado miembro de identificación, los empresarios o profesionales acogidos a este régimen especial no podrán deducirse en la autoliquidación periódica correspondiente a este régimen (modelo 369) las cuotas soportadas en la adquisición o importación de bienes y servicios destinados a la realización de las operaciones acogidas al mismo. Y por las cuotas soportadas en el territorio de aplicación del Impuesto (TAI):

— Si además de las operaciones incluidas en este régimen realizan otras por las que tengan obligación de presentar autoliquidaciones periódicas de IVA, las deducirán en dichas autoliquidaciones.

— Si no realizan esas otras operaciones y no están establecidos en la Comunidad, solicitarán la devolución por el procedimiento previsto en el artículo 119 bis de la LIVA, sin que se exija que esté reconocida la existencia de reciprocidad de trato a favor de los empresarios o profesionales establecidos en el TAI, ni la designación de representante fiscal en España.

Y por las cuotas soportadas en otros Estados miembros:

— Si están establecidos en el TAI, solicitarán la devolución por el procedimiento previsto en el artículo 117 bis de la Ley del IVA.

— Si no están establecidos en el TAI ni el resto de la UE, solicitarán la devolución por el procedimiento previsto en la normativa del Estado miembro en que se hayan soportado, en desarrollo de la Directiva 86/560/CEE, del Consejo, sin que se pueda exigir el reconocimiento de reciprocidad de trato ni la designación de representante fiscal en ese Estado miembro.

En el caso de empresarios o profesionales con sede en Canarias, Ceuta o Melilla, que no están establecidos en el TAI ni en el resto de la UE, y que no realizan otras operaciones distintas de las acogidas al régimen especial que le obliguen a presentar autoliquidaciones por el régimen general del IVA:

1.  Solicitarán la devolución de las cuotas soportadas en España a través del procedimiento previsto en el artículo 119 de la Ley del IVA.

2.  Solicitarán la devolución de las cuotas soportadas en otros Estados miembros a través del procedimiento previsto en el artículo 117 bis de la Ley del IVA, en aplicación de la Directiva 2008/9/CE.

## 8.8. Régimen de importación

Podrán acogerse a este régimen especial, regulado en los artículos 163 quinvicies a 163 octovicies de la LIVA, directamente o a través de un intermediario establecido en la Unión, los empresarios o profesionales que realicen ventas a distancia de bienes importados de terceros países o territorios, en envíos cuyo valor intrínseco no exceda de 150 euros (se exceptúan aquellos productos que sean objeto de impuestos especiales), siempre que sean empresarios o profesionales que estén:

*   Establecidos en la Unión Europea, Islas Canarias, Ceuta o Melilla.

*   Establecidos o no en la Unión Europea, que estén representados por un intermediario establecido en la UE (al efecto, no será posible designar más de un intermediario).

*   Establecidos en un país tercero con el que la Unión Europea haya celebrado un acuerdo de asistencia mutua que realicen ventas a distancia en la UE de bienes procedentes de ese país tercero.

Este régimen especial se aplicará a todas las ventas a distancia de bienes importados de países o territorios terceros efectuadas por el empresario o profesional que se encuentre en alguna de las situaciones anteriores.

En las entregas de bienes realizadas en los términos previstos en el artículo 8 bis de la Ley del IVA, el devengo del impuesto de la entrega efectuada a favor del empresario o profesional que facilite la venta o la entrega, y la efectuada por el mismo, se producirá con la aceptación del pago del cliente.

A efectos del régimen especial, la Administración tributaria identificará al empresario o profesional acogido al mismo con un número de operador a efectos del régimen de importación (NIOSS). En caso de actuar mediante intermediario registrado como tal, habiéndosele asignado previamente por la Administración tributaria un número de identificación como intermediario (NIOSSIn), le asignará a este además un número de identificación a efectos del régimen en relación con cada empresario o profesional que lo haya designado como tal.

Las obligaciones formales (en caso de que España sea el Estado miembro de identificación) son:

— Disponer de número de identificación fiscal.

— En el caso de empresarios o profesionales que operen a través de intermediario, en defecto de número de identificación fiscal, deberán disponer de un código de identificación individual.

— Declarar el inicio, modificación o cese de las operaciones acogidas a este régimen especial (formulario 035).

— Presentar una autoliquidación por cada mes natural, independientemente de que se hayan realizado o no operaciones a las que se aplique este régimen especial, durante el mes siguiente al del período al que se refiere la misma. Ingresará el impuesto correspondiente a cada autoliquidación dentro del plazo de presentación de la autoliquidación.

— Llevar y mantener un registro de las operaciones incluidas en este régimen especial. Este registro estará a disposición tanto del Estado miembro de identificación como del de consumo y deberá conservarse durante un período de diez años.

— Expedir y entregar factura por todas las operaciones acogidas a este régimen especial.

• **Deducción de las cuotas soportadas**

En caso de que España sea el Estado miembro de identificación, los empresarios o profesionales acogidos a este régimen especial, no podrán deducirse en la autoliquidación periódica correspondiente a este régimen (modelo 369) las cuotas soportadas en la adquisición o importación de bienes y servicios destinados a la realización de las operaciones acogidas al mismo. Por las cuotas soportadas en el TAI:

— Si además de las operaciones incluidas en este régimen realizan otras por las que tengan obligación de presentar autoliquidaciones periódicas de IVA, las deducirán en dichas autoliquidaciones.

— Si están establecidos en otro Estado miembro, pero están identificados en España por estar aquí establecido el intermediario que los representa, solicitarán la devolución por el procedimiento previsto en el artículo 119 de la LIVA.

— Si no están establecidos en la UE, solicitarán la devolución por el procedimiento previsto en el artículo 119 bis de la LIVA, sin que se exija que esté reconocida la reciprocidad de trato a favor de los empresarios o profesionales establecidos en el TAI, ni la designación de representante fiscal en España.

Por las cuotas soportadas en otros Estados miembros:

— Si están establecidos en el TAI, solicitarán la devolución por el procedimiento previsto en el artículo 117 bis de la LIVA.

— Si no están establecidos en el TAI pero sí en otro Estado miembro, y están identificados en España por estar aquí establecido el intermediario que los representa, solicitarán la devolución en la correspondiente declaración periódica si están obligados a ella (o, en caso contrario, por el procedimiento regulado en la Directiva 2008/9/CE).

— Si no están establecidos en el TAI ni el resto de la UE, solicitarán la devolución por el procedimiento previsto en la normativa del Estado miembro en que se hayan soportado en desarrollo de la Directiva 86/560/CEE, del Consejo, sin que se exija el reconocimiento de reciprocidad de trato ni la designación de representante fiscal en ese Estado miembro.

En el caso de empresarios o profesionales con sede en Canarias, Ceuta o Melilla, que no están establecidos en el TAI ni en el resto de la UE y que no realizan otras operaciones distintas de las acogidas al régimen especial que le obliguen a presentar autoliquidaciones por el régimen general del IVA:

1.  Solicitarán la devolución de las cuotas soportadas en España a través del procedimiento previsto en el artículo 119 de la LIVA.

2.  Solicitarán la devolución de las cuotas soportadas en otros Estados miembros a través del procedimiento previsto en el artículo 117 bis de la LIVA, en aplicación de la Directiva 2008/9/CE.

## 9. Directiva (UE) 2025/516 del Consejo, de 11 de marzo de 2025

El auge de la economía digital ha repercutido significativamente en el funcionamiento del sistema del Impuesto sobre el Valor Añadido (IVA) de la Unión, que resulta inadecuado para los nuevos modelos de negocio digitales y no permite el pleno uso de los datos generados por la digitalización. La Directiva 2006/112/CE (3) del Consejo debe modificarse para tener en cuenta dicha evolución.

Las obligaciones de suministro de información a efectos del IVA deben adaptarse para abordar los retos de la economía de plataformas y reducir la necesidad de registros múltiples a efectos del IVA en la Unión.

El paquete de medidas sobre el IVA en la Era Digital (ViDA) se adoptó el 11 de marzo de 2025 tras una nueva consulta al Parlamento Europeo y se aplicará de forma progresiva hasta enero de 2035.

El calendario de implantación de las diversas medidas es el siguiente:

- A partir de su entrada en vigor, los Estados miembros podrán establecer la obligatoriedad de la facturación electrónica bajo determinadas condiciones, y se introducirán mejoras en el marco de la ventanilla única de importación (IOSS) con el fin de mejorar los controles.

- A partir del 1 de enero de 2027, resultarán de aplicación ciertas aclaraciones legislativas menores respecto de los sistemas de ventanilla única One-Stop Shop (OSS) e IOSS.

A partir del 1 de julio de 2028 las plataformas que faciliten el alquiler de alojamientos de corta duración y transporte de pasajeros, se convertirán en sujetos pasivos de estos servicios en determinadas circunstancias, en las que se considerará que reciben los servicios del proveedor y los prestan al consumidor final. Los Estados miembros tendrán la opción de retrasar su implementación hasta el 2030.

Se favorecerá el Registro Único a efectos de IVA:

- Ampliando la OSS a determinadas entregas nacionales a consumidores finales y a las transferencias de bienes intracomunitarias (transfer).

- Aplicando de forma obligatoria el mecanismo de inversión del sujeto pasivo a proveedores no identificados en el Estado miembro en el que se adeuda el IVA.

A partir del 1 de julio de 2030 los sistemas de reporte de información en tiempo casi real afectarán a las transacciones transfronterizas entre empresarios, sustituyendo al actual VIES.

Con plazo máximo el 1 de enero de 2035, los Estados miembros que tengan sistemas nacionales de reporte de información en tiempo casi real deberán adaptar sus sistemas a las normas de la UE, lo que marcará la fase final de este paquete de medidas ViDA.

# 10. Régimen especial del grupo de entidades

El régimen especial del grupo de entidades del IVA (REGE) es un régimen voluntario, al que pueden optar aquellos empresarios o profesionales que formen parte de un grupo. Se considera **grupo de entidades** el que se integra por una **entidad dominante** y sus **entidades dependientes**, siempre que las sedes de actividad económica o los establecimientos permanentes de todas y cada una de ellas radiquen en el territorio de aplicación del impuesto (Península e Islas Baleares).

## 10.1. Requisitos subjetivos del régimen especial del grupo de entidades

Podrán aplicar el régimen especial del grupo de entidades los empresarios o profesionales que formen parte de un grupo de entidades. Se considerará como grupo de entidades el formado por una entidad dominante y sus entidades dependientes, que se hallen firmemente vinculadas entre sí en los órdenes financiero, económico y de organización, en los términos que se desarrollen reglamentariamente, siempre que las sedes de actividad económica o establecimientos permanentes de todas y cada una de ellas radiquen en el territorio de aplicación del Impuesto.

Ningún empresario o profesional podrá formar parte simultáneamente de más de un grupo de entidades.

Se considerará como entidad dominante aquella que cumpla los requisitos siguientes:

a) Que tenga personalidad jurídica propia. No obstante, los establecimientos permanentes ubicados en el territorio de aplicación del Impuesto podrán tener la condición de entidad dominante respecto de las entidades cuyas participaciones estén afectas a dichos establecimientos, siempre que se cumplan el resto de requisitos establecidos en este apartado.

b) Que tenga el control efectivo sobre las entidades del grupo, a través de una participación, directa o indirecta, de más del 50 por ciento, en el capital o en los derechos de voto de las mismas.

c) Que dicha participación se mantenga durante todo el año natural.

d) Que no sea dependiente de ninguna otra entidad establecida en el territorio de aplicación del Impuesto que reúna los requisitos para ser considerada como dominante.

No obstante lo previsto en el apartado anterior, las sociedades mercantiles que no actúen como empresarios o profesionales, podrán ser consideradas como entidad dominante, siempre que cumplan los requisitos anteriores.

Se considerará como entidad dependiente aquella que, constituyendo un empresario o profesional distinto de la entidad dominante, se encuentre establecida en el territorio de aplicación del Impuesto y en la que la entidad dominante posea una participación que reúna los requisitos contenidos en las letras b) y c) del apartado anterior. En ningún caso un establecimiento permanente ubicado en el territorio de aplicación del Impuesto podrá constituir por sí mismo una entidad dependiente.

## 10.2. Condiciones para la aplicación del régimen especial del grupo de entidades

El régimen especial del grupo de entidades se aplicará cuando así lo acuerden individualmente las entidades que cumplan los requisitos establecidos en el artículo anterior y opten por su aplicación. La opción tendrá una validez mínima de tres años, siempre que se cumplan los requisitos exigibles para la aplicación del régimen especial, y se entenderá prorrogada, salvo renuncia, que se efectuará conforme a lo dispuesto en el artículo 163 nonies.cuatro.1.ª de LIVA. Esta renuncia tendrá una validez mínima de tres años y se efectuará del mismo modo. En todo caso, la aplicación del régimen especial quedará condicionada a su aplicación por parte de la entidad dominante.

## 10.3. Causas determinantes de la pérdida del derecho al régimen especial del grupo de entidades

El régimen especial se dejará de aplicar por las siguientes causas:

1ª.  La concurrencia de cualquiera de las circunstancias que, de acuerdo con lo establecido en el artículo 53 de la Ley 58/2003, de 17 de diciembre, General Tributaria, determinan la aplicación del método de estimación indirecta.

2ª.  El incumplimiento de la obligación de confección y conservación del sistema de información a que se refiere el artículo 163 nonies.cuatro.3.ª de LIVA.

## 10.4. Contenido del régimen especial del grupo de entidades

El REGE presenta dos modalidades alternativas:

*   **Modalidad normal**

    En la modalidad normal cada entidad del grupo aplica el IVA de forma independiente por todas sus operaciones y presenta  sus autoliquidaciones individuales, con período de liquidación mensual, en las que determinará su resultado a ingresar o a compensar, resultado que se integrará en una autoliquidación agregada del grupo.

    Si el resultado de la autoliquidación agregada del grupo es a ingresar, el ingreso debe efectuarlo la entidad dominante y, si es a devolver, podrá solicitar la devolución la entidad dominante siempre que no hayan transcurrido cuatro años (contados desde la presentación de las autoliquidaciones individuales de las entidades dependientes que originaron la devolución).

*   **Modalidad avanzada**

    La opción por la modalidad avanzada se referirá al conjunto de entidades que formen parte del grupo y se adoptará mediante acuerdo de sus Consejos de administración (u órgano equivalente). La opción se comunicará a la Agencia Tributaria por la entidad dominante a través del modelo 039 y tendrá una validez mínima de un año natural, entendiéndose prorrogada salvo renuncia.

    En esta modalidad, la base imponible de las entregas de bienes y prestaciones de servicios realizadas en el TAI entre entidades del mismo grupo que apliquen el REGE estará constituida por el coste de los bienes y servicios utilizados directa o indirectamente, total o parcialmente, en su realización y por los cuales se haya soportado o satisfecho efectivamente el impuesto.

Cuando los bienes utilizados tengan la condición de bienes de inversión, la imputación de su coste se deberá efectuar por completo dentro del período de regularización de cuotas correspondientes a dichos bienes.

Cada una de las entidades del grupo actuará, en sus operaciones con entidades que no formen parte del mismo grupo, de acuerdo con las reglas generales del impuesto.

Las operaciones entre entidades de un mismo grupo que apliquen el REGE constituirán un sector diferenciado de la actividad en el que deberá aplicarse de forma obligatoria la regla de prorrata especial. Se entenderán afectos al sector diferenciado de las operaciones intragrupo los bienes y servicios utilizados directa o indirectamente, total o parcialmente, en la realización de esas operaciones y por los cuales se hubiera soportado o satisfecho efectivamente el impuesto, siendo tales cuotas soportadas íntegramente deducibles.

## 10.5. Obligaciones específicas en el régimen especial del grupo de entidades

La entidad dominante ostentará la representación del grupo de entidades ante la Administración tributaria. En tal concepto, la entidad dominante deberá cumplir las obligaciones tributarias materiales y formales específicas que se derivan del régimen especial del grupo de entidades.

Tanto la entidad dominante como cada una de las entidades dependientes deberán cumplir las obligaciones establecidas en el artículo 164 de LIVA, excepción hecha del pago de la deuda tributaria o de la solicitud de compensación o devolución.

La entidad dominante, sin perjuicio del cumplimiento de sus obligaciones propias, y con los requisitos, límites y condiciones que se determinen reglamentariamente, será responsable del cumplimiento de las siguientes obligaciones:

1ª. Comunicar a la Administración tributaria la siguiente información:

a) El cumplimiento de los requisitos exigidos, la adopción de los acuerdos correspondientes y la opción por la aplicación del régimen especial a que se refieren los artículos 163 quinquies y sexies de LIVA. Toda esta información deberá presentarse en el mes de diciembre anterior al inicio del año natural en el que se vaya a aplicar el régimen especial.

163

b)   La relación de entidades del grupo que apliquen el régimen especial, iden-tificando las entidades que motiven cualquier alteración en su composi-ción respecto a la del año anterior, en su caso. Esta información deberá comunicarse durante el mes de diciembre de cada año natural respecto al siguiente.

c)   La renuncia al régimen especial, que deberá ejercitarse durante el mes de diciembre anterior al inicio del año natural en que deba surtir efecto, tanto en lo relativo a la renuncia del total de entidades que apliquen el régimen especial como en cuanto a las renuncias individuales.

d)   La opción que se establece en el artículo 163 sexies.cinco de LIVA, que deberá comunicarse durante el mes de diciembre anterior al inicio del año natural en que deba surtir efecto.

2ª.  Presentar las autoliquidaciones periódicas agregadas del grupo de entidades, procediendo, en su caso, al ingreso de la deuda tributaria o a la solicitud de compensación o devolución que proceda. Dichas autoliquidaciones agregadas integrarán los resultados de las autoliquidaciones individuales de las entidades que apliquen el régimen especial del grupo de entidades.

Las autoliquidaciones periódicas agregadas del grupo de entidades deberán presentarse una vez presentadas las autoliquidaciones periódicas individuales de cada una de las entidades que apliquen el régimen especial del grupo de entidades.

El período de liquidación de las entidades que apliquen el régimen especial del grupo de entidades coincidirá con el mes natural, con independencia de su volumen de operaciones.

Cuando, para un período de liquidación, la cuantía total de los saldos a devolver a favor de las entidades que apliquen el régimen especial del grupo de enti-dades supere el importe de los saldos a ingresar del resto de entidades que apliquen el régimen especial del grupo de entidades para el mismo período de liquidación, se podrá solicitar la devolución del exceso, siempre que no hubie-sen transcurrido cuatro años contados a partir de la presentación de las auto-liquidaciones individuales en que se originó dicho exceso. Esta devolución se practicará en los términos dispuestos en el apartado tres del artículo 115 de LIVA. En tal caso, no procederá la compensación de dichos saldos a devolver en autoliquidaciones agregadas posteriores, cualquiera que sea el período de tiempo transcurrido hasta que dicha devolución se haga efectiva.

En caso de que deje de aplicarse el régimen especial del grupo de entidades y queden cantidades pendientes de devolución o compensación para las entida-des integradas en el grupo, estas cantidades se imputarán a dichas entidades en proporción al volumen de operaciones del último año natural en que el régimen especial hubiera sido de aplicación, aplicando a tal efecto lo dispuesto en el artículo 121 de LIVA.

3ª. Disponer de un sistema de información analítica basado en criterios razonables de imputación de los bienes y servicios utilizados directa o indirectamente, total o parcialmente, en la realización de las operaciones a que se refiere el artículo 163 octies.uno de LIVA. Este sistema deberá reflejar la utilización sucesiva de dichos bienes y servicios hasta su aplicación final fuera del grupo.

El sistema de información deberá incluir una memoria justificativa de los criterios de imputación utilizados, que deberán ser homogéneos para todas las entidades del grupo y mantenerse durante todos los períodos en los que sea de aplicación el régimen especial, salvo que se modifiquen por causas razonables, que deberán justificarse en la propia memoria.

Las entidades que apliquen el régimen especial del grupo de entidades responderán solidariamente del pago de la deuda tributaria derivada de este régimen especial.

La no llevanza o conservación del sistema de información a que se refiere la obligación 3.ª del apartado cuatro será considerada como infracción tributaria grave de la entidad dominante. La sanción consistirá en multa pecuniaria proporcional del 2 por ciento del volumen de operaciones del grupo.

Las inexactitudes u omisiones en el sistema de información a que se refiere la obligación 3.ª del apartado cuatro serán consideradas como infracción tributaria grave de la entidad dominante. La sanción consistirá en multa pecuniaria proporcional del 10 por ciento del importe de los bienes y servicios adquiridos a terceros a los que se refiera la información inexacta u omitida.

1. En esta unidad hemos conocido los diferentes regímenes especiales del IVA.

2. Hemos conocido que son regímenes, en su mayoría voluntarios, y que los sujetos pasivos pueden presentar renuncia a los mismos.

3. Hemos sabido que tienen particularidades en el cálculo de sus liquidaciones y que, en algunos casos, como en del recargo de equivalencia la autoliquidación no existe. En otros los cálculos vienen determinados por los márgenes de las operaciones o por los módulos que utilizan en su actividad.

# UNIDAD DIDÁCTICA 4

*Operaciones interiores
y exteriores del IVA*

## Contenido & Objetivos

**Introducción**

1.    **Tráfico internacional**

2.    **Operaciones interiores**

Los **objetivos** de esta unidad son:

1.    Comparar la tributación de las operaciones interiores y exteriores.

2.    Identificar las operaciones intracomunitarias y las exteriores.

3.    Diferenciar la tributación de las operaciones intracomunitarias de las exteriores.

4.    Identificar el sujeto pasivo en los diferentes tipos de operaciones.

5.    Identificar el lugar de realización para determinar su tributación.

6.    Identificar las operaciones que están no sujetas o exentas del impuesto.

# Introducción

En esta unidad se estudian los diferentes aspectos del impuesto desde el punto de vista de las operaciones interiores y exteriores. En concreto:

1. Delimitación del hecho imponible de cada tipología de operaciones.

2. Exenciones internas y externas.

3. Diferenciación entre entrega de bienes y prestación de servicios.

4. Reglas de localización del impuesto.

5. Determinación del sujeto pasivo.

Breve referencia a la base imponible en aquello que no se haya tratado en otro punto del manual.

• Repercusión del impuesto.

• Devengo del impuesto.

# 1.   Tráfico internacional

## 1.1.   Introducción

La desaparición de las fronteras fiscales y la supresión de los controles en frontera dentro del territorio de la Unión Europea conllevó la necesidad de regular las transacciones realizadas entre los países miembros de la UE.

En principio se propuso que este tipo de operaciones tributaran en origen, aunque posteriormente se descartó, y actualmente todo el esfuerzo normativo va dirigido a la imposición en el Estado miembro de destino.

Aquí se va a proceder al estudio de aquellas operaciones que se realizan entre otro Estado miembro de la UE y el TAI (operaciones intracomunitarias), así como aquellas operaciones realizadas con terceros países o territorios (operaciones de importación y exportación).

## 1.2. Operaciones intracomunitarias y exteriores

### 1.2.1. Importaciones y exportaciones

En el ámbito del IVA se utilizan los términos "importación" y "exportación" para hacer referencia a las adquisiciones o entregas de bienes a países terceros, no comunitarios (es decir, como entradas y salidas del territorio de la UE), y los términos "adquisiciones intracomunitarias de bienes" (AIB) y "entregas intracomunitarias de bienes" (EIB) cuando se trata de adquisiciones y de entregas de bienes a países comunitarios, es decir, las compras y ventas a países miembros de la Unión Europea.

Como ideas previas, para evitar confusiones entre las operaciones intracomunitarias y las "extracomunitarias" (operaciones de importación/exportación con países no UE), hay que tener presente que las compras y ventas intracomunitarias, es decir, las entregas (EIB) o las adquisiciones (AIB), siguen un régimen particular en el IVA, de "tributación en destino", por lo que estarán exentas en origen.

**Esquemáticamente**:

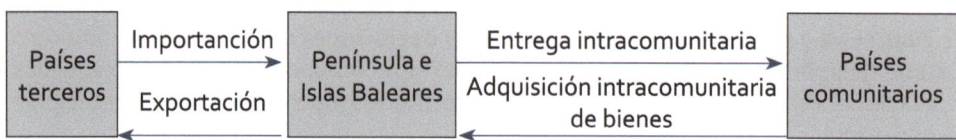

(Fuente. Manual práctico del IVA. Agencia Tributaria)

La diferencia es clave: una importación es la entrada en el territorio aduanero de la Unión Europea (TAU) de mercancías procedentes de terceros países ("extranjero"), mientras que una adquisición intracomunitaria es la entrada en el territorio español del IVA, el TAI (están excluidas Canarias, Ceuta y Melilla) de bienes que procedan de otro Estado miembro de la Unión Europea (UE).

El régimen de las operaciones intracomunitarias es similar al de las operaciones de exportación-importación: las primeras estarán exentas de IVA, mientras que las segundas siempre están sujetas al entrar en el TAI. Ahora bien, el gravamen de las importaciones y las adquisiciones intracomunitarias será diferente: mientras las primeras deben liquidarse normalmente en la Aduana (incluyendo la cuota del IVA en el "valor en aduana", y sin perjuicio de la posibilidad de diferir su pago en ciertos casos), las segundas se integran en la autoliquidación que periódicamente debe presentar el sujeto pasivo del IVA por todas las operaciones realizadas.

 Un ciudadano español residente en Valencia viaja a París y adquiere allí objetos para regalo por importe de 600 euros, con los que vuelve a Valencia por vía aérea. En este caso, no será una adquisición intracomunitaria, ya que, si bien adquiere el poder de disposición sobre bienes corporales (los objetos de regalo) y el transporte se inicia en otro país de la UE (Francia) con destino al TAI (Valencia), no se desprende que el adquirente esté actuando como empresario, más bien lo contrario (como regalos personales).

En el tráfico intracomunitario existe un tratamiento diferente según se trate de adquisiciones realizadas por particulares o por empresarios. Las entregas de bienes a empresarios o profesionales, sujetos pasivos de IVA, tributan en el país de destino, es decir, en el país del empresario que adquiere, como adquisición intracomunitaria de bienes. En el caso de que el destinatario sea particular o persona física que no realiza actividad empresarial o profesional, se aplicará el régimen de venta a distancia y el importe de las ventas realizadas en el año precedente o en curso supere los 10.000 euros, tributarán en el Estado miembro de llegada.

Por otra parte, no se aplica el régimen general de adquisiciones intracomunitarias a las adquisiciones realizadas en un Estado miembro que tributen por el régimen especial de bienes usados, objetos de arte, antigüedades y objetos de colección (ya que la operativa de este régimen especial exige que la tributación se localice en el Estado miembro de origen).

Para que las importaciones y adquisiciones intracomunitarias estén gravadas por el impuesto deben cumplirse los siguientes requisitos:

a) Debe configurarse la operación como adquisición intracomunitaria o importación.

b) Debe realizarse en el territorio de aplicación del IVA español.

c) La operación no debe estar comprendida entre los supuestos de no sujeción ni de exención previstos en la Ley.

d) En el caso de operaciones intracomunitarias, el bien debe ser expedido o transportado de un Estado miembro a otro directamente.

El transporte es un servicio fundamental en la configuración de estas operaciones: la exención de la entrega en origen y el gravamen de la adquisición en destino se condicionan a que el bien se transporte de un Estado miembro a otro.

### 1.2.2. Hecho imponible en las adquisiciones intracomunitarias de bienes

La LIVA define las adquisiciones intracomunitarias de bienes (AIB) como "la obtención del poder de disposición sobre bienes muebles corporales expedidos o transportados al territorio de aplicación del impuesto (TAI: península e Islas Baleares), con destino al adquirente, desde otro Estado miembro, por el transmitente, el propio adquirente o un tercero en nombre y por cuenta de cualquiera de los anteriores". Es esencial, por tanto, que haya un efectivo desplazamiento de las mercancías.

Un comerciante minorista establecido en el TAI realiza un pedido a un empresario italiano. Posteriormente, el empresario italiano transporta las mercancías en un camión al TAI y las entrega al minorista español.

En este caso, el comerciante minorista efectúa una adquisición intracomunitaria de bienes sujeta al IVA en España (TAI) al cumplirse todos los requisitos:

1. Existe una adquisición de bienes.

2. Hay transporte de los bienes desde el otro Estado miembro al territorio de aplicación del IVA español.

3. El transmitente es empresario o profesional.

4. El adquirente es también empresario o profesional (aunque posiblemente tribute en el régimen especial del recargo de equivalencia): las adquisiciones intracomunitarias que realice en el territorio de aplicación del IVA español (TAI) están sujetas al impuesto.

Desde el 1 de marzo de 2020, se incluye en el concepto de **adquisición intracomunitaria de bienes** la obtención del poder de disposición sobre bienes muebles corporales en el marco de un **acuerdo de ventas de bienes en consigna**. Este es un acuerdo entre empresarios o profesionales para la venta transfronteriza de mercancías, por el cual un empresario (proveedor) envía bienes desde un Estado miembro a otro, dentro de la Unión Europea, para que queden almacenados en el Estado miembro de destino a disposición de otro empresario o profesional (cliente), que puede adquirirlos en un momento posterior a su llegada, siempre que se cumplan los requisitos del artículo 9 bis de la LIVA.

 Un comerciante minorista de Huesca realiza un pedido a un empresario francés. Posteriormente el empresario francés transporta las mercancías en su furgoneta al territorio de aplicación del impuesto y las entrega al minorista. El comerciante minorista efectúa una adquisición intracomunitaria de bienes sujeta al IVA español al cumplirse todos los requisitos: una adquisición, un transporte de las mercancías desde otro Estado miembro al TAI (territorio de aplicación del IVA español), el transmitente es empresario o profesional, y el adquirente es también empresario o profesional (aunque tribute en el régimen especial del recargo de equivalencia).

En el tratamiento de las adquisiciones intracomunitarias de bienes, deben distinguirse dos tipos de operaciones claramente diferenciadas:

1. Adquisiciones intracomunitarias de bienes realizadas en la **Península e Islas Baleares** por empresarios, que van a tributar por el IVA español como regla general.

2. Adquisiciones intracomunitarias de **medios de transporte nuevos** realizadas por **particulares y empresarios sin NIF-IVA** en la **Península e Islas Baleares**, que tributan por el IVA español como excepción a la regla general.

El hecho imponible de estas adquisiciones (AIB) según el art. 13 LIVA con carácter general, comprende aquellas operaciones efectuadas a título oneroso por empresarios, profesionales y personas jurídicas que no actúen como tales (entidades públicas, por ejemplo) cuando el transmitente sea un empresario o profesional.

Es decir, deben darse los requisitos:

1. Debe producirse la obtención del poder de disposición a título oneroso sobre bienes muebles corporales.

2. Los bienes han de ser transportados desde otro Estado miembro al territorio de aplicación del impuesto por el transmitente, el adquirente o un transportista que actúe en nombre y por cuenta de cualquiera de ellos. Si no hubiese transporte desde otro Estado miembro se daría a la operación el tratamiento de entrega interior en el Estado en que se produzca.

3. El transmitente debe ser empresario o profesional.

4. El adquirente debe ser empresario o profesional o persona jurídica que no actúe como tal.

No se comprenden en estas adquisiciones intracomunitarias de bienes las siguientes:

a) Las AIB cuya entrega se efectúe por un empresario o profesional que se beneficie del régimen de franquicia del impuesto en el Estado miembro desde el que se inicie la expedición o el transporte de los bienes.

b) Aquellas cuya entrega haya tributado con sujeción a las reglas establecidas para el régimen especial de bienes usados, objetos de arte, antigüedades y objetos de colección en el Estado miembro en el que se inicie la expedición o el transporte de los bienes.

c) Las que se correspondan con las entregas de bienes que hayan de ser objeto de instalación o montaje comprendidas en el artículo 68, apartado dos, 2ª de LIVA LIVA (entregas de los bienes que hayan de ser objeto de instalación o montaje antes de su puesta a disposición, cuando la instalación se ultime en el TAI y la instalación o montaje implique la inmovilización de los bienes entregados).

d) Las que se correspondan con las ventas a distancia comprendidas en el artículo 68.Tres.a) de LIVA (ventas a distancia intracomunitarias de bienes cuando dicho territorio sea el lugar de llegada de la expedición o del transporte con destino al cliente).

e) Las que se correspondan con las entregas de bienes objeto de Impuestos Especiales a que se refiere el artículo 68, apartado cinco, de LIVA (cuando el lugar de llegada de la expedición o del transporte se encuentre en el TAI y los destinatarios de las entregas sean las personas cuyas AIB no estén sujetas al impuesto por lo dispuesto en el artículo 14).

f) Aquellas cuya entrega en el Estado de origen de la expedición o transporte haya estado exenta del Impuesto por aplicación de los criterios del artículo 22, apartados uno al once, de LIVA.

g) Las que se correspondan con las entregas de gas a través de una red de gas natural situada en el territorio de la Unión Europea o de cualquier red conectada a dicha red, las entregas de electricidad o las entregas de calor o de frío a través de las redes de calefacción o de refrigeración que se entiendan realizadas en el TAI.

El particular C adquiere en Francia un abrigo. Cuando realice la compra, el vendedor le repercutirá el IVA francés. En esta operación no existe AIB.

El empresario D adquiere en Francia a un empresario de este país, una partida de abrigos por 60.000,00 € que transporta a España para proceder a su venta en la península. En este caso, el empresario D realiza una AIB sujeta al impuesto. Debe por tanto repercutir IVA, practicando esta repercusión sobre sí mismo. Esto da lugar a que, simultáneamente, nazca una IVA soportado que también podrá deducir. Por ello se producirá una situación tal como la que sigue:

- Valor de la AIB: 60.000,00 €.

- IVA repercutido: 12.600,00 €.

- IVA soportado: 12.600,00 €.

No será el empresario francés quien le repercuta el IVA (siempre y cuando el empresario español le haya comunicado al empresario francés su número de identificación NIF-IVA a efectos de realización de operaciones intracomunitarias), de tal forma que el empresario francés le emitirá la factura sin IVA porque las AIBS, como regla general, tributan en destino, es decir en el país de destino de esos bienes, en nuestro caso el TAI español, y conforme a los tipos de IVA vigentes en ese país. Y además simultáneamente ese empresario que ha realizado la AIB debe autorrepercutirse el IVA por dicha operación, de tal forma que no existe una tributación efectiva en la práctica (en nuestro caso 12.600,00 € de IVA soportado se compensan con 12.600,00 € de IVA repercutido, pero hay que realizarlo y declararlo así en el modelo 303).

También califica la LIVA como AIB las **adquisiciones intracomunitarias de medios de transporte nuevos realizadas por particulares**. A tales efectos, se entiende como medio de transporte:

a) Los vehículos terrestres de cilindrada superior a 48 cm³ o potencia superior a 7,2 kW.

b) Embarcaciones de eslora superior a 7,5 metros, con excepción de aquellas a las que afecte la exención del artículo 22, apartado uno, de la LIVA (exención prevista en el ámbito de las operaciones asimiladas a exportaciones).

Aeronaves cuyo peso total al despegue exceda de 1.550 kg, con excepción de aquellas a las que afecte la exención prevista en el ámbito de las operaciones asimiladas a exportaciones. Estos elementos se consideran nuevos cuando se da cualquiera de las siguientes circunstancias:

a) Que su entrega se efectúe antes de los tres meses siguientes a la fecha de su primera puesta en servicio (o seis meses si son vehículos terrestres).

b) Que los vehículos terrestres no hayan recorrido más de 6.000 km, las embarcaciones no hayan navegado más de 100 horas y las aeronaves no hayan volado más de 40 horas.

En estos casos, debe destacarse que al calificarse la adquisición de este tipo de bienes como AIB, incluso cuando el adquirente es un particular, puede concluirse que las adquisiciones de medios de transporte nuevos adquiridos en otro país de la UE tributan siempre en el TAI.

## • ¿Cuáles no están sujetas al impuesto?

No estarán sujetas al impuesto, según lo regulado en el artículo 14 LIVA, las adquisiciones intracomunitarias de bienes, con ciertas limitaciones, realizadas por las personas o entidades siguientes:

⇨ Los sujetos pasivos acogidos al régimen especial de la agricultura, ganadería y pesca, respecto de los bienes destinados al desarrollo de la actividad sometida a dicho régimen.

⇨ Los sujetos pasivos que realicen exclusivamente operaciones que no originan el derecho a la deducción total o parcial del impuesto.

⇨ Las personas jurídicas que no actúen como empresarios o profesionales.

La no sujeción, establecida en el apartado anterior, solo se aplicará respecto de las adquisiciones intracomunitarias de bienes, efectuadas por las personas indicadas, cuando el importe total de las adquisiciones de bienes procedentes de los demás Estados miembros, excluido el Impuesto devengado en dichos Estados, no haya alcanzado en el año natural precedente 10.000 €.

Para el cálculo del límite indicado se computará el importe de la contraprestación de las entregas de bienes a que se refiere el artículo 8.Tres.1.º LIVA cuando, por aplicación de las reglas comprendidas en el artículo 68 LIVA se entiendan realizadas fuera del territorio de aplicación del impuesto.

Este artículo se refiere a las "ventas a distancia intracomunitarias de bienes", que son aquellas entregas de bienes que hayan sido expedidos o transportados por el vendedor, directa o indirectamente, o por su cuenta, a partir de un Estado miembro distinto del de llegada de la expedición o del transporte con destino al cliente, cuando el lugar de realización de estas ventas intracomunitarias a distancia se hayan localizado fuera del TAI.

Las personas o entidades comprendidas en el artículo 14.uno de la Ley del Impuesto podrán optar por la sujeción a este por las adquisiciones intracomunitarias de bienes que realicen, aun cuando no hubiesen superado en el año natural en curso o en el precedente el límite de 10.000 €. La opción podrá ejercitarse en cualquier momento mediante la presentación de la oportuna declaración censal y afectará a la totalidad de adquisiciones intracomunitarias de bienes que efectúen.

Se entenderá ejercitada la opción aunque no se presente la declaración censal desde el momento en que se presente la declaración-liquidación correspondiente a las adquisiciones intracomunitarias de bienes efectuadas en el período a que se refiera la misma. La opción abarcará como mínimo dos años naturales.

Se considerarán operaciones asimiladas a las adquisiciones intracomunitarias de bienes a título oneroso:

a) La afectación a las actividades de un empresario o profesional desarrolladas en el territorio de aplicación del impuesto de un bien expedido o transportado por ese empresario, o por su cuenta, desde otro Estado miembro en el que el referido bien haya sido producido, extraído, transformado, adquirido o importado por dicho empresario o profesional en el desarrollo de su actividad empresarial o profesional realizada en el territorio de este último Estado miembro.

Se exceptúan de lo dispuesto en este número las operaciones excluidas del concepto de transferencia de bienes según los criterios contenidos en el artículo 9, número 3.º, de LIVA.

b) La afectación realizada por las fuerzas de un Estado parte del Tratado del Atlántico Norte en el territorio de aplicación del impuesto, para su uso o el del elemento civil que le acompaña, de los bienes que no han sido adquiridos por dichas fuerzas o elemento civil en las condiciones normales de tributación del impuesto en la Unión Europea, cuando su importación no pudiera beneficiarse de la exención del impuesto establecida en el artículo 62 de LIVA.

c) Cualquier adquisición resultante de una operación que, si se hubiese efectuado en el interior del país por un empresario o profesional, sería calificada como entrega de bienes en virtud de lo dispuesto en el artículo 8 de LIVA.

## A) Entrega de bienes a través de interfaz digital

Con vigencia también a partir del 1 de julio del 2021 la LIVA regula las entregas de bienes facilitadas a través de una interfaz digital.

Estas se dan cuando un empresario o profesional, utilizando una interfaz digital como un mercado en línea, una plataforma, un portal u otros medios similares, facilite:

a) La venta a distancia de bienes importados cuyo valor no exceda de 150 euros se entenderá que ha recibido y entregado los bienes.

A estos efectos, el transporte de los bienes se vinculará a la entrega efectuada por el empresario o profesional titular de la interfaz electrónica.

En estos supuestos existen dos entregas de bienes:

1.  La entrega del proveedor al empresario o profesional titular de la interfaz electrónica que se localizará fuera de la Comunidad y que por tanto no estará sujeta al IVA.

2.  La entrega efectuada por el empresario o profesional titular de la interfaz electrónica a la que serán aplicables las reglas establecidas para la localización de las ventas a distancia de bienes importados.

b)  La entrega de bienes en el interior de la Unión Europea por parte de un empresario o profesional no establecido en la Unión Europea a una persona que no tenga la condición de empresario o profesional actuando como tal, se considerará en ambos supuestos que el empresario o profesional titular de la interfaz digital ha recibido y entregado por sí mismo los correspondientes bienes y que la expedición o el transporte de los bienes se encuentra vinculado a la entrega por él realizada.

A efectos de lo previsto en LIVA, la determinación del valor intrínseco de los bienes se efectuará en los términos previstos en la legislación aduanera.

Estas entregas de bienes están exentas cuando se entiendan realizadas en el territorio de aplicación aplicación del impuesto (TAI).

## B)  Entrega a distancia

Respecto a las ventas a distancia, generalmente contratadas a través de internet, a consumidores finales efectuadas por proveedores establecidos fuera de la Unión Europea o en Estados miembros distintos al de consumo, nos remitimos a lo visto en la unidad 3 de este curso (regímenes especiales).

## 1.2.3.  Importaciones de bienes

La LIVA establece que estarán sujetas al impuesto las importaciones de bienes, cualquiera que sea el fin a que se destinen y la condición del importador. El concepto de "importación" en el IVA se refiere a los siguientes hechos:

a)  La entrada en el interior del país de un bien procedente de un territorio tercero, entendiendo como tales los países no integrantes de la UE, así como Ceuta y Melilla (Canarias, aunque no es TAI del IVA, es territorio aduanero de la Unión, TAU).

El Territorio Aduanero de la Unión (TAU) coincide básicamente con el territorio de la Unión Europea, pero hay excepciones: así, en España, Ceuta y Melilla forman parte del territorio de la Unión Europea, pero no del TAU, por lo que son considerados como territorios terceros a efectos aduaneros; de modo que las entradas y salidas de mercancías desde Ceuta y Melilla tienen la consideración de importaciones o exportaciones aunque sean envíos dirigidos al resto del territorio español. En sentido contrario, los envíos entre la Península, Baleares y Canarias hacia Ceuta y Melilla también tienen la consideración de importaciones y/o exportaciones. Y este mismo carácter tienen los envíos entre los propios territorios (de Ceuta a Melilla y viceversa).

 Un empresario zamorano adquiere 50.000 kg de pistachos de Marruecos.

b) La entrada en el interior del país de un bien que no cumpla las condiciones de los artículos 23 y 24 del Tratado constitutivo de la Comunidad Europea ("se considerarán en libre práctica en un Estado miembro los productos procedentes de terceros países respecto de los cuales se hayan cumplido, en dicho Estado miembro, las formalidades de importación y percibido los derechos de aduana y cualesquiera otras exacciones de efecto equivalente exigibles..."), o, si se trata de un bien comprendido en el ámbito de aplicación del Tratado constitutivo de la Comunidad Europea del carbón y del acero (CECA), que no esté en libre práctica. Así, un bien procedente de Holanda sería, en principio, una AIB; pero si se verifica que este bien aún no ha satisfecho todos los impuestos que permiten su libre práctica o su puesta en consumo en el interior de la UE (como son, por ejemplo, los impuestos especiales o el propio IVA), cuando entre en la península o las Islas Baleares se tratará como una importación y no como una AIB.

c) La ultimación del régimen de depósito distinto del aduanero de bienes previamente importados y vinculados a dicho régimen aplicando la exención del artículo 65 de la LIVA (excepto en relación a los bienes objeto de Impuestos Especiales a los que se refiere la letra a) del apartado quinto del anexo de dicha Ley, el régimen de depósito distinto del aduanero, que determinará la realización de una operación asimilada a una importación).

No se producirá importación ni operación asimilada a una importación cuando los bienes sean objeto de una exportación o de una entrega intracomunitaria exenta.

**Se asimilan a importaciones y se produce, por tanto, el devengo del tributo, en los siguientes casos:**

a) Cuando se incumple el requisito de afectación a la navegación marítima internacional, al salvamento, a la asistencia marítima o a la pesca costera de buques que se habían beneficiado de exenciones con la condición de ser destinados a dichas finalidades.

b) Cuando se incumple el requisito de afectación a la navegación aérea interna- cional de aeronaves que en su adquisición o importación se habían beneficiado de exenciones por ser destinados a aquella finalidad.

c) Cuando tiene lugar una adquisición de bienes, dentro de la Península o Islas Baleares, en el supuesto de que tales bienes se hubieran beneficiado de las exenciones propias del régimen diplomático o consular, o hubieran sido desti- nados a organismos internacionales reconocidos por España.

El consulado del país W adquirió un determinado mobiliario para sus oficinas de Madrid y Barcelona. Dicha compra está exenta en aplicación del régimen diplomático y consular, según lo previsto en el impuesto para este tipo de operaciones. No obstante, posterior- mente, tales bienes son vendidos al empresario D, que los utilizará en su actividad. En este caso, la venta será una operación asimilada a una importación y, por tanto, se devengará el IVA correspondiente.

d) El cese de las situaciones a que se refiere el artículo 23 (depósito temporal o para incorporarlas en plataformas de perforación) o la ultimación de los regí- menes comprendidos en el artículo 24 de LIVA (zona franca, o régimen de depósito aduanero, entre otros), de los bienes cuya entrega o adquisición intra- comunitaria para ser colocados en las citadas situaciones o vinculados a dichos regímenes se hubiese beneficiado de la exención del Impuesto en virtud de lo dispuesto en los mencionados artículos y en el artículo 26, apartado uno, o hubiesen sido objeto de entregas o prestaciones de servicios igualmente exen- tas por dichos artículos.

No obstante, no constituirán operación asimilada a las importaciones estas operaciones cuando determine una entrega de bienes a la que resulte aplicable las exenciones establecidas en los artículos 21, 22 o 25 de la LIVA.

La empresaria A vende a la empresa estadounidense C una partida de ropa deportiva, que es entonces introducida en la zona franca del puerto de Bilbao. La entrega de bienes destinados a ser introduci- dos en una zona o depósito franco está exenta, pues se entiende que la finalidad última de la operación es exportar los bienes. Si por la razón que fuere los bienes saliesen de las citadas áreas sin ser final- mente exportados (por ejemplo, al decidir la empresa americana la comercialización en España), el impuesto (que en el momento de la entrega previa no recayó sobre la operación al existir una exención) se devengará al considerarse la citada salida de la zona franca como una operación asimilada a una importación.

### 1.2.4. Las operaciones triangulares

Las denominadas convencionalmente "operaciones triangulares" son un tipo de AIB realizadas por empresarios o profesionales que quedan también exentas de IVA. En ellas se producen las siguientes circunstancias, que la Ley califica de requisitos, para que la exención pueda producirse:

- La AIB se realiza por un empresario o profesional que no está establecido en la península o Islas Baleares (y que, por tanto, está fuera del ámbito de aplicación del IVA español), pero que sí está identificado en otro Estado miembro.

- Que se efectúen para una entrega subsiguiente de los bienes adquiridos, realizada en el interior del territorio de aplicación del impuesto por el propio adquirente.

- Que los bienes adquiridos se expidan o transporten directamente a partir de un Estado miembro distinto de aquél en el que se encuentre identificado a efectos del IVA el adquirente y con destino a la persona para la cual se efectúe la entrega subsiguiente.

- Que el destinatario de la posterior entrega sea un empresario o profesional o una persona jurídica que no actúe como tal, a quienes no les afecte la no sujeción establecida para las adquisiciones intracomunitarias de bienes y que tengan atribuido un NIF-IVA suministrado por la Administración española.

Un empresario alemán adquiere en Italia un producto que le ha sido encargado por su cliente, que resulta ser la empresa española C.

Al llegar los bienes de Italia a España, el empresario alemán realiza una AIB que la Ley española deja exenta de tributación por el IVA. Posteriormente, se realiza entonces una entrega interior del empresario alemán al español que ya sí estará plenamente gravada por el impuesto.

Con carácter general las adquisiciones intracomunitarias de bienes están exentas si el adquirente se identifica como empresario o profesional a efectos del IVA en España.

## 1.3. Exenciones

### 1.3.1. Exenciones en entregas intracomunitarias de bienes

Quedan exentas del IVA las entregas de bienes expedidos o transportados, al territorio de otro Estado miembro, por el vendedor, por el adquirente, o por un tercero que actúe en nombre y por cuenta de ellos, cuando el citado adquirente sea:

a) Un empresario o profesional identificado a efectos del IVA en otro Estado miembro de la Unión Europea.

b) Una persona jurídica que no actúa como empresario o profesional, pero que esté igualmente identificada a efectos del IVA en otro Estado miembro.

La aplicación de esta exención quedará condicionada a que el vendedor haya incluido dichas operaciones en la declaración recapitulativa de operaciones intracomunitarias, modelo 349.

La exención descrita no se aplicará a las entregas de bienes efectuadas para aquellas personas cuyas adquisiciones intracomunitarias de bienes no estén sujetas al Impuesto en el Estado miembro de destino.

Tampoco se aplicará esta exención a las entregas de bienes acogidas al régimen especial de bienes usados, objetos de arte, antigüedades y objetos de colección, regulado en el capítulo IV del título IX de la LIVA.

- **Acuerdo de ventas de bienes en consigna**

Son aquellos acuerdos celebrados entre empresarios o profesionales para la venta transfronteriza de mercancías, en las que un empresario (proveedor) envía bienes desde un Estado miembro a otro, dentro de la Unión Europea, para que queden almacenados en el Estado miembro de destino a disposición de otro empresario o profesional (cliente), que puede adquirirlos en un momento posterior a su llegada.

Por tanto, conforme al artículo 9 bis LIVA el acuerdo deberá cumplir estos requisitos:

a) Que los bienes **sean expedidos o transportados a otro Estado miembro**, por el vendedor, o por un tercero en su nombre y por su cuenta, con el fin de que esos bienes sean adquiridos en un momento posterior a su llegada por otro empresario o profesional habilitado, de conformidad con un acuerdo previo entre ambas partes.

b) Que **el vendedor que expida o transporte los bienes no tenga la sede de su actividad económica o un establecimiento permanente en el Estado miembro de llegada** de la expedición o transporte de aquellos.

c) Que **el empresario o profesional que va a adquirir los bienes esté identificado a efectos del IVA en el Estado miembro** de llegada de la expedición o transporte, y ese número de identificación fiscal, así como su nombre y apellidos, razón o denominación social completa, sean conocidos por el vendedor en el momento del inicio de la expedición o transporte.

d) Que **el vendedor haya incluido el envío de dichos bienes tanto en el Libro registro de operaciones intracomunitarias y en la declaración recapitulativa, modelo 349.**

Cuando, en el plazo de los doce meses siguientes a la llegada de los bienes al Estado miembro de destino en el marco de un acuerdo de ventas de bienes en consigna, el empresario o profesional destinatario o su sustituto adquiera el poder de disposición de los bienes, se entenderá que en el territorio de aplicación del Impuesto se realiza, según los casos:

a)  Una entrega de bienes por el vendedor (que cumpla las condiciones del artículo 68, apartado dos, número 1º, letra A), primer párrafo, LIVA, y le resulte de aplicación la exención prevista en el artículo 25 LIVA).

b)  Una adquisición intracomunitaria de bienes realizada por el empresario o profesional que los adquiere, en virtud del artículo 15, apartado uno, letra b), de LIVA.

**Se entenderá que se ha producido una transferencia de bienes a la que se refiere el artículo 9.3.º de LIVA cuando, dentro del plazo de los doce meses, se incumplan cualquiera de las condiciones establecidas y en particular**:

a)  Cuando los bienes no hubieran sido adquiridos por el empresario o profesional al que iban destinados inicialmente los mismos.

b)  Cuando los bienes fueran expedidos o transportados a un destino distinto del Estado miembro al que estaban inicialmente destinados según el acuerdo de ventas de bienes en consigna.

c)  En el supuesto de destrucción, pérdida o robo de los bienes.

No obstante, **se entenderán cumplidos los requisitos dentro del referido plazo**:

a)  Los bienes sean adquiridos por un empresario o profesional que sustituya al referido en la letra c) del apartado uno anterior, con cumplimiento de los requisitos previstos en dicha letra.

b)  No se haya transmitido el poder de disposición de los bienes y estos sean devueltos al Estado miembro desde el que se expidieron o transportaron.

c)  Las circunstancias previstas en los dos párrafos anteriores hayan sido incluidas por el vendedor en el libro registro que se determine reglamentariamente.

Se entenderá que se ha producido una transferencia de bienes a la que se refiere el artículo 9.3.º LIVA, al día siguiente de la expiración del plazo de 12 meses desde la llegada de los bienes al Estado miembro de destino sin que el empresario o profesional destinatario o su sustituto haya adquirido el poder de disposición de los bienes.

 Un empresario de La Rioja envía desde su sede de Logroño 1.000 cajas de vino a una tienda que tiene en Sicilia para venderlas allí.

Con carácter general las entregas intracomunitarias de bienes están exentas en virtud de un acuerdo de venta en consigna, si el destinatario se identifica como empresario o profesional a efectos del IVA en su país.

Los empresarios o profesionales que suscriban un acuerdo de ventas de bienes en consigna y quienes sustituyan a aquel a quien estaban inicialmente destinados los bienes deberán llevar un libro registro de estas operaciones en las condiciones que se establezcan reglamentariamente.

### 1.3.2. Exenciones en adquisiciones intracomunitarias de bienes

Las adquisiciones intracomunitarias de bienes en las que los bienes adquiridos tienen la particularidad de que su entrega en el interior del ámbito de aplicación del IVA español hubiese estado exenta o no sujeta, también lo serán cuando sean operaciones intracomunitarias. Es decir, si hubiese habido exención en caso de operación interna, también existe en el supuesto de operación intracomunitaria.

Las adquisiciones intracomunitarias de bienes respecto de las cuales se atribuya al adquirente, en virtud de lo dispuesto en los artículos 119 o 119 bis de la LIVA, el derecho a la devolución total del impuesto que se hubiese devengado por las mismas, cuando se trata de empresarios o profesionales no establecidos en el TAI, pero si en la UE, Canarias, Ceuta o Melilla, o bien no establecidos ni el TAI, ni en la UE, Canarias, Ceuta o Melilla.

Del mismo modo, queda exenta una AIB cuando los bienes, caso de haber sido importados, son de aquellos que permiten que dicha importación quede exenta.

 Un laboratorio sueco vende plasma sanguíneo a un laboratorio barcelonés. La entrega de este bien está exenta, tanto si se trata de una entrega interior, como si se produce mediante una AIB.

También estarán exentas las adquisiciones intracomunitarias de bienes en las que concurran los siguientes requisitos:

1.  Que se realicen por un empresario o profesional que:

    a)  No esté establecido ni identificado a efectos del IVA en el territorio de aplicación del impuesto.

b) Que esté identificado a efectos del IVA en otro Estado miembro de la Unión Europea.

2. Que se efectúen para la ejecución de una entrega subsiguiente de los bienes adquiridos, realizada en el interior del territorio de aplicación del impuesto por el propio adquirente.

3. Que los bienes adquiridos se expidan o transporten directamente a partir de un Estado miembro distinto de aquel en el que se encuentre identificado a efectos del IVA el adquirente y con destino a la persona para la cual se efectúe la entrega subsiguiente.

4. Que el destinatario de la posterior entrega sea un empresario o profesional o una persona jurídica que no actúe como tal, a quienes no les afecte la no sujeción establecida en el artículo 14 de LIVA y que tengan atribuido un número de identificación a efectos del IVA suministrado por la Administración española.

## 1.3.3. Exenciones en exportaciones de bienes

En el IVA está exenta la entrega de bienes expedidos o transportados fuera de la Unión Europea por el transmitente, por el adquirente no establecido o por un tercero que actúe en nombre y por cuenta de cualquiera de ellos.

Según esta definición, en una exportación destacan los siguientes elementos:

a) Se trata de una entrega de bienes. Por tanto, en el IVA no existe un concepto de "exportación de servicios".

b) Los bienes tienen que ser desplazados físicamente fuera de la Unión Europea. Si el traslado material no se produce, la exportación no se habrá llevado a cabo.

c) El destino de lo exportado se encuentra fuera del ámbito comunitario. Cuando las operaciones tienen un lugar de destino situado en el seno de la Unión Europea no se está ante una "exportación", sino ante una "entrega intracomunitaria".

Asimismo, también se encuentran exentas del IVA las entregas de bienes que se efectúan en las **tiendas libres de impuestos de los puertos y aeropuertos,** cuando los adquirentes salgan con destino a territorios terceros, así como las entregas de bienes a viajeros **cuando se cumplen los siguientes requisitos:**

a) Que los viajeros tengan su residencia habitual fuera de la Unión Europea.

b) Que los bienes salgan efectivamente del territorio comunitario.

c) Que el conjunto de bienes adquiridos no constituya una expedición comercial, requisito que se entiende cumplido cuando los bienes se destinen al uso personal o familiar o para ser ofrecidos como regalo, sin que pueda presumirse, por su naturaleza y cantidad, que vayan a ser objeto de una actividad comercial.

d) La exención se hará efectiva mediante el reembolso del IVA soportado en la compra.

 Un turista canadiense ha adquirido ropa y complementos por 232 € en unos grandes almacenes, y un aparato electrónico por 190 €, aportando ambas facturas cuando sale por aduana con destino a Canadá.

También estarán exentas las entregas de bienes a organismos reconocidos que los exporten fuera del territorio de la Unión Europea en el marco de sus **actividades humanitarias, caritativas o educativas**, previo reconocimiento del derecho a la exención.

No obstante, cuando quien entregue los bienes sea un ente público o un establecimiento privado de carácter social, se podrá solicitar a la Agencia Estatal de Administración Tributaria la devolución del impuesto soportado que no haya podido deducirse totalmente previa justificación de su importe en el plazo de tres meses desde que dichas entregas se realicen.

Si bien no existe el concepto "exportaciones de servicios", determinadas prestaciones de servicios quedan también exoneradas de IVA por su íntima conexión con una actividad exportadora. Así, la LIVA establece que también están exentas del impuesto:

1. Las prestaciones de servicios consistentes en trabajos realizados sobre bienes muebles adquiridos o importados para ser objeto de dichos trabajos en el territorio de aplicación del impuesto y seguidamente van a ser exportados fuera de la Unión Europea por quien realizó esos trabajos, por el destinatario de los mismos no establecido en el ámbito de aplicación del impuesto (península y Baleares), por persona distinta de las anteriores que ostente la condición de exportador según la normativa aduanera, o bien, por un tercero que actúa por nombre y cuenta de los anteriores.

   La exención no se extiende a los trabajos de reparación o mantenimiento de embarcaciones deportivas o de recreo, aviones de turismo o cualquier otro medio de transporte de uso privado introducido en régimen de tránsito o de importación temporal.

 Un empresario argentino ha contratado los servicios de una empresa textil aragonesa para que proceda a fabricar, con las pieles facilitadas por el operador argentino, cazadoras y otras prendas de vestir. Terminado el trabajo, los productos se comercializarán en EE. UU. La empresa española facturará sus servicios a su cliente dejándolos exentos de IVA.

2. Las prestaciones de servicios, incluidas las de transporte y operaciones accesorias, distintas de las que gocen de exención conforme al artículo 20 de la LIVA, cuando estén directamente relacionadas con las exportaciones de bienes fuera del territorio de la Unión Europea.

   Se considerarán directamente relacionados con las mencionadas exportaciones los servicios respecto de los cuales concurran las siguientes condiciones:

   a) Que se presten a quienes realicen dichas exportaciones, a los destinatarios de los bienes, a sus representantes aduaneros, o a los transitarios y consignatarios que actúen por cuenta de unos u otros.

   b) Que se realicen a partir del momento en que los bienes se expidan directamente con destino a un punto situado fuera del territorio de la Unión Europea o a un punto situado en zona portuaria, aeroportuaria o fronteriza para su inmediata expedición fuera de dicho territorio.

   La condición a que se refiere la letra b) anterior no se exigirá en relación con los servicios de arrendamiento de medios de transporte, embalaje y acondicionamiento de la carga, reconocimiento de las mercancías por cuenta de los adquirentes y otros análogos cuya realización previa sea imprescindible para llevar a cabo el envío.

3. Las prestaciones de servicios realizadas por intermediarios que, actuando en nombre y por cuenta de terceros, intervienen en las operaciones que se han descrito.

4. Las entregas de bienes expedidos o transportados fuera de la Comunidad por quien ostente la condición de exportador, de conformidad con lo dispuesto en la normativa aduanera, distinto del transmitente o el adquirente no establecido en el territorio de aplicación del impuesto, o por un tercero que actúe en nombre y por cuenta del mismo.

## 1.3.4. Exenciones en operaciones asimiladas a las exportaciones

Las operaciones que a continuación se indican se equiparan o asimilan a exportaciones, por lo que quedan, al igual que estas, exentas del IVA:

1. Entregas, construcción, transformación, reparación, mantenimiento, fletamento total y arrendamiento:

    a) Buques afectos a la navegación marítima internacional.

    b) Buques afectos al salvamento, a la asistencia marítima o a la pesca costera.

    c) Buques de guerra.

2. Entregas, arrendamientos, reparaciones y mantenimiento de los objetos que se incorporan o se encuentran a bordo de los buques mencionados.

    La exención quedará condicionada a la concurrencia de los siguientes requisitos:

    a) Que el destinatario directo de dichas operaciones sea el titular de la explotación del buque o, en su caso, su propietario.

    b) Que los objetos mencionados se utilicen o, en su caso, se destinen a ser utilizados exclusivamente en la explotación de dichos buques.

    c) Que las operaciones a que afecten las exenciones se efectúen después de la matriculación definitiva de los mencionados buques en el Registro Marítimo correspondiente.

3. Las entregas de productos de avituallamiento de los buques citados, en las condiciones indicadas en la norma.

4. Entregas, transformación, reparación, mantenimiento, fletamento total o arrendamiento de aeronaves dedicadas a la navegación aérea internacional, o utilizadas por entidades públicas en el cumplimiento de sus funciones públicas.

5. Entregas, arrendamientos, reparaciones y mantenimiento de los objetos que se incorporan o se encuentran a bordo de las aeronaves mencionadas.

 Las adquisiciones de aviones por parte del Estado español para sus actividades.

Las adquisiciones de Airbus 787 para realizar viajes, de ida y vuelta, desde Madrid a Las Vegas.

6. Las entregas de productos de avituallamiento para las aeronaves citadas.

7. Las prestaciones de servicios realizadas para atender las necesidades de los buques y de las aeronaves que se han señalado en los puntos anteriores.

8. Entregas de bienes y prestaciones de servicios realizadas en el marco de las relaciones diplomáticas y consulares.

 Las adquisiciones de bienes que se realizan por una embajada o una oficina consular tienen una similitud evidente con la exportación o salida de esos bienes del interior del país, por lo que tales entregas se dejan exentas.

9. Las entregas de bienes y prestaciones de servicios destinados a organismos internacionales reconocidos por España o al personal de dichos organismos con estatuto diplomático, dentro de los límites y en las condiciones fijadas en los convenios internacionales por los que se crean tales organismos o en los acuerdos de sede que sean aplicables en cada caso.

 Las entregas de vehículos y medicamentos a la Cruz Roja para el cumplimiento de sus fines.

En particular, se incluirán en este apartado las entregas de bienes y las prestaciones de servicios destinadas a la Unión Europea, a la Comunidad Europea de la Energía Atómica, al Banco Central Europeo o al Banco Europeo de Inversiones, o a los organismos creados por las Comunidades a los que se aplica el Protocolo del 8 de abril de 1965 sobre los privilegios y las inmunidades de las Comunidades Europeas.

 Las entregas de vehículos a la Unión Europea para la realización de sus actividades y fines ordinarios y cotidianos del personal a su servicio.

Las entregas de uranio a la Comunidad Europea de la Energía Atómica.

10. Las entregas de bienes y prestaciones de servicios efectuadas para las fuerzas de los demás Estados que forman parte de la Organización del Tratado del Atlántico Norte.

11. También quedan exentas las operaciones del número anterior, cuando los bienes se destinan a otro Estado miembro pero se afectan también a las fuerzas militares señaladas.

12. Las entregas de oro al Banco de España.

13. Los transportes de viajeros y sus equipajes por vía marítima o aérea procedentes de un puerto o aeropuerto situado fuera del ámbito espacial del IVA o con

destino a él. Se entenderán incluidos en este apartado los transportes por vía aérea amparados por un único título de transporte que incluya vuelos de conexión aérea.

14. Prestaciones de transporte intracomunitario de bienes, con destino a las Islas Azores o Madeira o procedentes de dichas Islas.

15. Prestaciones de servicios por intermediarios cuando intervengan en las operaciones que se han indicado en los números anteriores.

16. Las operaciones exentas por aplicación de lo dispuesto en los apartados anteriores no comprenderán las que gocen de exención en virtud de los artículos 20, 20 bis, 21 y 25 de LIVA.

### 1.3.5. Exenciones relativas a zonas francas, depósitos francos y regímenes aduaneros y fiscales

Quedan también exentas del IVA las entregas de bienes destinados a ser introducidos en situación de depósito temporal, así como las prestaciones de servicios relacionadas directamente con dichas entregas, como puede ser el transporte, la carga o la descarga. Debe observarse que lo que resulta exento es la "entrega de los bienes", y no el hecho de su introducción, pues esto último no es, propiamente, un hecho imponible.

Las prestaciones de servicios exentas en virtud de este apartado no comprenderán las que gocen de exención por el artículo 20, 21 y 22 LIVA.

 Un empresario español A va a exportar productos vegetales a un empresario argelino B, y por ello A coloca los bienes en la zona franca del puerto de Algeciras a la espera de su exportación. La colocación de los bienes en la zona franca no es el hecho imponible, sino su exportación.

Si previamente A ya hubiese entregado los bienes a B por ser este quien se encarga de sacarlos del país colocándolos previamente en la zona franca, tal entrega estaría exenta.

Igualmente, queda exenta del impuesto la entrega de bienes (y las prestaciones de servicios directamente relacionadas con ellas) cuando los mismos se acogen a determinados regímenes aduaneros y fiscales tales como el perfeccionamiento activo, la transformación en aduana, la importación temporal, el tránsito externo o el depósito aduanero. La regulación de este tipo de regímenes no se encuentra en la LIVA, sino en la legislación aduanera, por lo que aquella se limita a recoger la exención citada remitiéndose posteriormente a la normativa de aduanas.

 Están exentas las entregas de bienes destinados a ser introducidos en una zona o depósito franco o depósito temporal, así como las prestaciones de servicios relacionadas directamente con dichas entregas.

### 1.3.6. Exenciones en importaciones de bienes

La Ley del IVA recoge, en el Capítulo III del Título II (artículos 27 a 67), una serie de operaciones exentas en relación con la entrada en el interior del país, procedente de terceros países, de determinados bienes, tales como:

1. Aquellos cuya entrega en el interior estuviese exenta del impuesto.

2. Bienes personales por traslado de residencia habitual o por razón de matrimonio.

3. Bienes en régimen de viajeros.

4. Bienes destinados a organismos caritativos o filantrópicos.

5. Bienes con fines de promoción comercial.

6. Productos de la pesca, etc.

Asimismo, para evitar la doble imposición se declara la exención en el IVA de las importaciones de gas a través del sistema de distribución de gas natural o de electricidad, de calor o de frío.

El uso del régimen de depósito distinto del aduanero se estructura para restringir la exención de las importaciones de bienes que se vinculen a dicho régimen a los bienes:

1. Que sean objeto de Impuestos Especiales y estén en régimen suspensivo.

2. Procedentes del territorio aduanero de la UE.

3.  Los señalados por la Directiva IVA (patatas, aceitunas, cacao, estaño, cobre, etc.).

4.  Los destinados a las tiendas libres de impuestos en puertos y aeropuertos.

La exención se extenderá también a los servicios relacionados directamente con las importaciones de estos bienes.

Desde 1 julio 2021, están exentas las importaciones de bienes, cuando el IVA deba declararse en base al régimen especial aplicable a las ventas a distancia y a determinadas entregas interiores de bienes y prestaciones de servicios previsto en el Título IX, Capítulo XI, Sección 4ª LIVA (régimen especial de ventas a distancia de bienes importados, artículos 163 quinvicies a 163 octovicies), y se aporte a la Aduana el número de identificación individual asignado para la aplicación de dicho régimen especial.

El mobiliario importado de Canadá por la ONU como consecuencia de la apertura de una sede permanente en la ciudad de Sevilla.

Para el mejor estudio de las exenciones en las importaciones de bienes, se recomienda consultar en la LIVA el caso concreto.

## 1.4.  Localización de las operaciones exteriores

### 1.4.1.  Lugar de realización de las Adquisiciones Intracomunitarias de Bienes

La Ley del impuesto, en su artículo 71, establece que dichas operaciones se entenderán realizadas en el TAI cuando se encuentre en este territorio el lugar de la llegada de la expedición o transporte con destino al adquirente. Y también las AIBS realizadas a título oneroso a otro empresario o profesional de la Unión Europea al que le haya comunicado su número de identificación de IVA respecto a la Administración Tributaria Española.

Los transportes intracomunitarios de bienes cuyo destinatario no sea un empresario o profesional actuando como tal se considerarán realizados en el territorio de aplicación del impuesto cuando se inicien en el mismo.

Se entenderá por:

a)  **Transporte intracomunitario de bienes**: el transporte de bienes cuyos lugares de inicio y de llegada estén situados en los territorios de dos Estados miembros diferentes.

b) **Lugar de inicio**: el lugar donde comience efectivamente el transporte de los bienes, sin tener en cuenta los trayectos efectuados para llegar al lugar en que se encuentren los bienes.

c) **Lugar de llegada**: el lugar donde se termine efectivamente el transporte de los bienes.

 La empresa salmantina RAPID traslada los muebles de un estudiante Erasmus que se desplaza desde dicha localidad hasta Génova.

## 1.4.2. Lugar de realización de las importaciones de bienes

Respecto a este punto la LIVA no dice nada, y es lógico, porque, como ya se ha mencionado anteriormente, para que exista importación es necesario que bienes de otros países entren en el TAI español.

 La empresa alicantina WERA ha adquirido 3.000 MP4 a una empresa japonesa, desembarcando dichos aparatos electrónicos en el puerto de Alicante.

La delimitación del lugar de realización del hecho imponible es fundamental para poder determinar si el mismo se ha producido o no dentro del territorio de aplicación del impuesto. La LIVA diferencia la posibilidad de que la situación se refiera a una entrega de bienes o a una prestación de servicios, y marca criterios concretos para supuestos específicos.

### 1.4.3.   Lugar de realización de las ventas intracomunitarias en cadena

- **Desde el 1 de marzo del 2020**

En virtud del Real Decreto Ley 3/2020 establece que tratándose de bienes objeto de entregas sucesivas, enviados o transportados con destino a otro Estado miembro directamente desde el primer proveedor al adquirente final de la cadena, la expedición o transporte se entenderá vinculada únicamente a la entrega de bienes efectuada a favor del intermediario.

No obstante, la expedición o el transporte se entenderá vinculada únicamente a la entrega efectuada por el intermediario cuando hubiera comunicado a su proveedor un número de identificación fiscal a efectos del IVA suministrado por el Reino de España.

A los efectos de los dos párrafos anteriores, se entenderá por intermediario un empresario o profesional distinto del primer proveedor, que expida o transporte los bienes directamente, o por un tercero en su nombre y por su cuenta.

### 1.4.4.   Límite cuantitativo aplicable a ventas a distancia intracomunitaria y prestación de servicios

A los efectos previstos en el artículo 68.Tres.a) y b) de LIVA, y en el artículo 70.Uno.4.º y 8.º de LIVA, el límite referido será de 10.000 euros para el importe total, excluido el impuesto, de dichas entregas de bienes y/o prestaciones de servicios realizadas en la Unión Europea, durante el año natural precedente, o su equivalente en su moneda nacional.

Los empresarios o profesionales que realicen estas operaciones podrán optar, en el Estado miembro de inicio de la expedición o transporte de los bienes con destino al cliente o en el que estén establecidos, tratándose de las prestaciones de servicios, por la tributación de las mismas como si el límite previsto en el párrafo primero hubiera excedido los 10.000 euros. Cuando se trate de empresarios o profesionales que estén establecidos en el territorio de aplicación del impuesto y sea dicho territorio desde el que presten los servicios o el de inicio de la expedición o transporte de los bienes, la opción se realizará en la forma que reglamentariamente se establezca y comprenderá, como mínimo, dos años naturales.

### 1.4.5.   Opción por la no sujeción al Impuesto de determinadas entregas de bienes y prestaciones de servicios

Los empresarios o profesionales que hubiesen optado por la tributación fuera del territorio de aplicación del Impuesto de las entregas de bienes comprendidas en el artículo 68.Cuatro de LIVA y de las prestaciones de servicios previstas en el artículo 70.Uno.8.º de LIVA, conforme a lo previsto en el artículo 73 de la misma, deberán justificar ante la Administración tributaria que tanto las entregas realizadas como los servicios efectuados han sido declarados en otro Estado miembro, salvo en el supuesto de que dichas operaciones tributen por el régimen especial previsto en la sección 3.ª del Capítulo XI del Título IX de LIVA ("régimen de la Unión").

Dicha justificación podrá efectuarse, en particular, mediante la presentación de los justificantes de declaración-liquidación o de ingreso del IVA devengado o adeudado en dicho Estado miembro.

Las mencionadas opciones deberán ser reiteradas por el empresario o profesional una vez transcurridos dos años naturales, quedando, en caso contrario, automáticamente revocadas.

## 1.5. Devengo del impuesto

### 1.5.1. Adquisiciones intracomunitarias de bienes

En las adquisiciones intracomunitarias de bienes, el impuesto se devengará en el momento en que se consideren efectuadas las entregas de bienes similares de conformidad con lo dispuesto en el artículo 75 LIVA.

No obstante, en las adquisiciones intracomunitarias de bienes no será de aplicación el apartado dos del artículo 75, relativo al devengo de las operaciones que originen pagos anticipados anteriores a la realización de dichas adquisiciones.

### 1.5.2. Importación de bienes

En las importaciones de bienes, el devengo del impuesto se producirá en el momento en que hubiera tenido lugar el devengo de los derechos de importación, de acuerdo con la legislación aduanera, independientemente de que dichas importaciones estén o no sujetas a los mencionados derechos de importación.

No obstante, en el supuesto de abandono del régimen de depósito distinto del aduanero, el devengo se producirá en el momento en que tenga lugar el abandono de dicho régimen.

En las operaciones asimiladas a las importaciones definidas en el artículo 19 LIVA, el devengo se producirá en el momento en que tengan lugar las circunstancias que en el mismo se indican.

### 1.5.3. Entregas intracomunitarias de bienes

A partir del 1 de marzo del 2020 el artículo 75.Uno.8ª LIVA establece que el devengo del impuesto se producirá el día 15 del mes siguiente a aquel:

a) En el que se inicie la expedición o el transporte de los bienes con destino al adquirente.

b) En el que los bienes se pongan a disposición del adquirente, en las entregas de bienes efectuadas en las condiciones señaladas en el artículo 9 bis, apartado dos, de LIVA, comentado con anterioridad.

   Si con anterioridad a la citada fecha se hubiera expedido factura por dichas operaciones, el devengo del impuesto tendrá lugar en la fecha de expedición de la misma.

c) En el momento en que se produzca el incumplimiento de las condiciones a que se refiere el apartado tres del artículo 9 bis de LIVA.

d) Al día siguiente de la expiración del plazo de 12 meses a que se refiere el apartado cuatro del artículo 9 bis de LIVA.

### 1.5.4. Entregas a través de una interfaz digital

En las entregas de bienes realizadas en los términos previstos en el artículo 8 bis de esta Ley, el devengo del impuesto de la entrega efectuada a favor del empresario o profesional que facilite la venta o la entrega, así como la efectuada por el mismo, se producirá con la aceptación del pago del cliente.

## 1.6. Base imponible

### 1.6.1. Base imponible en las adquisiciones intracomunitarias de bienes

La base imponible de las adquisiciones intracomunitarias de bienes se determinará de acuerdo con lo dispuesto para las entregas de bienes y prestaciones de servicios, como operaciones interiores.

Cuando se trate de adquisiciones gravadas por el IVA español porque el destinatario comunique un NIF-IVA español y no hayan sido gravadas en el Estado miembro de llegada, la base imponible será la correspondiente a las adquisiciones intracomunitarias que no se hayan gravado en el Estado miembro de llegada del transporte de los bienes.

196

### 1.6.2. Base imponible en la importación de bienes

Por su parte, en el caso de importaciones, el artículo 83 LIVA, establece que la base imponible será el valor en aduana de los bienes que se importan, adicionando los siguientes conceptos solo en el supuesto de que no estén comprendidos previamente en dicha cuantía:

a) Todo tipo de impuestos o exacciones que se devenguen por la importación, con excepción del propio IVA.

b) Todos los gastos accesorios tales como transportes, embalaje, comisiones o seguros que se produzcan hasta el primer lugar de destino de los bienes en el interior de la Unión Europea.

Se entenderá por "primer lugar de destino" el que figure en la carta de porte o en cualquier otro documento que ampare la entrada de los bienes en el interior de la Unión Europea. De no existir esta indicación, se considerará que el primer lugar de destino es aquél en que se produzca la primera desagregación de los bienes en el interior de la Unión Europea.

 Un empresario adquiere mercancías australianas por valor de 90.000,00 €, teniendo que pagar además el transporte por valor de 1.000,00 €, el seguro de la expedición por valor de 700,00 € y los aranceles o derechos de aduanas por importe de 400,00 €. En consecuencia la base imponible será:

Precio mercancías + transporte + seguro + derechos aduanas = 92.100,00 €.

El IVA deberá repercutirse, necesariamente, sobre la citada base.

 La Ley establece unas reglas especiales para las reimportaciones de bienes exportados temporalmente fuera de la Unión europea para ser objeto de trabajos de reparación, transformación, adaptación o trabajos por encargo, en los que la base imponible será la contraprestación de estos trabajos.

## 1.7. Sujeto pasivo

En las **adquisiciones intracomunitarias de bienes los sujetos pasivos** del impuesto serán quienes las realicen, de conformidad con lo previsto en el artículo 71 de LIVA.

197

En las importaciones de bienes serán **sujetos pasivos del impuesto quienes realicen las importaciones**.

Se considerarán importadores, siempre que se cumplan en cada caso los requisitos previstos en la legislación aduanera:

a) Los destinatarios de los bienes importados, sean adquirentes, cesionarios o propietarios de los mismos, o bien consignatarios que actúen en nombre propio en la importación de dichos bienes.

b) Los viajeros, para los bienes que conduzcan al entrar en el territorio de aplicación del impuesto.

c) Los propietarios de los bienes en los casos no contemplados en los números anteriores.

d) Los adquirentes o, en su caso, los propietarios, los arrendatarios o fletadores de los bienes a que se refiere el artículo 19 de LIVA.

# 2. Operaciones interiores

## 2.1. Hecho imponible

El artículo 4 de la LIVA establece que están sujetas al impuesto las entregas de bienes y prestaciones de servicios realizadas en el ámbito espacial del impuesto por empresarios o profesionales a título oneroso, con carácter habitual u ocasional, en el desarrollo de su actividad empresarial o profesional, incluso si se efectúan en favor de los propios socios, asociados, miembros o partícipes de las entidades que las realicen.

Desagregando los elementos, es necesario que concurran las siguientes características:

a) La operación debe realizarse en el ámbito de aplicación del impuesto que, como se ha precisado, comprende únicamente la Península e Islas Baleares.

b) La operación debe realizarse por empresarios o profesionales.

c) La operación debe realizarse en el desarrollo de la actividad empresarial o profesional del sujeto pasivo.

Hay que tener en cuenta que la LIVA también considera sujetos pasivos a:

1. **Las personas o entidades** (por tanto, personas físicas y jurídicas, e incluso entes carentes de personalidad jurídica tales como las comunidades de bienes o las herencias yacentes) que realicen actividades empresariales o profesionales.

Un consultor en marketing digital domiciliado en Galicia, con despacho profesional en A Coruña y en La Habana, factura a sus clientes de uno y otro lugar los servicios de estrategia digital que ha realizado. Solo debe repercutir IVA sobre los clientes de su despacho situado en el territorio de aplicación del impuesto, en este caso, sobre los clientes del estudio de A Coruña.

El particular A vende al particular B su vivienda. La operación no está sujeta al IVA, sino al Impuesto sobre Transmisiones Patrimoniales y Actos Jurídicos Documentados en su modalidad "transmisiones patrimoniales onerosas" (en adelante, ITPO).

El promotor C vende pisos a diferentes compradores, una vez terminada su construcción. En estas operaciones de venta deberán repercutirse los IVA correspondientes, por ser C un empresario o profesional.

2. **Las sociedades mercantiles, salvo prueba en contrario**.

Una sociedad anónima o una sociedad limitada ya no son consideradas siempre como sujetos pasivos del IVA, sino solo cuando desarrollen una actividad económica, lo que en principio excluiría a las sociedades de mera tenencia de bienes o ganancias patrimoniales.

3. **Quienes realicen una o varias entregas de bienes o prestaciones de servicios que supongan la explotación de un bien corporal o incorporal** con el fin de obtener ingresos continuados en el tiempo. Esta mención hace referencia, principalmente, a los arrendadores de bienes.

El Sr. C, dependiente de unos grandes almacenes, es propietario de una plaza de garaje que decide alquilar. C tiene entonces la consideración de empresario en relación a su actuación como arrendador de una plaza de garaje, y realiza además una actividad sujeta al impuesto (el alquiler de un bien tiene la consideración de prestación de servicios), por lo que debe repercutir el IVA sobre el arrendatario de la plaza de garaje.

4.  **Quienes efectúen la urbanización de terrenos o la promoción**, construcción o rehabilitación de edificaciones destinadas a su venta, adjudicación o cesión, incluso aunque sea ocasionalmente, es decir, de forma excepcional y aislada.

El Sr. A, propietario de un terreno que goza de las correspondientes licencias administrativas, ha decidido construir sobre el mismo su futura vivienda, por lo que se ha puesto en contacto con una empresa constructora para el inicio de las obras.

En este supuesto, la promoción de la edificación que realiza el Sr. A no le convierte en empresario o profesional, pues la construcción no está destinada a su venta, ni a su adjudicación o cesión, sino que pretende instalarse en ella para fijar su domicilio familiar. La empresa constructora sí es un empresario que repercutirá sobre el Sr. A el IVA que corresponda en función del precio de la obra a realizar.

Los Sres. A y B son copropietarios de un terreno edificable en una zona de la costa mediterránea.

Deciden entonces promover la construcción de un edificio de apartamentos que posteriormente pretenderán vender.

En este caso, A y B sí recibirán un tratamiento de empresarios o profesionales, debiendo repercutir el impuesto posteriormente en las ventas de apartamentos que realicen.

5.  **Quienes realicen a título ocasional las entregas de medios de transporte nuevos**.

6.  **A los solos efectos de lo dispuesto en los artículos 69, 70 y 72 de la LIVA** (relativos a las reglas generales y especiales del lugar de realización de las prestaciones de servicios y al lugar de realización de los transportes intracomunitarios de bienes cuyo destinatario no sea un empresario o profesional actuando como tal) se reputarán empresarios o profesionales actuando como tales respecto de todos los servicios que les sean prestados.

    a)  Quienes realicen actividades empresariales o profesionales simultáneamente con otras que no estén sujetas al impuesto.

200

 Un constructor que contrata a un empresario para que le suministre los materiales de las obras (operación sujeta) y que contrata a veinte trabajadores por cuenta ajena para que trabajen en sus obras (operación no sujeta).

b) Las personas jurídicas que no actúen como empresarios o profesionales siempre que tengan asignado un número de identificación a efectos del IVA facilitado por la Administración Tributaria española.

 Una entidad sin ánimo de lucro por las adquisiciones de bienes y servicios que realiza para llevar a cabo su actividad.

La operación puede ser tanto **habitual como ocasional.**

 El abogado A decide cambiar el mobiliario de su despacho. Por tal motivo, lo vende a un familiar que ha decidido abrir un nuevo bufete. El Sr. A no tiene como actividad habitual la venta de mobiliario.

Sin embargo, debe repercutir el impuesto sobre el familiar. Debe recalcarse que, cuando el abogado A adquirió el citado mobiliario, soportó el IVA propio de esa compra, y pudo entonces deducirlo en su declaración por el citado tributo respecto de sus IVA repercutidos. Esto justifica que en este momento, cuando vende el mobiliario, esté también obligado a repercutir el impuesto.

La operación debe realizarse en el desarrollo de la **actividad empresarial o profesional**. Se entienden realizadas en el ámbito de una actividad empresarial o profesional las entregas de bienes y prestaciones de servicios efectuadas por sociedades mercantiles, cuando tengan la consideración de empresario o profesional, así como las transmisiones o cesiones de uso a terceros de la totalidad o parte de cualesquiera de los bienes o derechos que integren el patrimonio empresarial o profesional de los sujetos pasivos, incluso las efectuadas con ocasión del cese en el ejercicio de la actividad.

 La empresaria C, propietaria de un instituto de belleza, es aficionada a la música clásica.

Recientemente, ha vendido parte de su colección discográfica. En tal supuesto, dicha operación no es realizada por la Sra. C atendiendo a su actividad empresarial, por lo que no debe repercutirse el IVA, sino el ITPO (Impuesto sobre Transmisiones Patrimoniales Onerosas).

Finalmente indicar que **también constituye hecho imponible** de este impuesto los servicios desarrollados por los **Registradores de la Propiedad** en su condición de liquidadores titulares de una Oficina Liquidadora de Distrito Hipotecario.

Así pues, conforme al artículo 4 de la LIVA (en relación con el artículo 1 de la misma norma), el **hecho imponible** del IVA genéricamente está constituido por los siguientes supuestos:

a) Entrega de bienes.

b) Prestación de servicios.

## 2.2. Operaciones no sujetas

El IVA es un impuesto técnicamente complejo, que requiere de muchas matizaciones y precisiones para su adecuada comprensión. Una de ellas sería perfilar aquellas **operaciones que no cumplen la definición del hecho imponible** (y, por tanto, no están sujetas al impuesto). La respuesta a esta cuestión está en el artículo 7 de la LIVA.

Además de delimitar estas operaciones como no sujetas para concretar el hecho imponible, la LIVA establece una amplia regulación de las operaciones exentas, que son aquellas que, aun cumpliendo la definición del hecho imponible (y, por tanto, sujetas al impuesto) la Ley las exonera de gravamen. Tanto las operaciones no sujetas al IVA como las exentas se caracterizan porque en ellas no existe repercusión del impuesto, por lo que el destinatario de la operación no estará obligado a soportarlo.

La diferencia entre el concepto de **"no sujeción"** y el de **"exención"** es básica: se trata de distinguir aquellos supuestos en los que no tiene lugar la realización del hecho imponible (a los que se refiere el concepto de "no sujeción"), frente a los casos en los que se realiza el hecho imponible, nace el impuesto, pero hay una previsión legal (la norma de exención) que determina que la operación no sea gravada, que su cuota tributaria sea cero.

Los **supuestos de no sujeción** del IVA, regulados en el artículo 7 de la LIVA, son los siguientes:

a) **La transmisión de un conjunto de elementos corporales** y, en su caso, incorporales, que formando parte del patrimonio empresarial o profesional del sujeto pasivo, constituyan o sean susceptibles de constituir una unidad económica autónoma en el transmitente, capaz de desarrollar una actividad empresarial o profesional por sus propios medios, con independencia del régimen fiscal que a dicha transmisión le resulte de aplicación en el ámbito de otros tributos y del procedente conforme a lo dispuesto en el artículo 4.cuatro LIVA , en relación con el ITPyAJD ("las entregas y arrendamientos de bienes inmuebles, así como la constitución o transmisión de derechos reales de goce o disfrute que recaigan sobre los mismos").

 Don Enrique, conocido empresario panadero de Toledo, con motivo de su jubilación vende todos los bienes y activos de la panadería a otro empresario de la región que va a continuar el ejercicio de la misma actividad.

Resultará irrelevante que el adquirente desarrolle la misma actividad a la que estaban afectos los elementos adquiridos u otra diferente, siempre que se acredite por el adquirente la intención de mantener dicha afectación al desarrollo de una actividad empresarial o profesional.

En caso de que los bienes y derechos transmitidos, o parte de ellos, se desafecten posteriormente de las actividades empresariales o profesionales que determinan la no sujeción, la referida desafectación quedará sujeta al IVA.

Quedarán excluidas de la no sujeción las siguientes transmisiones:

⇨ La mera cesión de bienes o de derechos.

⇨ Las realizadas por quienes tengan la condición de empresario o profesional exclusivamente conforme a lo dispuesto por el artículo 5, apartado uno, letra c) de LIVA ("quienes realicen una o varias entregas de bienes o prestaciones de servicios que supongan la explotación de un bien corporal o incorporal con el fin de obtener ingresos continuados en el tiempo"), cuando dichas transmisiones tengan por objeto la mera cesión de bienes.

⇨ Las efectuadas por quienes tengan la condición de empresario o profesional exclusivamente por la realización ocasional de las operaciones.

b) **Las entregas gratuitas de muestras sin valor comercial estimable, con fines de promoción** debe recordarse que las entregas de bienes afectos a la actividad constituía un tipo de autoconsumo y, por tanto, debía repercutirse el IVA correspondiente. La no sujeción indicada permite que cuando tales entregas gratuitas sean de muestras promocionales, no sea necesario que tal repercusión se produzca.

La firma de cosméticos AHZ, S.A. entrega a particulares peque-ñas muestras de su nueva colonia.

Las entregas se producen en unos grandes almacenes donde AHZ S.A. dispone de un stand comercial donde exhibe sus productos.

La entrega de estas muestras no está sujeta al IVA y, por consiguiente, no le es exigible al sujeto pasivo la repercusión del impuesto.

La Sra. Ortega es propietaria de una perfumería. Ha decidido regalar a la hija de una de sus mejores clientas, con motivo de su compromiso de boda, un lote de productos que habitualmente vende en su negocio.

En este caso, la operación se tipifica como un autoconsumo sujeto al IVA y debe, por tanto, repercutirse.

c) **Las prestaciones de servicios a título gratuito efectuadas para la promoción de la actividad**.

La empresa de servicios estéticos COS, S.L., para promocio-nar su nuevo aparato de rayos UVA, regala la primera sesión a los clientes que contraten un determinado número de horas. Esta prestación de servicios a título gratuito no supone un autocon-sumo de los mismos, sino una operación no sujeta, por lo que no habrá repercusión del IVA.

d) **Las entregas gratuitas de impresos u objetos de carácter publicitario**

Estos últimos deben carecer de valor comercial en sí mismos, deben tener consignada de forma indeleble la mención publicitaria y tienen adicionalmente una limitación cuantitativa para que su entrega pueda estar no sujeta al IVA: el coste total de los suministrados a un mismo destinatario durante un año natu-ral no puede exceder de 200 €, a menos que se entreguen para su redistribución gratuita.

La empresa LOIS S.A. celebrará próximamente una fiesta dirigida a jóvenes mayores de 18 años en un determinado recinto. A algunos de los asistentes se les entregará, de forma gratuita, unas camisetas con el anagrama de la marca si resultan premiados en un sorteo que se celebrará en un momento de la fiesta.

Supuesta la finalidad publicitaria de la camiseta, así como el hecho de que su valor comercial intrínseco no sea relevante, la entrega gratuita del bien no será un autoconsumo, sino una operación no sujeta en la que, por tanto, no cabe la repercusión del impuesto.

e) **Los servicios prestados por personas físicas en régimen de dependencia derivado de relaciones administrativas o laborales.**

En una determinada empresa, tanto sus trabajadores como su asesor fiscal se configuran como personas que prestan a la empresa sus servicios. Sin embargo, solo el servicio profesional del asesor está sujeto al impuesto. Los trabajadores no repercuten IVA a la empresa como consecuencia de las labores que hayan realizado en la actividad.

f) **Los servicios prestados a las cooperativas por sus socios de trabajo.**

Los cuatro socios de trabajo de la cooperativa COOTOL recogen todos los días fruta para la venta de la misma por la cooperativa.

g) **Los autoconsumos de bienes y servicios,** cuando no se atribuyó al sujeto pasivo el derecho a efectuar la deducción del IVA soportado en la adquisición de los bienes.

La empresa LLL, S.A. ha adquirido una determinada cantidad de plumas estilográficas que pretende destinar como regalo de alguno de sus clientes más significativos.

El regalo de las plumas supone la realización de un autoconsumo sujeto al impuesto, por lo que será exigible a LLL, S.A. el IVA repercutido correspondiente. Ahora bien, si la empresa hubiese aplicado correctamente la normativa del impuesto (véase el capítulo de Deducciones), no habría deducido el IVA soportado de unos bienes destinados a atenciones a clientes.

En tal caso, al no tener lugar tal deducción, tampoco quedaría sujeto al IVA el posterior autoconsumo como consecuencia de la entrega gratuita de las plumas estilográficas.

h) **Las entregas de bienes y prestaciones de servicios realizadas por las Administraciones Públicas**, así como las entidades públicas, sin contraprestación o mediante contraprestación de naturaleza tributaria (por ejemplo, percibiendo una tasa a cambio de la realización del servicio).

A estos efectos se considerarán Administraciones Públicas:

⇨ La Administración General del Estado, las Administraciones de las Comunidades Autónomas y las Entidades que integran la Administración Local.

⇨ Las entidades gestoras y los servicios comunes de la Seguridad Social.

⇨ Los organismos autónomos, las Universidades Públicas y las Agencias Estatales.

⇨ Cualesquiera entidad de derecho público con personalidad jurídica propia, dependiente de las anteriores que, con independencia funcional o con una especial autonomía reconocida por la Ley tengan atribuidas funciones de regulación o control de carácter externo sobre un determinado sector o actividad.

No tendrán la consideración de Administraciones Públicas las entidades públicas empresariales estatales y los organismos asimilados dependientes de las Comunidades Autónomas y Entidades locales.

1. No estarán sujetos al impuesto los servicios prestados en virtud de los encargos ejecutados por los entes, organismos y entidades del sector público que ostenten, de conformidad con lo establecido en el art. 32 de la Ley de Contratos del Sector Público, la condición de

medio propio personificado del poder adjudicador que haya ordenado el encargo, en los términos establecidos en el referido art. 32.

2. Asimismo, no estarán sujetos al impuesto los servicios prestados por cualesquiera entes, organismos o entidades del sector público, en los términos a que se refiere el art. 3.1 de la Ley de Contratos del Sector Público, a favor de las Administraciones Públicas de la que dependan o de otra íntegramente dependiente de estas, cuando dichas Administraciones Públicas ostenten la titularidad íntegra de los mismos.

Don J. Hernández ha procedido a matricularse en la Universidad de DDD y ha satisfecho unas tasas como consecuencia de su inscripción. Cuando la citada Universidad percibe tales tasas, no exige además cuantía alguna en concepto de IVA repercutido sobre ninguno de sus alumnos.

Cuando un ayuntamiento presta un servicio de recogida de basuras percibiendo a cambio una tasa no incrementa estos pagos con ninguna cuantía en concepto de IVA repercutido.

Si el servicio se prestase de forma gratuita (por ejemplo, el servicio de protección o asistencia a un ciudadano facilitado por la policía del municipio) tampoco existe autoconsumo de ninguna clase, por lo que no deberá exigirse repercusión del IVA.

La no consideración como operaciones sujetas al impuesto será igualmente aplicable a los servicios prestados entre las entidades a las que se refieren los mismos, íntegramente dependientes de la misma Administración Pública.

Si las Administraciones públicas prestan el servicio por medio de una empresa privada, pública, mixta o, en general, una empresa mercantil, deberán repercutir el impuesto.

En cualquier caso, para evitar distorsiones de competencia, están sujetas al IVA las entregas de bienes y las prestaciones de servicios que se realicen por Administraciones, entes, organismos y entidades del sector público cuando tengan lugar en el ejercicio de las siguientes actividades:

▶ Telecomunicaciones.

▶ Distribución de agua, gas, calor, frío, energía eléctrica y otras modalidades de energía.

▶ Transportes de personas y bienes.

▶ Servicios portuarios y aeroportuarios y servicios de administración de infraestructuras ferroviarias incluyendo, a estos efectos, las concesiones y autorizaciones exceptuadas de la no sujeción del Impuesto.

▶ Obtención, fabricación y transformación de productos para su transmisión posterior.

▶ Intervención sobre productos agropecuarios dirigida a la regulación de mercados.

▶ Explotación de ferias y exposiciones de carácter comercial.

▶ Almacenaje y depósito.

▶ Oficinas comerciales de publicidad.

▶ Explotación de cantinas y comedores de empresa, economatos y establecimientos similares.

▶ Agencias de viajes.

▶ Las comerciales o mercantiles de los entes públicos de radio y televisión.

▶ Matadero.

i) **Las concesiones y autorizaciones administrativas**, excepto las que tienen por objeto la cesión del derecho a utilizar el dominio público portuario, inmuebles e instalaciones en puertos y aeropuertos, infraestructuras ferroviarias y autorizaciones para la prestación de servicios al público y para el desarrollo de actividades comerciales e industriales en el ámbito portuario.

 La empresa LLL, S.A. ha adquirido la concesión de la explotación de la cafetería del Congreso de los Diputados por un período de 5 años.

j) **Las prestaciones gratuitas de servicios**, cuando sean obligatorias en virtud de normas jurídicas o convenios colectivos.

 La asistencia letrada que presta un abogado del turno de oficio es gratuita. No existe sin embargo un autoconsumo de servicios, sino una prestación en la que una norma jurídica exige la gratuidad de la actividad del abogado, por lo que ésta queda no sujeta al IVA.

k) **Las operaciones realizadas por comunidades de regantes** para la ordenación y aprovechamiento de aguas.

l) **Las entregas de dinero a título de contraprestación o pago**.

Cuando el empresario A vende al empresario B una partida de productos, en realidad se producen dos entregas de bienes:

- La de A a B, constituida por los productos en cuestión. El vendedor deberá cobrar al adquirente el precio más el IVA correspondiente.

- La de B a A, constituida por el dinero que supone el precio de la operación. Esta segunda entrega está, sin embargo, no sujeta al impuesto.

Adicionalmente a las operaciones anteriores, la LIVA, en su artículo 14, establece la existencia de determinadas AIB que pueden estar no sujetas al impuesto. Recuérdese que estas operaciones consistían en la adquisición de bienes expedidos desde otro Estado miembro de la Unión Europea. Para que exista no sujeción de la operación deben darse las siguientes circunstancias:

- El adquirente debe ser un sujeto pasivo acogido al régimen especial de la agricultura previsto en el IVA, o bien un sujeto pasivo que realiza exclusivamente operaciones que no originan el derecho a la deducción total o parcial del impuesto (por ejemplo, un dentista que realiza operaciones exentas del tributo y, por tanto, nunca repercute IVA sobre sus pacientes), o bien una persona jurídica que no actúa como empresario o profesional (por ejemplo, un ente público, una fundación o un partido político). Recuérdese que los particulares sólo realizan AIB cuando adquieren medios de transporte nuevos, según la definición que ofrece de los mismos la normativa del impuesto.

- El importe de las AIB realizadas por las personas citadas durante el año natural precedente, excluido el IVA, no debe haber alcanzado 10.000 €. En tal caso, la no sujeción se aplicaría en el año en curso hasta alcanzar dicho importe, pues si se alcanzase pasarían a tributar todas las adquisiciones realizadas en el año presente incluidas aquéllas en la que se sobrepasan esa cifra (y, adicionalmente, también quedarán sujetas las del año siguiente, al haber rebasado, en el actual, los 10.000 €).

El hecho de que sus AIB puedan quedar no sujetas en España no supone, en absoluto, que estos operadores no se vean obligados a soportar IVA por sus adquisiciones. Lo que ocurrirá entonces es que deberán satisfacer el IVA vigente en el Estado miembro donde realizan la operación. La normativa de impuesto permite, no obstante, que las personas citadas puedan optar (y esta opción abarcará un mínimo de dos años) por hacer tributar sus adquisiciones como AIB sujetas al IVA español, aunque no hubiesen rebasado el límite de los 10.000 €. En definitiva, el operador puede decidirse por el IVA español o por el del otro Estado en función de cuál le resulte menos oneroso (excepto que supere el límite de euros, pues en tal caso se activa la no sujeción y se tributa, en todo caso, en el otro Estado miembro).

Finalmente, ha de indicarse que las adquisiciones intracomunitarias de medios de transporte nuevos o de productos objeto de impuestos especiales (alcohol, tabaco, cerveza, etc.) realizadas por las personas indicadas están siempre sujetas al IVA español y, por tanto, tributan siempre como AIB sea cual sea su importe.

Un médico español ha adquirido a una empresa alemana un aparato especial que pretende instalar en su consulta. El precio del aparato, es de 8.500. Durante el año precedente no realizó ninguna AIB.

En este supuesto pueden darse las siguientes situaciones:

- El profesional que realiza la compra (médico español), al ser un sujeto pasivo que realiza operaciones que no dan derecho a la deducción del IVA soportado (pues la asistencia sanitaria está exenta de IVA), y dado que el volumen de la adquisición no ha superado los 10.000 €, estaría realizando una AIB no sujeta. En tal caso, deberá pagar el IVA alemán al empresario vendedor.

- No obstante, como se ha indicado, el médico podrá optar por sujetar al IVA español su AIB, y en tal caso no abonará el IVA alemán, sino el correspondiente a España.

## 2.3. Entrega de bienes

Se define como la transmisión del poder de disposición sobre bienes corporales, incluso si se efectúa mediante cesión de títulos representativos de dichos bienes, considerándose incluso como tales el gas, el calor, el frío, la energía eléctrica y demás modalidades de energía. Debe observarse que, si bien de forma coloquial se asocia el impuesto con las "ventas de bienes", la LIVA utiliza el término de "entrega" y lo asocia con la mencionada transmisión del poder de disposición del bien. Con ello se pretende enfatizar el hecho de que el adquirente recibe tal facultad (la de poder disponer libremente del bien) porque pasa a ser el nuevo propietario del objeto transmitido.

Atendiendo a lo indicado, resulta sencillo asociar la mayoría de las entregas de bienes con las tradicionales operaciones de venta. Sin embargo, el concepto es mucho más amplio y, junto a las mencionadas enajenaciones o ventas de objetos, también se consideran entregas de bienes las siguientes operaciones (que están, por tanto, sujetas al IVA) reguladas en el artículo 8 LIVA:

a) Las ejecuciones de obra que tienen por objeto la construcción o rehabilitación de una edificación, cuando el empresario que ejecuta la obra aporta materiales cuyo coste excede del 40% de la base imponible.

El Sr. G contrata con la empresa LLL, S.A. la ejecución de una obra consistente en el levantamiento de una nave que pretende utilizar como almacén. El coste a facturar por LLL, S.A. es el siguiente:

Por materiales aportados: 180.000,00 €

Por realización de la obra: 180.000,00 €

En este supuesto, la ejecución de la obra realizada por LLL, S.A. tiene carácter de entrega de bienes, al exceder el coste de los materiales del 40% de la base imponible, que suma 360.000 €.

b) Las aportaciones no dinerarias efectuadas por los sujetos pasivos de bienes de su patrimonio empresarial o profesional a cualquier tipo de entidades, así como las adjudicaciones que puedan producirse en los casos de liquidación o disolución de aquellas.

El empresario Sr. D ha aportado a una Sociedad Limitada, a la que se ha unido como socio, un inmueble y dos máquinas que, hasta este momento, venía utilizando para su actividad de editor de publicaciones.

Son entregas de bienes sujetas al impuesto que el Sr. D debe repercutir a la sociedad, salvo que estos bienes constituyan por si mismos una unidad de negocio independiente.

Una determinada comunidad de propietarios ha terminado la promoción de las edificaciones que se pretendían construir, al haberse finalizado las correspondientes obras. La citada comunidad procede entonces a adjudicar a los distintos comuneros los diferentes inmuebles según las condiciones del contrato de adhesión a la comunidad.

Las adjudicaciones referidas tienen la consideración de entregas de bienes.

c)  Las transmisiones de bienes a consecuencia de una norma o de una resolución jurisdiccional o administrativa, incluida la expropiación forzosa.

Como consecuencia de la práctica de los correspondientes embargos, determinados bienes de la sociedad H S.L. han sido vendidos en subasta judicial.

Se trata de una entrega de bienes sujeta al IVA al ser efectuada por un empresario, aunque dicha venta venga obligada por una subasta judicial de bienes embargados.

El Ayuntamiento de Torremolinos ha procedido a expropiar una nave industrial de la empresa ZQZ, S.A., donde esta tenía situado uno de sus almacenes.

La empresa ZQZ debe repercutir entonces el IVA correspondiente sobre el Ayuntamiento citado, quedando además este obligado a soportar la citada repercusión.

d)  Las cesiones de bienes en virtud de contrato de venta con pacto de reserva de dominio o condición suspensiva. Téngase en cuenta que la mera cesión de un bien no conlleva la transmisión de la propiedad del mismo. Es decir, ceder un bien no supone transmitir, propiamente, el poder de disposición sobre él. Habitualmente, el cedente tiene a su favor cláusulas que le reservan el dominio o propiedad del bien hasta que el precio ha sido íntegramente satisfecho por el cesionario, que pasa entonces a ser nuevo propietario del bien.

Sin embargo, estas cesiones en las que aún no existe plena transmisión de la propiedad se consideran por la LIVA entregas de bienes y, por tanto, están sujetas al impuesto y este deberá repercutirse como si se tratase de una simple enajenación o venta de bienes.

El matrimonio Álvarez ha adquirido en unos grandes almacenes un electrodoméstico, aplazando el pago en seis mensualidades. El bien les será entregado en su casa la semana siguiente a la compra, pero en el contrato se advierte que el vendedor conserva la propiedad del electrodoméstico hasta que se haya satisfecho íntegramente su precio.

En tal caso, no ha existido propiamente una auténtica entrega del bien, sino una cesión que permite al adquirente empezar a utilizar el bien. El IVA se devengará entonces desde el momento de esa cesión, sin que tenga que esperarse al pago de la última mensualidad.

e)  Las cesiones de bienes en virtud de contratos de arrendamiento-venta y asimilados

Se trata nuevamente de cesiones de bienes articuladas como arrendamientos de los mismos en los que se pacta la venta posterior de los citados bienes transcurrido el plazo que las partes determinen. La LIVA califica estas operaciones como entregas de bienes desde el primer momento de la cesión, de forma que la repercusión del impuesto no tenga que esperar a la posterior venta.

Expresamente se indica que se asimilan a las operaciones citadas los arrendamientos con opción de compra, desde el momento en que el arrendatario se compromete a ejercitar dicha opción. En consecuencia, en una operación de leasing o arrendamiento financiero existe una prestación de servicios concretada en el alquiler del bien, y por ello el IVA se va satisfaciendo a medida que se van pagando las cuotas. Cuando el arrendatario ejercita la opción de compra o se compromete a ejercitarla, tiene lugar una entrega de bienes y deberá en ese instante abonarse el IVA que corresponde por las cuotas pendientes a partir de ese momento, pues esta será la base imponible del impuesto para dicha entrega.

El profesional Sr. A, arquitecto, contrata con la empresa arrendataria Móvil, S.A. el arrendamiento con opción de compra de un automóvil. Mensualmente, deberá satisfacer una cuota de 300,00 €.

La operación indicada no supone una entrega de bienes, sino una prestación de servicios consistentes en el arrendamiento del bien. En cada cuota, el arrendador repercutirá el correspondiente IVA sobre el arquitecto. Cuando se ejercite la opción de compra, o cuando se comprometa su ejercicio, tendrá lugar una entrega de bienes y se exigirá el IVA por el importe de la opción de compra, o, en su caso, por el total de las cuotas pendientes más la opción mencionada en el caso de que, con anterioridad, se haya comprometido el ejercicio de la opción.

f)  Las transmisiones de bienes entre comitente y comisionista que actúa en nombre propio efectuadas en virtud de contratos de comisión de venta o comisión de compra. Si actuase en nombre ajeno, sería una prestación de servicios.

En estos supuestos, si el comisionista actúa en nombre propio existen dos entregas de bienes:

⇨  Si es una comisión de venta, una primera entrega del comitente al comisionista, y una segunda del comisionista al cliente.

⇨  Si es una comisión de compra, una primera entrega del proveedor al comisionista, y una segunda del comisionista al comitente.

g) El suministro de un producto informático normalizado efectuado en cualquier soporte material.

A estos efectos, se considerarán como productos informáticos normalizados aquellos que no precisen de modificación sustancial alguna para ser utilizados por cualquier usuario.

 El ingeniero C adquiere de la empresa de software AB un programa de diseño gráfico que esta ha empezado a comercializar en España. Se trata de una entrega de bienes.

El mismo ingeniero solicita de la empresa anterior la elaboración de un programa específico para cubrir la informatización de algunos de sus proyectos. En este supuesto se está ante una prestación de servicios.

h) Las transmisiones de valores de sociedades cuya posesión asegure, de hecho o de derecho, la atribución de la propiedad, el uso o disfrute de un inmueble o de una parte del mismo.

i) También considera la LIVA entrega de bienes a las ventas a distancia intracomunitarias de bienes que hayan sido expedidos o transportados por el vendedor, directa o indirectamente, o por su cuenta, a partir de un Estado miembro distinto del de llegada de la expedición o del transporte con destino al cliente, cuando se cumplan los requisitos establecidos en el artículo 8.Tres de la LIVA.

j) Ventas a distancia de bienes importados de países o territorios terceros cuando sea de aplicación a estas operaciones lo indicado en el artículo 14 de la LIVA o el destinatario no tenga la condición de empresario o profesional actuando como tal.

k) Entregas de bienes también serán aquellas facilitadas a través de una interfaz digital facilite venta a distancia de bienes importados de países terceros en envíos cuyo valor no exceda de 150 euros o bien, la entrega de bienes en la Comunidad por parte de un empresario no establecido a una persona que no tenga la condición de empresario o profesional actuando como tal. En estos casos se da la particularidad que el titular de la interfaz digital se considerará receptor y emisor por sí mismo de los correspondientes bienes y transportes vinculados a éstos.

• Operaciones asimiladas a las entregas de bienes

En las **entregas de bienes donde se produce la transmisión del poder de disposición** es habitual que exista una contraprestación, es decir, que el adquirente se vea obligado a entregar algo a su vez al transmitente (normalmente, la cantidad de dinero que constituye el precio). Por ello se dice que estas operaciones se realizan a título oneroso.

Existen adicionalmente unas operaciones que no reúnen estas características y, sin embargo, la LIVA las asimila a las entregas de bienes (y quedan, por consiguiente, sujetas al impuesto), reguladas en el artículo 9 LIVA, como son las siguientes:

1. **El autoconsumo de bienes**

   Se trata de las operaciones que a continuación se indican, cuando se realizan sin contraprestación, es decir, gratuitamente:

   ⇨ **La transferencia de bienes del patrimonio empresarial o profesional al patrimonio personal o consumo particular del sujeto pasivo**. Se produce cuando el empresario o profesional aplica bienes que están vinculados o afectados a su actividad (y respecto de los cuales, por tanto, ha podido en su caso deducirse el IVA que soportó cuando los adquirió) a fines particulares ajenos a la citada actividad. En este caso se produce el autoconsumo que grava el impuesto y deberá repercutirse el IVA correspondiente. Puede decirse convencionalmente que el empresario se tiene que repercutir entonces, sobre sí mismo, el tributo.

La Sra. B es propietaria de una cadena de tiendas de ropa deportiva. Cuando ha terminado recientemente una campaña de rebajas, ha decidido llevarse para su uso particular un equipo completo para la práctica de deportes de nieve.

Cuando la Sra. B adquirió, entre todos los bienes que formaban el pedido, el equipo del que ahora se apropia, procedió entonces a deducir el IVA que soportó en su adquisición. Si el equipo hubiera sido vendido a un cliente, se hubiera repercutido sobre este el IVA correspondiente. Si el equipo es destinado por la empresaria a su consumo particular, tiene lugar entonces una autorepercusión derivada del citado autoconsumo.

   ⇨ **La transmisión del poder de disposición sobre bienes corporales que integren el patrimonio empresarial o profesional del sujeto pasivo.** Equivale, en definitiva, a entregar gratuitamente bienes del citado patrimonio. La norma obliga entonces a considerar estas entregas sin contraprestación como auténticas entregas de bienes y las califica de autoconsumo sujeto al impuesto, por lo que este deberá repercutirse.

En el mismo caso anterior, si la Sra. C decide regalar el equipo deportivo a un tercero se produce entonces el correspondiente autoconsumo, y se exigirá el IVA correspondiente a esta entrega. Nótese que si la entrega se hubiese realizado a un cliente, este habría abonado el precio correspondiente más el IVA que se hubiera exigido. Si se produce una entrega sin contraprestación, el IVA se sigue devengando al quedar sujetas al impuesto este tipo de entregas gratuitas o donaciones.

⇨ **El cambio de afectación de bienes corporales de un sector a otro diferenciado de su actividad empresarial o profesional**. Se trata de pasar bienes que se utilizan en una actividad de las que desarrolla el sujeto pasivo a otra distinta, cuando dichas actividades constituyen sectores diferenciados.

Para la existencia de estos autoconsumos, que en la práctica son muy complejos de identificar dada su especialidad, debe tenerse en cuenta que dos actividades diferenciadas son sectores diferenciados cuando se dan los tres siguientes requisitos simultáneamente:

*   Que las actividades tengan asignados grupos diferentes en la Clasificación Nacional de Actividades Económicas (CNAE), aprobada por el Real Decreto 475/2007, de 13 de abril. Actualmente, el Real Decreto 10/2025, de 14 de enero, aprueba la Clasificación Nacional de Actividades Económicas 2025 (CNAE-2025). Estos grupos están formados por tres dígitos.

*   Que los porcentajes de deducción difieran en más de 50 puntos porcentuales entre ambas actividades (véase el capítulo referido a la deducción del IVA soportado).

*   Si existen dos actividades diferentes pero una de ellas es accesoria a la principal, entonces no se entenderá que forman sectores diferenciados. A estos efectos, la LIVA determina que una actividad es accesoria a otra cuando, en el año precedente, su volumen de operaciones no ha excedido del 15% del de la principal y, además, contribuye a su realización.

En base a ello pueden existir dos sectores diferenciados:

*   La actividad principal (la de mayor volumen de operaciones en el año anterior) junto con sus actividades accesorias y las actividades distintas con porcentajes de deducción que no difieren en más de 50 puntos porcentuales del de la principal; y

*   Las actividades distintas de la principal cuyos porcentajes de deducción difieren en más de 50 puntos porcentuales del de esta.

*

Adicionalmente a lo anterior, debe señalarse que la normativa del impuesto considera directamente como sectores diferenciados las actividades acogidas a los regímenes especiales simplificado, de la agricultura, ganadería y pesca de las operaciones con oro de inversión o del recargo de equivalencia, así como las operaciones de arrendamiento financiero y de cesión de créditos o préstamos.

El empresario C es titular de dos actividades distintas. Por una parte, es dueño de una flota de tres vehículos-ambulancia donde transporta enfermos. Por otro lado, es propietario de tres pequeños camiones donde realiza transporte de mercancías. Estas actividades presentan clasificaciones diferentes en la CNAE.

La actividad de transporte de enfermos en ambulancia está exenta de IVA, es decir, el empresario no repercute el IVA sobre sus clientes cuando estos contratan sus servicios (situación que no ocurre en el transporte de bienes, donde el IVA se exige plenamente).

Cuando se adquieren bienes destinados a una actividad exenta, el IVA soportado en la compra no es deducible. Así, cuando el Sr. C adquiere un vehículo y lo utiliza como ambulancia, el IVA soportado en la compra no puede deducirse. Sin embargo, si el vehículo lo utilizase para el transporte de mercancías, no existiría ninguna limitación para que pudiese deducir el impuesto soportado en esta actividad. En definitiva, en una actividad puede deducir el 100% del IVA que soporta, mientras que en la otra deducirá un 0% (lo que supone que, entre ambas actividades, el régimen de deducción difiere en más de 50 puntos porcentuales).

En el supuesto de que el Sr. C adquiriera un vehículo inicialmente destinado a transporte de mercancías y posteriormente lo utilizase (hechas las transformaciones pertinentes) en su actividad de ambulancia, se estaría entonces produciendo un autoconsumo por llevar el bien de un sector diferenciado a otro. Es decir, se exigiría el IVA correspondiente que el empresario debería repercutir sobre sí mismo.

El motivo por el que la norma exige el gravamen de estas operaciones se debe a la necesidad de evitar actuaciones del sujeto pasivo orientadas a eludir la correcta aplicación del impuesto. Podría ocurrir que, desde el primer momento, el Sr. C estuviese decidido a utilizar el vehículo como ambulancia, pero decidió adquirirlo como afecto al transporte de mercancías para poder así deducir el IVA soportado en la compra.

Finalmente, se establece un último tipo de autoconsumo **cuando el sujeto pasivo procede a afectar bienes producidos, construidos, extraídos, transformados, adquiridos o importados en el ejercicio de su actividad, para su utilización como bienes de inversión**. Como autoconsumos que son, dichas operaciones están sujetas al IVA y éste debe repercutirse (si bien, de nuevo, es equivalente a que el empresario realice esta repercusión sobre sí mismo).

No obstante, no existe el citado autoconsumo cuando el sujeto pasivo hubiese podido deducir íntegramente el IVA que habría tenido que soportar si hubiese adquirido a terceros los mismos bienes que ahora utiliza como bienes de inversión. En otro caso, deberá repercutirse el impuesto.

El fabricante de automóviles Delta S.A. ha decidido matricular a su nombre una serie de vehículos fabricados por él mismo, y los ha destinado a algunos de sus empleados, que pueden utilizarlos tanto para necesidades de la empresa como para fines particulares.

En el caso de que los automóviles se matriculen a nombre de la firma, es fácil constatar que los mismos pasan de una situación de existencias a su calificación como bienes de inversión (elementos de transporte). En esto reside el autoconsumo.

Identificada entonces la operación como tal, debe analizarse si el sujeto pasivo habría podido deducir íntegramente el IVA soportado en el caso de que los bienes hubiesen sido adquiridos a un tercero. En este ejemplo esto no ocurriría, pues los automóviles no se afectan exclusivamente a la actividad y, por tanto, no podría deducirse la totalidad del IVA soportado. Por consiguiente, el autoconsumo queda sujeto y se debe repercutir el impuesto sobre la propia empresa.

La empresa Mobeloficina S.A. fabrica muebles de oficina y ha decidido utilizar para sus propios despachos determinados muebles fabricados por ella misma.

Al aplicar a sus propias necesidades los muebles indicados, estos cambian su calificación contable transformándose de existencias en bienes de inversión (mobiliario y enseres).

Comprobada la existencia de autoconsumo, puede también constatarse que si la entidad Mobeloficina S.A. hubiese adquirido a otra firma los bienes en cuestión, habría soportado el IVA correspondiente a la compra y lo hubiese podido deducir en su integridad. Por este motivo, no se aplica a esta operación el concepto de autoconsumo, y no se devenga el impuesto por ningún concepto.

2.  **En último lugar, se asimila igualmente a las entregas de bienes la transferencia de bienes** realizada por un empresario para destinarlos a otro Estado miembro de la Unión Europea a fin de afectarlos a las necesidades de su empresa en dicho Estado, en virtud del artículo 9.3 LIVA.

 La empresa Aceitunal S.A. envía 10.000 litros de aceite de su sede de Andújar a un establecimiento que tiene en Florencia para venderlos en esa ciudad italiana.

**Quedarán excluidas** las transferencias de bienes que se utilicen para la realización de las siguientes operaciones:

a)  Las entregas de dichos bienes efectuadas por el sujeto pasivo que se considerarían efectuadas en el interior del Estado miembro de llegada de la expedición o del transporte por aplicación de los criterios contenidos en el artículo 68, apartados dos, número 2.º, tres y cuatro, de LIVA.

b)  Las entregas de dichos bienes efectuada por el sujeto pasivo a que se refiere el artículo 68, apartado dos, número 4.º, de LIVA.

c)  Las entregas de dichos bienes efectuadas por el sujeto pasivo en el interior del país en las condiciones previstas en el artículo 21 o en el artículo 25 de LIVA.

d)  Una ejecución de obra para el sujeto pasivo, cuando los bienes sean utilizados por el empresario que la realice en el Estado miembro de llegada de la expedición o transporte de los citados bienes, siempre que la obra fabricada o montada sea objeto de una entrega exenta con arreglo a los criterios contenidos en los artículos 21 y 25 de LIVA.

e)  La prestación de un servicio para el sujeto pasivo, que tenga por objeto informes periciales o trabajos efectuados sobre dichos bienes en el Estado miembro de llegada de la expedición o del transporte de los mismos, siempre que estos, después de los mencionados servicios, se reexpidan con destino al sujeto pasivo en el territorio de aplicación del Impuesto.

Entre los citados trabajos se comprenden las reparaciones y las ejecuciones de obra que deban calificarse de prestaciones de servicios de acuerdo con el art. 11 de LIVA.

f)  La utilización temporal de dichos bienes, en el territorio del Estado miembro de llegada de la expedición o del transporte de los mismos. en la realización de prestaciones de servicios efectuadas por el sujeto pasivo establecido en España.

g) La utilización temporal de dichos bienes, por un período que no exceda de veinticuatro meses, en el territorio de otro Estado miembro en el interior del cual la importación del mismo bien procedente de un país tercero para su utilización temporal se beneficiaría del régimen de importación temporal, con exención total de los derechos de importación.

h) Las entregas de gas a través de una red de gas natural situada en el territorio de la Unión Europea o de cualquier red conectada a dicha red, las entregas de electricidad o las entregas de calor o de frío a través de las redes de calefacción o de refrigeración, que se considerarían efectuadas en otro Estado miembro de la Unión Europea con arreglo a los criterios establecidos en el artículo 68.Seis LIVA.

Las exclusiones a que se refieren las letras a) a h) anteriores no tendrán efecto desde el momento en que dejen de cumplirse cualesquiera de los requisitos que las condicionan.

**Novedad desde el 1 de marzo de 2020**

A partir de esta fecha no se considerarán transferencias las realizadas en el marco de un acuerdo de ventas de bienes en consigna, que se desarrollan en el artículo 9 bis LIVA.

## 2.4. Prestaciones de servicios

### 2.4.1. Concepto

Se definen como **toda operación sujeta al IVA que no tenga la consideración de entrega, adquisición intracomunitaria o importación de bienes**. Se trata, por tanto, de un concepto general respecto del cual la Ley, en su artículo 11, ofrece una lista no exhaustiva de operaciones que tienen la consideración de prestación de servicios:

a) El ejercicio independiente de una profesión, arte u oficio.

b) Los arrendamientos de bienes, industria, negocio, empresa o establecimiento mercantil, con o sin opción de compra. Por ello, y como se indicó anteriormente, el arrendamiento financiero tiene consideración de prestación de servicios en tanto no se ejercite o, en su caso, no se comprometa el ejercicio de la opción de compra.

c) Las cesiones de uso y disfrute de bienes.

d) Las cesiones y concesiones de derechos de autor, licencias, patentes, marcas y demás derechos de propiedad intelectual o industrial.

 La Sra. C, escritora, que cede sus derechos de autora a la empresa editorial A. La operación está sujeta al impuesto.

e) Las obligaciones de hacer y de no hacer, así como las abstenciones estipuladas en contratos de agencia o venta en exclusiva o derivadas de convenios de distribución de bienes en áreas territoriales delimitadas.

 La empresa G recibe una cantidad de la empresa WWW a los efectos de que G se abstenga de comercializar sus servicios turísticos en una zona determinada donde WWW pretende comenzar a desarrollar un nuevo tipo de actividad. Tal operación se tipifica como una prestación de servicios de G en beneficio de WWW y, por tanto, al importe a percibir debe añadirse el IVA que G (que es quien presta el servicio) debe repercutir a WWW.

 El Sr. Gómez, arrendador de locales de negocio, va a satisfacer a la empresa FF una indemnización con la finalidad de que esta renuncie a sus derechos como arrendataria y abandone el local.

En este supuesto, FF presta un servicio al arrendador que se valora en el importe de la indemnización que este debe pagar. Por este motivo se produce el devengo del IVA correspondiente, de manera que el Sr. Gómez abonará la indemnización más el IVA correspondiente a la empresa FF.

f) Las ejecuciones de obra cuando no tengan la consideración de entregas de bienes.

g) Los traspasos de locales de negocios.

 El profesional Z abona a la empresa YYY S.L. el traspaso que esta solicita para ceder el local donde Z pretende abrir su nueva oficina. A su vez, y según los acuerdos alcanzados, el propietario del local se beneficiará de una parte del traspaso a satisfacer.

En tal supuesto, tanto YYY como el propietario del local prestan un servicio al profesional Z consistente en el traspaso del local de negocio, por lo que tanto uno como otro percibirán una parte de la cuantía total que pagará Z. Este pagará entonces los importes pactados más el IVA correspondiente.

h)   Los transportes.

i)   Los servicios de hostelería, restaurante o acampamento y las ventas de bebidas o alimentos para su consumo inmediato en el mismo lugar.

j)   Las operaciones de seguro, reaseguro y capitalización. Aunque la LIVA las declara expresamente sujetas al impuesto, posteriormente señala que las mismas estarán exentas bajo ciertas condiciones.

k)   Las prestaciones de hospitalización. Al igual que en el supuesto anterior, se trata de operaciones sujetas pero exentas bajo ciertas condiciones.

l)   Los préstamos y los créditos en dinero, respecto de los cuales puede volver a añadirse los mismos comentarios que en los dos puntos anteriores.

m)   El derecho a utilizar instalaciones deportivas o recreativas.

n)   La explotación de ferias y exposiciones.

o)   Las operaciones de mediación, agencia y comisión, cuando el agente o comisionista actúa en nombre ajeno.

p)   El suministro de productos informáticos cuando no tenga la condición de entrega de bienes, considerándose accesoria a la prestación de servicios la entrega del correspondiente soporte.

 La empresa XS encarga la realización de un programa de contabilidad específico para la misma.

### 2.4.2.   Operaciones asimiladas a las prestaciones de servicios

Del mismo modo que ocurría con las entregas de bienes, también con respecto a las prestaciones de servicios se definen una serie de operaciones que se asimilan a ellas y que, por tanto, dan lugar al devengo del Impuesto. La LIVA, en su artículo 12, las califica de autoconsumos de servicios y son las siguientes operaciones cuando se realizan sin contraprestación, es decir, gratuitamente:

1.   Transferencias de bienes del patrimonio empresarial o profesional al patrimonio personal del sujeto pasivo, cuando las mismas no sean entregas de bienes. Se trata en realidad de una cláusula de cierre para acabar sujetando al IVA absolutamente todas las operaciones de estas características, bien sea por su asimilación a entrega de bienes o por su asimilación a prestación de servicios.

2.   La aplicación total o parcial al uso particular del sujeto pasivo o, en general, a fines ajenos a la actividad, de los bienes integrantes de patrimonio empresarial o profesional del sujeto pasivo.

El Sr. C, dueño de un establecimiento de hostelería, utiliza gratuitamente algunas habitaciones durante los meses de julio y agosto, alojándose en ellas.

En este supuesto se produce un autoconsumo de servicios (es el propio sujeto pasivo quien recibe el servicio de hostelería que presta) y debe por tanto repercutirse el impuesto. La justificación de la exigencia de un IVA repercutido como consecuencia de estas operaciones se debe a la existencia de unos IVA soportados previamente, cuando el empresario o profesional adquirió los bienes para afectarlos a la actividad. Entonces el empresario procedió a deducir los cuotas soportadas, lo que solo se permite si los bienes en cuestión se afectan a la actividad y no a satisfacer necesidades privadas.

3. Las demás prestaciones de servicios efectuadas a título gratuito siempre que se realicen para fines ajenos a los de la actividad empresarial o profesional.

La Sra. L, abogada, tramita gratuitamente la separación matrimonial de un familiar. En este supuesto se produce autoconsumo de servicios y debe repercutirse el IVA.

## 2.5. Exenciones en operaciones interiores (TAI)

En las exenciones nace el hecho imponible del impuesto, pero en virtud de un precepto de la Ley queda exonerado de tributar por dicha operación. A continuación, pasamos a ver las exenciones en operaciones interiores, en exportaciones, en zonas y depósitos francos y similares, en entregas intracomunitarias de bienes, en adquisiciones intracomunitarias de bienes y en importaciones de bienes.

Podemos clasificarlas en función de la materia a que afectan en:

- Exenciones en operaciones médicas y sanitarias.

- Exenciones relativas a actividades educativas.

- Exenciones sociales, culturales, deportivas.

- Exenciones en operaciones de seguro y financieras.

- Exenciones inmobiliarias.

- Exenciones técnicas.

- Otras exenciones.

 Las operaciones exentas del IVA están exhaustivamente recogidas en el apartado Uno del artículo 20 de la LIVA.

## Operaciones exentas de IVA

Están exentas del IVA las siguientes operaciones, que aparecen exhaustivamente recogidas en el apartado 1 del artículo 20 de la LIVA:

1. Las prestaciones de servicios y entregas de bienes accesorias a estas prestaciones que constituyan el servicio postal universal siempre que sean prestadas por el operador u operadores que se comprometen a prestar todo o parte del mismo.

   Esta exención no se aplicará a los servicios cuyas condiciones de prestación se negocien individualmente.

 El envío de cartas o el alquiler de un apartado postal a Correos, entidad que establece los mismos precios para todos sus usuarios (exento).

El envío de cartas o el alquiler de un apartado postal a Postal Express, entidad que establece los precios para sus usuarios en función de la distancia y del territorio o zona en que estos deban desarrollarse (no exento).

2. Los servicios de hospitalización o asistencia sanitaria realizados por entidades de Derecho público o por entidades privadas en régimen de precios autorizados o comunicados. La exención incluye servicios tales como alimentación, quirófano, suministro de medicamentos, etc.

   No obstante, sí está sujeta plenamente la entrega de medicamentos para ser consumida fura del establecimiento, los servicios de alimentación y alojamiento prestados a personas distintas del enfermo y de sus acompañantes, los servicios veterinarios y los arrendamientos de bienes realizados por las entidades citadas.

 Los servicios de asistencia sanitaria y alimentación a una persona enferma están exentos por una entidad pública o privada concertada.

Servicios de alimentación por la entidad sanitaria a los acompañantes de enfermos están exentos.

No está exento el servicio de restauración de la cafetería del centro médico.

3. La asistencia a personas físicas por profesionales médicos o sanitarios (que son los que el ordenamiento jurídico considera como tales, así como los psicólogos, logopedas y ópticos con titulación oficial o reconocida), cuando se refiera al prestaciones de asistencia médica, quirúrgica y sanitaria, relativas al prestaciones de asistencia médica, quirúrgica y sanitaria, relativas al diagnóstico, prevención y tratamiento de enfermedades, incluyendo análisis clínicos y exploraciones radiológicas.

 Padre de familia que lleva a su hijo a un logopeda porque tiene problemas de dicción.

Cuando estos servicios se prestan al margen de un tratamiento médico, como sucede en el caso de la cirugía estética, entonces la operación está sujeta al IVA y debe repercutirse.

 Modelo que acude a una clínica estética para que le minoren la nariz y los pechos.

4. Las entregas de sangre, plasma y demás fluidos y tejidos u otros elementos del cuerpo humano para fines médicos o de investigación.

5. Los servicios prestados por estomatólogos, odontólogos, mecánicos dentistas y protésicos dentales. También está exenta la entrega, reparación y colocación de prótesis dentales y ortopedias maxilares.

Ciudadana que acude al dentista a que le empaste una muela.

6.  Los servicios prestados directamente a sus miembros por uniones, agrupacio-
    nes o entidades autónomas, incluidas las Agrupaciones de Interés Económico,
    constituidas exclusivamente por personas que ejercen actividades exentas o
    no sujetas, cuando tales servicios se utilicen directa y exclusivamente en dicha
    actividad sean necesarios para el ejercicio de las mismas y sus miembros se limi-
    ten a reembolsar la parte de gastos que les corresponda. La exención también
    se aplicará cuando, cumplido este último requisito, la prorrata de deducción no
    exceda del 10 por ciento y el servicio no se utilice directa y exclusivamente en
    las operaciones que originen el derecho a la deducción.

    La actividad exenta ejercida será distinta de las señaladas en los números 16.º,
    17.º, 18.º, 19.º, 20.º, 22.º, 23.º, 26.º y 28.º del apartado Uno del artículo 20 LIVA.

Un conjunto de profesionales médicos de una comunidad autónoma constituyen una entidad que tiene como fin fundamental
canalizar los avisos recibidos de determinados pacientes para
ponerlos en contacto con el especialista médico correspondiente.
En las condiciones indicadas, los servicios que tal entidad presta
a sus miembros están exentos del IVA. Así, cuando los médicos
satisfagan los pagos que a cada uno le pudiera corresponder, no
habrá repercusión del IVA.

La exención no alcanza a los servicios prestados por sociedades mercantiles.

Servicios médicos realizados por el Instituto Nacional de la
Seguridad Social o una mutua de accidentes de trabajo y enfermedades profesionales de la Seguridad Social.

7.  Las entregas de bienes y prestaciones de servicios que, para el cumplimiento
    de sus fines, realiza la Seguridad Social, bien directamente o bien a través de
    sus entidades gestoras o colaboradoras.

8.  Determinadas prestaciones de servicios de asistencia social que se indican en
    el artículo 20.1.8º de la LIVA (por ejemplo, asistencia a la tercera edad, a refu-
    giados, a minorías, a alcohólicos y toxicómanos...) cuando tales prestaciones

se social realicen por entidades de Derecho público o por entidades privadas de carácter social.

El concepto de entidad privada de carácter social es utilizado por la norma para otras exenciones que se verán a continuación, y se caracteriza por corresponderse con entidades que deben reunir los siguientes requisitos:

a) Carecer de finalidad lucrativa, destinando los beneficios que eventualmente lleguen a obtenerse al propio desarrollo de la actividad.

b) Los cargos de presidente, patrono o representante legal deben ser gratuitos y carecer de interés en los resultados económicos de la explotación por sí mismos o a través de persona interpuesta.

c) Los socios o partícipes, sus cónyuges y sus parientes hasta el segundo grado no deben ser los destinatarios principales de las operaciones, si bien este tercer requisito no se exige para los supuestos de servicios sociales o los de carácter deportivo que se comentan en este punto y en el punto 13.

9. La educación de la infancia y de la juventud, la guarda y custodia de niños, incluida la atención a niños en los centros docentes en tiempo interlectivo durante el comedor escolar o en aulas en servicio de guardería fuera del horario escolar, la enseñanza escolar, universitaria y de postgraduados, la enseñanza de idiomas y la formación y reciclaje profesional, realizadas por Entidades de derecho público o entidades privadas autorizadas para el ejercicio de dichas actividades.

La exención se extenderá a las prestaciones de servicios y entregas de bienes directamente relacionadas con los servicios enumerados en el párrafo anterior, efectuadas, con medios propios o ajenos, por las mismas empresas docentes o educativas que presten los mencionados servicios.

La exención no comprenderá las siguientes operaciones:

a) Los servicios relativos a la práctica del deporte, prestados por empresas distintas de los centros docentes.

En ningún caso, se entenderán comprendidos en esta letra los servicios prestados por las Asociaciones de Padres de Alumnos vinculadas a los centros docentes.

b) Las de alojamiento y alimentación prestadas por Colegios Mayores o Menores y residencias de estudiantes.

c) Las efectuadas por escuelas de conductores de vehículos relativas a los permisos de conducción de vehículos terrestres de las clases A y B y a los títulos, licencias o permisos necesarios para la conducción de buques o aeronaves deportivos o de recreo.

d) Las entregas de bienes efectuadas a título oneroso.

Una entidad privada que imparte clases de primaria, ESO y bachillerato o, en general, de materias incluidas en los planes educativos, no repercutirá IVA a sus alumnos.

La exención se extenderá a las prestaciones de servicios y las entregas de bienes directamente relacionadas, efectuadas, con medios propios o ajenos, por las mismas empresas docentes o educativas que presten tales servicios.

10. Las clases a título particular prestadas por personas físicas sobre materias incluidas en los planes de estudio del sistema educativo. No tienen esta consideración, aquellas clases para cuya realización sea necesario darse de alta en las tarifas de actividades empresariales o artísticas del Impuesto sobre Actividades Económicas.

Estarán sujetas y no exentas las ventas denominadas "cursos de enseñanza a distancia" en las que la operación esté integrada, con carácter principal, por una entrega de bienes (libros, fascículos, vídeos, etc.) a la que acompaña, con carácter accesorio, la obligación que asume la empresa editora de atender las consultas de los adquirentes del curso.

11. Las cesiones de personal realizadas por entidades religiosas inscritas en el Ministerio de Justicia, para el desarrollo de actividades sanitarias, educativas o de asistencia social.

12. Las prestaciones de servicios y entregas de bienes accesorias a las mismas efectuadas a sus miembros por entidades legalmente reconocidas que carecen de ánimo de lucro, cuyos objetivos sean de naturaleza política, sindical, religiosa, patriótica, filantrópica o cívica, realizadas para la consecución de sus finalidades específicas, siempre que no perciban de los beneficiarios de tales operaciones contraprestación alguna distinta de las cotizaciones fijadas en sus estatutos.

En este epígrafe se incluyen, entre otras entidades, los Colegios profesionales, las Cámaras oficiales y las Organizaciones patronales así como las Federaciones que las agrupen.

La exención queda condicionada a que no provoque distorsiones de competencia.

Las cuotas que pagan los afiliados a partidos políticos o sindicatos, cuando éstos cumplen los requisitos indicados, no deben incluir cuota alguna en concepto de IVA repercutido.

13. Los servicios prestados a personas físicas que practiquen el deporte o la educación física, siempre que se presten por entidades de Derecho público, federaciones deportivas, el Comité Olímpico Español o entidades privadas de carácter social.

Esta exención no se extiende a los espectáculos deportivos.

14. Las prestaciones de los servicios que se señalan a continuación, cuando sean realizadas por entidades de Derecho público o entidades culturales privadas de carácter social:

a) Las propias de bibliotecas, archivos y centros de documentación.

b) Las visitas a museos, galerías de arte, pinacotecas, monumentos, lugares históricos, jardines botánicos, parques zoológicos y naturales, así como otros espacios naturales de similares características.

c) Las representaciones teatrales, musicales, coreográficas, audiovisuales y cinematográficas.

d) La organización de exposiciones, así como otras manifestaciones similares.

15. El transporte de enfermos o heridos en ambulancias.

16. Las operaciones de seguro, reaseguro y capitalización.

Asimismo, los servicios de mediación, incluyendo la captación de clientes, para la celebración del contrato entre las partes intervinientes en la realización de las anteriores operaciones, con independencia de la condición del empresario o profesional que los preste.

Dentro de las operaciones de seguro se entenderán comprendidas las modalidades de previsión.

17. La entrega de sellos de correos y de efectos timbrados, cuando sea por importe no superior a su valor facial. La exención no se extiende a los servicios de expedición de los referidos bienes prestados en nombre y por cuenta de terceros.

 Compramos un sello para un envío postal por 32 céntimos de euros, siendo ese su valor facial.

Compra de un sello de 1980 de una edición especial de correos por 236,00 €, cuando su valor facial es de 17 pesetas, esta operación no estaría exenta.

18. Están igualmente exentas un largo elenco de operaciones financieras que aparecen citadas en la LIVA, entre las que deben reseñarse las siguientes por su amplia aplicación práctica:

   a)  Depósitos en efectivo, incluidos los que son en cuenta corriente y de ahorro, así como las operaciones relacionadas con los mismos. La exención no se extiende a los servicios de gestión de cobro de créditos, letras de cambio, recibos y otros documentos. No se considerarán de gestión de cobro las operaciones de abono en cuenta de cheques o talones.

   b)  La concesión de créditos y préstamos en dinero y la transmisión de los mismos.

   c)  La prestación de fianzas, avales y demás garantías.

   d)  Las operaciones de transferencias, giros, cheques, pagarés, letras de cambio, tarjetas y otras órdenes de pago (compensación interbancaria de cheques y talones, aceptación y gestión de la aceptación, protesto o declaración sustitutiva y la gestión del protesto).

   e)  La transmisión de los efectos y órdenes de pago a que se refiere la letra anterior, incluso la transmisión de efectos descontados.

   No se incluye en la exención la cesión de efectos en comisión de cobranza.

   Tampoco se incluyen en la exención los servicios prestados al cedente en el marco de los contratos de "factoring", con excepción de los de anticipo de fondos que, en su caso, se puedan prestar en estos contratos.

   f)  Los servicios y operaciones relativos a acciones, participaciones, obligaciones y demás valores.

   g)  La gestión y depósito de Instituciones de Inversión Colectiva, de Fondos de Pensiones, de Fondos de Capital-Riesgo, y de Fondos de Regulación del Mercado Hipotecario, de Titulización Hipotecaria y Colectivos de Jubilación.

 Solicitamos al banco GH un crédito de 34.000,00 €.

Llevamos a nuestro banco un efecto comercial de 4.500,00 € para que nos lo descuente, por ser su vencimiento dentro de 6 meses.

   h)  Por excepción a la regla general, la norma determina que están plenamente sujetos al IVA los servicios de gestión de cobro de letras de cambio, recibos y otros documentos, así como el depósito y la gestión de valores, y el alquiler de cajas de seguridad.

i)   Las operaciones de compra, venta o cambio y servicios análogos que tengan por objeto divisas, billetes de banco y monedas que sean medios legales de pago, a excepción de las monedas y billetes de colección y de las piezas de oro, plata y platino.

19.  Las loterías y juegos organizados por el Organismo Nacional de Loterías y Apuestas del Estado, la ONCE y las Comunidades Autónomas, así como las actividades consistentes en rifas, tómbolas, apuestas, combinaciones aleatorias y juegos de suerte, envite o azar, que se caracterizan por tener que satisfacer una determinada tasa.

La exención no se extiende a los servicios de gestión de las actividades indicadas, con excepción de la gestión de bingos.

20.  Las entregas de terrenos rústicos y demás que no tengan la condición de edificables, incluidas también las construcciones en ellos enclavadas que sean indispensables para el desarrollo de una explotación agraria. También está exenta la entrega de terrenos destinados a parques y jardines públicos o a superficies viales de uso público.

Se consideran edificables los terrenos que la normativa urbanística califique como solares, cuya transmisión, por tanto, está plenamente sujeta al impuesto.

También debe repercutirse el IVA en el caso de entrega de los terrenos que se indican a continuación, incluso aunque los mismos no tuvieran la condición urbanística de edificables:

a)   Entregas de terrenos urbanizados o en curso de urbanización, excepto cuando se destinen a jardines públicos, parques o superficies viales de uso público.

b)   Entregas de terrenos en los que se hallen enclavadas edificaciones en curso o terminadas, cuando se transmite conjuntamente el terreno y la edificación y la entrega de esta última esté sujeta y no exenta del impuesto.

No obstante, estarán exentas las entregas de terrenos no edificables en los que se hallen enclavadas construcciones de carácter agrario indispensables para su explotación y las de terrenos de la misma naturaleza en los que existan construcciones paralizadas, ruinosas o derruidas.

El Sr. C, particular, ha llegado a un acuerdo con la empresa promotora PROIN S.A., por la que le transmitirá un solar de su propiedad para que la citada entidad pueda iniciar la construcción de unas viviendas. El precio pactado ha sido de X €.

En este caso, al ser el Sr. C un particular, no existe ni tan siquiera sujeción al IVA. En el supuesto de que el solar fuera entregado por un empresario o profesional, la operación sí estaría plenamente sujeta a este impuesto.

21. *Apartado suprimido.*

22. Las segundas y ulteriores entregas de edificaciones, incluidos los te rrenos en que se hallen enclavadas, cuando se realicen una vez terminada su construcción o rehabilitación, incluidos aquellos terrenos en que se hayan realizado las obras de urbanización accesorias a las mismas. Tratándose de viviendas unifamiliares los terrenos urbanizados de carácter accesorio no podrán exceder de 5.000 metros cuadrados.

Se considera primera entrega (y, por tanto, está plenamente sujeta al impuesto) la que realice el promotor cuando tenga por objeto una edificación cuya construcción o rehabilitación esté terminada. Sin embargo no se considera primera entrega, sino segunda o ulterior (y, por tanto, exenta de IVA), la que realiza el promotor después de la utilización ininterrumpida del inmueble durante un plazo igual o superior a dos años por su propietario (el propio promotor) o por arrendatarios sin opción de compra u otros titulares de derechos de goce o disfrute, salvo que quien adquiera el inmueble sea precisamente el propio arrendatario o titular de los derechos citados, en cuyo caso sí deberá repercutirse el IVA.

La empresa FFF, S.L. ha decidido vender a la empresa BBB S.A. uno de sus almacenes que FFF había adquirido en 1987. Esta entrega es ya la segunda o posterior, por tanto, que experimenta el inmueble, por lo que está exenta del IVA.

La sociedad promotora AAA S.A. promovió hace cuatro años la construcción de unos locales que hasta ahora ha estado utilizando. En el día de hoy decide venderlos.

Aunque en realidad nunca ha existido una transmisión previa del bien, AAA no deberá repercutir IVA sobre el comprador por haber transcurrido más de dos años de utilización del inmueble por el promotor.

La inmobiliaria OCK S.L. promovió hace cinco años un inmueble que fue destinado a arrendamiento de viviendas y locales de negocio. Los arrendatarios han estado alquilando el bien durante los cinco años citados. En tal supuesto, si OCK S.L. decidiera venderles a cada uno la parte de la edificación que han estado utilizando, dicha entrega estaría plenamente sujeta al impuesto (lo cual se ajusta a la regla normal de que la primera entrega tributa plenamente). Pero si se lo vendiese a terceros que no hubiesen estado utilizando el bien, tal entrega sí estaría exenta..

Asimismo, la rehabilitación, para considerarse como tal, debe cumplir dos requisitos:

Tener por objeto principal la reconstrucción de la edificación mediante obras de consolidación y tratamiento de las estructuras, fachadas, cubiertas o con obras análogas o conexas a las de rehabilitación, y se entenderá cumplido este requisito cuando más del 50% del coste total del proyecto de rehabilitación se corresponda con las citadas obras.

A estos efectos señalar que:

Se considerarán obras análogas a las de rehabilitación las siguientes:

a)   Las de adecuación estructural que proporcionen a la edificación condiciones de seguridad constructiva, de forma que quede garantizada su estabilidad y resistencia mecánica.

b)   Las de refuerzo o adecuación de la cimentación así como las que afecten o consistan en el tratamiento de pilares o forjados.

c)   Las de ampliación de la superficie construida, sobre y bajo rasante.

d)   Las de reconstrucción de fachadas y patios interiores.

e)   Las de instalación de elementos elevadores, incluidos los destinados a salvar barreras arquitectónicas para su uso por discapacitados.

Que el coste total de las obras a que se refiera el proyecto exceda del 25% del precio de adquisición de la edificación si se hubiese efectuado aquélla durante los dos años inmediatamente anteriores al inicio de las obras de rehabilitación o, en otro caso, del valor de mercado que tuviera la edificación o parte de la misma en el momento de dicho inicio. A estos efectos, se descontará del precio de adquisición o del valor de mercado de la edificación la parte proporcional correspondiente al suelo.

Se considerarán obras conexas a las de rehabilitación las que se citan a continuación cuando su coste total sea inferior al derivado de las obras de consolidación o tratamiento de elementos estructurales, fachadas o cubiertas y, en su caso, de las obras análogas a estas, siempre que estén vinculadas a ellas de forma indisociable y no consistan en el mero acabado u ornato de la edificación ni en el simple mantenimiento o pintura de la fachada:

a) Las obras de albañilería, fontanería y carpintería.

b) Las destinadas a la mejora y adecuación de cerramientos, instalaciones eléctricas, agua y climatización y protección contra incendios.

c) Las obras de rehabilitación energética.

Se considerarán obras de rehabilitación energética las destinadas a la mejora del comportamiento energético de las edificaciones reduciendo su demanda energética, al aumento del rendimiento de los sistemas e instalaciones térmicas o a la incorporación de equipos que utilicen fuentes de energía renovables.

Finalmente, la norma precisa que la exención no se aplica (debiéndose, por consiguiente, repercutir el impuesto):

a) A las entregas de edificaciones que realizan las empresas de arrendamiento financiero en los casos de ejercicio de la opción de compra.

b) A las entregas de edificaciones para su rehabilitación por el adquirente.

c) A las entregas de edificaciones que vayan a ser demolidas con carácter previo a una nueva promoción urbanística.

 La empresa A es propietaria de un inmueble que compró en 1950.

Lo ha enajenado a la empresa B, que va a proceder a su demolición para la posterior construcción de un edificio de oficinas en alquiler.

Aun tratándose de una segunda transmisión del inmueble (la primera fue cuando A lo adquirió), la operación queda, sin embargo, sujeta al IVA.

Tal situación no perjudica, como inicialmente ha podido parecer, al comprador. Este soportará el IVA correspondiente, pero podrá deducirlo en sus declaraciones. Si la operación hubiese quedado exenta de IVA, entonces B tendría que abonar el correspondiente ITP que no es deducible respecto de ningún otro tributo y, por tanto, se vería ante una situación menos ventajosa que la que le proporciona el IVA.

**Nota relativa a los apartados 20 y 22**:

Las exenciones de carácter inmobiliario relativas a los apartados 20° y 22° podrán ser objeto de renuncia por el sujeto pasivo, cuando el adquirente sea un sujeto pasivo que actúe en el ejercicio de sus actividades empresariales o profesionales y se le atribuya el derecho a efectuar la deducción total o parcial del Impuesto soportado al realizar la adquisición o, cuando no cumpliéndose lo anterior, en función de su destino previsible, los bienes adquiridos vayan a ser utilizados, total o parcialmente, en la realización de operaciones, que originen el derecho a la deducción.

 La empresa Cofrutaco, dedicada a la venta de todo tipo de fruta, decide cesar en su actividad y vender la nave que tenía en Mercavalencia, adquirida hace diez años a la empresa Todofruta, S.L.

Al tratarse de una segunda entrega o transmisión del citado inmueble estaría exenta de IVA. No obstante, Todofruta, S.L. podría renunciar a la exención de IVA, y tributar por IVA y no por ITP, porque como ya conocemos el IVA es un impuesto neutro y recuperable.

El requisito que exige la norma es que el adquirente o destinatario de la operación sea un sujeto pasivo que tenga derecho a la deducción total o parcial del IVA soportado en la adquisición, o que por su destino previsible, se pueda determinar que los bienes adquiridos se vayan a utilizar, total o parcialmente, en operaciones que generen derecho a la deducción.

Esta opción interesará sobremanera al comprador porque como hemos visto el IVA es un impuesto neutro y recuperable, mientras que el impuesto de transmisiones patrimoniales no lo es.

 El Sr. Álvarez es propietario de un inmueble que explota como garaje. Ha decidido poner fin a la actividad y transmite el inmueble en cuestión a la empresa B S.A.

Al tratarse de una segunda transmisión de la edificación, en principio la operación quedaría exenta de IVA, pero el comprador preferiría satisfacer este impuesto antes que el ITP, pues, aunque el tipo de gravamen es mayor, el IVA podrá deducirlo en su declaración trimestral. Para que el Impuesto sobre el Valor Añadido se exija plenamente, el Sr. Álvarez renunciará, a la exención.

23. Los arrendamientos y la constitución y transmisión de derechos reales de goce o disfrute, cuando tengan por objeto los siguientes bienes:

   a) Terrenos, incluidas las construcciones agrarias para la explotación de una finca rústica.

   b) Edificios, o partes de los mismos, destinados exclusivamente a viviendas, o a su posterior arrendamiento por entidades gestoras de programas públicos de apoyo a la vivienda o por sociedades acogidas al régimen especial de Entidades dedicadas al arrendamiento de viviendas establecido en el Impuesto sobre Sociedades. La exención se extenderá a los garajes y anexos accesorios a las viviendas y los muebles, arrendados conjuntamente con aquellos.

   Sin embargo, la exención no se extiende a:

   a) Arrendamiento de terrenos para estacionamiento de vehículos.

   b) Arrendamiento de terrenos para depósito o almacenaje de bienes, o para instalar en ellos una actividad empresarial.

   c) Arrendamiento de terrenos para exposiciones o publicidad.

   d) Arrendamiento con opción de compra de terrenos o viviendas cuya entrega está sujeta y no exenta al impuesto.

   e) Arrendamiento de apartamentos o viviendas amueblados, cuando el arrendador presta servicios complementarios tales como restaurante, limpieza, lavado de ropa u otros análogos.

   f) Arrendamiento de edificios o parte de los mismos para ser subarrendados.

   g) Los arrendamientos de edificios o parte de los mismos asimilados a viviendas de acuerdo con lo dispuesto en la Ley de Arrendamientos Urbanos.

   h) La constitución o transmisión de derechos reales de goce o disfrute sobre los bienes anteriores.

   i) La constitución o transmisión de derechos reales de superficie.

24. La entrega de bienes que el transmitente ha utilizado en la realización de operaciones exentas, siempre que no se le haya atribuido el derecho a efectuar la deducción total o parcial del impuesto soportado cuando adquirió los bienes que a hora se transmiten.

   Se entiende que tal derecho no le ha sido atribuido, incluso aunque hubiese sido de aplicación la regla de prorrata (y, por tanto, sí dedujo alguna parte del

IVA soportado), cuando el transmitente puede acreditar que utilizó el bien exclusivamente en la realización de operaciones exentas.

 Un colegio venderá próximamente, por renovación, parte de su antiguo mobiliario de las aulas. En tal caso, dado que el colegio realiza una actividad exenta, también lo estará la venta de los bienes en cuestión.

No obstante, esta exención no se aplicará (y, por tanto, deberá repercutirse el impuesto) en los siguientes casos:

a)  A las entregas de bienes de inversión durante el período de regularización.

b)  Cuando resultan procedentes las exenciones inmobiliarias contempladas en los números 20 y 22 del artículo 20 LIVA.

25.  Las entregas de bienes cuya adquisición, afectación o importación o la de sus elementos componentes hubiese determinado la exclusión total del derecho a deducir el IVA soportado, según lo establecido en la normativa del impuesto (arts. 95 y 96 de la LIVA).

 La empresa C adquirió determinados bienes destinados a atenciones a clientes y al personal, por lo que no pudo deducir las cuotas de IVA que soportó en las adquisiciones.

Posteriormente, rotas las relaciones comerciales con uno de estos clientes, ha decidido enajenar el bien que tenía preparado como obsequio para él. En tal caso, dicha venta estará exenta del impuesto.

26.  Los servicios profesionales prestados por artistas plásticos, escritores, colaboradores literarios, gráficos y fotográficos de periódicos y revistas, compositores musicales, autores de obras teatrales y de argumento, adaptación, guión y diálogos de obras audiovisuales, traductores y adaptadores.

27.  *Apartado suprimido en el artículo 20 LIVA.*

28.  Las prestaciones de servicios y las entregas de bienes realizadas por los partidos políticos con motivo de manifestaciones destinadas a reportarles un apoyo financiero para el cumplimiento de su finalidad específica y organizadas en su exclusivo beneficio.

**Exenciones técnicas:**

La exención técnica en el IVA evita repercutir el impuesto en la venta de bienes que en su día fueron adquiridos sin derecho a deducción (total o parcial) del IVA soportado, o bien utilizados en actividades exentas. Con ello se pretende evitar la doble imposición, al no gravar por segunda vez un bien cuyo IVA inicial no se pudo deducir.

De ahí que estén exentas las entregas de bienes que hayan sido utilizados por el transmitente en la realización de operaciones exentas, siempre que al sujeto pasivo no se le haya atribuido el derecho a deducir total o parcialmente el impuesto soportado en la adquisición de tales bienes (o de sus elementos componentes); así como las entregas de bienes cuya adquisición hubiera determinado la exclusión total del derecho a deducir el IVA soportado.

Está exención técnica no se aplicará:

1.  A las entregas de bienes de inversión durante su período de regularización.

2.  A las entregas de bienes inmuebles exentas del impuesto por tratarse de terrenos no edificables y/o de segundas o ulteriores entregas de edificaciones (exenciones inmobiliarias).

Un médico vende el local donde tenía su consulta, adquirido hace doce años, a un empresario que tiene derecho a la deducción total del impuesto. El adquirente solicita al médico (transmitente) que renuncie a la exención y este accede. En este caso es correcta la renuncia a la exención, pues la exención aplicable es la de las operaciones inmobiliarias (que es susceptible de renuncia) y no la exención técnica (no renunciable).

## 2.6. Lugar de realización del hecho imponible en operaciones interiores

### 2.6.1. Lugar de realización de las entregas de bienes

Las entregas de bienes que no son objeto de transporte o expedición se entienden realizadas en el territorio de aplicación del impuesto (TAI) y, por tanto, están sujetas, cuando los bienes se pongan a disposición del adquirente en dicho territorio.

Una empresa sevillana vende bienes a una empresa de la misma localidad andaluza.

Específicamente, de acuerdo con el art. 68 de la LIVA, también se entienden realizadas en el territorio de aplicación del impuesto y, por consiguiente, deberá repercutirse el IVA que corresponda, las siguientes operaciones:

1. Entregas de bienes que sí han de ser objeto de expedición o transporte para su puesta a disposición del adquirente, cuando la expedición o transporte se inicie en el TAI.

   No obstante, cuando el lugar de iniciación de la expedición o del transporte de los bienes que hayan de ser objeto de importación esté situado en un país tercero, las entregas de los mismos efectuadas por el importador y, en su caso, por sucesivos adquirentes se entenderán realizadas en el territorio de aplicación del Impuesto.

 Una empresa española vende bienes a una empresa suiza, transportándolos en avión desde el aeropuerto de Manises en Valencia.

   Tratándose de bienes objeto de entregas sucesivas, enviados o transportados con destino a otro Estado miembro directamente desde el primer proveedor al adquirente final de la cadena, la expedición o transporte se entenderá vinculada únicamente a la entrega de bienes efectuada a favor del intermediario.

   No obstante, la expedición o el transporte se entenderá vinculada únicamente a la entrega efectuada por el intermediario cuando hubiera comunicado a su proveedor un número de identificación fiscal a efectos del Impuesto sobre el Valor Añadido suministrado por el Reino de España.

   A los efectos de los dos párrafos anteriores, se entenderá por intermediario un empresario o profesional distinto del primer proveedor, que expida o transporte los bienes directamente, o por un tercero en su nombre y por su cuenta.

   Lo anterior no será de aplicación a los supuestos previstos en el artículo 8 bis de LIVA (entregas de bienes facilitadas a través de una interfaz digital).

2. Las entregas de los bienes que hayan de ser objeto de instalación o montaje antes de su puesta a disposición, cuando la instalación se ultime en el referido territorio y siempre que la instalación o montaje implique la inmovilización de los bienes entregados.

 Una empresa española adquiere de una empresa chilena una grúa que debe ser montada en España y que una vez montada e instalada quedará inmovilizada. El coste de la grúa se fija en 1.000 u.m. y el de la instalación en 350 u.m. En tal caso la operación se entiende como una entrega de bienes interior en la que el empresario chileno debe repercutir el IVA español sobre su cliente en la península.

3. Entregas de bienes inmuebles que radiquen en el territorio de aplicación del impuesto.

 Una empresa jerezana vende unos terrenos que tenía en Córdoba.

4. Entregas de bienes a pasajeros a bordo de un buque, avión o tren, en el curso de la parte de un transporte realizada en el interior de la Unión Europea, cuyo lugar de inicio se encuentre en el ámbito espacial del Impuesto y el lugar de llegada en otro punto de la Unión Europea.

Cuando se trate de un transporte de ida y vuelta, el trayecto de vuelta se considerará como un transporte distinto.

A estos efectos, se considerará como:

a) La parte de un transporte realizada en el interior de la Comunidad, la parte de un transporte que, sin escalas en territorios terceros, discurra entre los lugares de inicio y de llegada situados en la Comunidad.

b) Lugar de inicio, el primer lugar previsto para el embarque de pasajeros en el interior de la Comunidad, incluso después de la última escala fuera de la Comunidad.

c) Lugar de llegada, el último lugar previsto para el desembarque en la Comunidad de pasajeros embarcados también en ella, incluso antes de otra escala en territorios terceros.

5. Singularmente importante es el denominado "Régimen de las ventas a distancia" entre empresas y consumidores de la Unión Europea, dado el auge que este modelo de actividad empresarial ha experimentado en los últimos años. El problema básico a determinar es qué IVA ha de aplicarse (es decir, si corresponde el español o el de otro Estado de la Unión) cuando el empresario opera

en un país y el consumidor final (que es quién pagará el impuesto) se encuentra en otro distinto, siempre en el ámbito de la UE.

La LIVA establece que se entenderán realizadas en el territorio de aplicación del Impuestos las siguientes ventas a distancia:

a) Las ventas a distancia intracomunitarias de bienes cuando dicho territorio sea el lugar de llegada de la expedición o del transporte con destino al cliente.

La regla anterior no resultará de aplicación cuando se cumplan los siguientes requisitos:

— Que las ventas sean efectuadas por un empresario o profesional que actúe como tal establecido únicamente en otro Estado miembro por tener en el mismo la sede de su actividad económica o su único establecimiento o establecimientos permanentes en la Unión Europea o, en su defecto, el lugar de su domicilio permanente o residencia habitual.

— Que no se haya superado el límite previsto en el artículo 73 de LIVA, ni se haya ejercitado la opción de tributación en destino prevista en dicho artículo, o sus equivalentes en la legislación del Estado miembro referido en la letra a').

b) Las ventas a distancia intracomunitarias de bienes efectuadas por un empresario o profesional que actúe como tal establecido únicamente en el territorio de aplicación del impuesto por tener en el mismo la sede de su actividad económica, o su único establecimiento o establecimientos permanentes en la Unión Europea, o, en su defecto, el lugar de su domicilio permanente o residencia habitual; y se cumplan los siguientes requisitos:

— Cuando el territorio de aplicación del impuesto sea el lugar de inicio de la expedición o del transporte con destino al cliente.

— Que no se haya superado el límite previsto en el artículo 73 de LIVA (10.000 euros), ni se haya ejercitado la opción de tributación en destino prevista en dicho artículo.

c) Las ventas a distancia de bienes importados de países o territorios terceros en un Estado miembro distinto del de llegada de la expedición o del transporte con destino al cliente, cuando el territorio de aplicación del impuesto sea el lugar de llegada de dicha expedición o transporte.

d) Las ventas a distancia de bienes importados de países o territorios terceros en el Estado miembro de llegada de la expedición o del transporte con destino al cliente cuando el territorio de aplicación del impuesto sea el lugar de llegada de dicha expedición o transporte, siempre que se declare el impuesto sobre el valor añadido de dichas ventas mediante el régimen especial del Título IX, Capítulo XI, Sección 4.ª de LIVA.

Lo previsto en este apartado no resultará de aplicación a los bienes cuyas entregas hayan tributado conforme al régimen especial de bienes usados, objetos de arte, antigüedades y objetos de colección en el Estado miembro de inicio de la expedición o transporte.

> Una empresa francesa comercializa, mediante ventas a distancia, cintas magnéticas y soportes en CD conteniendo diferentes tipos de música. Sus ventas en España fueron, el año pasado, de 150.000,00 €.
>
> En tal caso, tales ventas se entienden realizadas en España y debe aplicarse el IVA español.
>
> Si la facturación de la empresa francesa hubiera sido de 5.000,00 €, tales ventas se entenderían entonces localizadas en Francia, se aplicaría el IVA francés y el impuesto sería ingresado en la Hacienda francesa por la empresa vendedora.

6. Las entregas de gas a través de una red de gas natural situada en el territorio de la Unión Europea o de cualquier red conectada a dicha red, las entregas de electricidad o las entregas de calor o de frío a través de las redes de calefacción o de refrigeración, se entenderán efectuadas en el territorio de aplicación del impuesto siempre que se cumplan determinados requisitos establecidos en el artículo 68.6 LIVA.

## 2.6.2. Lugar de realización de las prestaciones de servicios

Del mismo modo que se ha hecho para las entregas de bienes, es necesario precisar cuándo se entiende que un servicio ha sido realizado en el territorio de aplicación del impuesto y, por consiguiente, debe gravarse con el IVA vigente en el mismo.

El art. 69 de la LIVA establece como **regla general** que una prestación de servicios se entiende realizada en el TAI cuando el prestador de los mismos tenga situada la sede de su actividad en ese territorio y el destinatario de los mismos no sea un empresario o profesional actuando como tal.

Desde este criterio general, para determinar dónde se ha realizado la prestación del servicio lo relevante no reside en el lugar donde se ha prestado tal servicio (podría haber sido incluso fuera del territorio de aplicación del IVA español), sino en el hecho de que el prestador tiene la sede de su actividad localizada en ese territorio.

 Una empresa salmantina presta servicios de reparaciones y mantenimiento informático desde su sede de Salamanca a particulares de toda España.

Y también se consideran prestados en el TAI cuando tal destinatario de los servicios es empresario o profesional y actúa como tal y radica en TAI la sede de su actividad económica o establecimiento permanente o, en su defecto, domicilio o residencia habitual siempre que el servicio tenga por destinatario tal sede, establecimiento, domicilio o residencia.

 Una empresa constructora establecida en Toledo recibe asesoramiento en su sede de salmantina de un arquitecto leones y de otro arquitecto alemán establecido en Hamburgo.

Cuando el destinatario no sea un empresario o profesional actuando como tal, siempre que los servicios se presten por un empresario o profesional y la sede de su actividad económica o establecimiento permanente desde el que los preste o, en su defecto, el lugar de su domicilio o residencia habitual, se encuentre en el territorio de aplicación del Impuesto.

No se entenderán realizados en el territorio de aplicación del Impuesto los servicios que se enumeran a continuación cuando el destinatario de los mismos no sea un empresario o profesional actuando como tal y esté establecido o tenga su domicilio o residencia habitual fuera de la Unión Europea, salvo en el caso de que dicho destinatario esté establecido o tenga su domicilio o residencia habitual en las Islas Canarias, Ceuta o Melilla:

a) Las cesiones y concesiones de derechos de autor, patentes, licencias, marcas de fábrica o comerciales y los demás derechos de propiedad intelectual o industrial, así como cualesquiera otros derechos similares.

b) La cesión o concesión de fondos de comercio, de exclusivas de compra o venta o del derecho a ejercer una actividad profesional.

c) Los de publicidad.

d) Los de asesoramiento, auditoría, ingeniería, gabinete de estudios, abogacía, consultores, expertos contables o fiscales y otros similares, con excepción de los comprendidos en el número 1.º del apartado Uno del artículo 70 de esta Ley.

243

e)  Los de tratamiento de datos y el suministro de informaciones, incluidos los procedimientos y experiencias de carácter comercial.

f)  Los de traducción, corrección o composición de textos, así como los prestados por intérpretes.

g)  Los de seguro, reaseguro y capitalización, así como los servicios financieros, citados respectivamente por el artículo 20, apartado Uno, números 16.º y 18.º, de esta Ley, incluidos los que no estén exentos, con excepción del alquiler de cajas de seguridad.

h)  Los de cesión de personal.

i)  El doblaje de películas.

j)  Los arrendamientos de bienes muebles corporales, con excepción de los que tengan por objeto cualquier medio de transporte y los contenedores.

k)  La provisión de acceso a las redes de gas natural situadas en el territorio de la Unión Europea o a cualquier red conectada a dichas redes, a la red de electricidad, de calefacción o de refrigeración, y el transporte o distribución a través de dichas redes, así como la prestación de otros servicios directamente relacionados con cualesquiera de los servicios comprendidos en esta letra.

l)  Las obligaciones de no prestar, total o parcialmente, cualquiera de los servicios enunciados.

- **Reglas especiales para la localización de los servicios**

Se entenderán también prestados en el territorio de aplicación del impuesto los siguientes servicios:

1.  Los relacionados con bienes inmuebles que radiquen en el citado territorio. Se considerarán relacionados con bienes inmuebles, entre otros, los siguientes servicios:

    a)  El arrendamiento o cesión de uso por cualquier título de dichos bienes, incluidas las viviendas amuebladas.

    b)  Los relativos a la preparación, coordinación y realización de las ejecuciones de obra inmobiliarias.

    c)  Los de carácter técnico relativos a dichas ejecuciones de obra, incluidos los prestados por arquitectos, arquitectos técnicos e ingenieros.

    d)  Los de gestión relativos a bienes inmuebles u operaciones inmobiliarias.

    e)  Los de vigilancia o seguridad relativos a bienes inmuebles.

f)   Los de alquiler de cajas de seguridad.

g)   La utilización de vías de peaje.

h)   Los de alojamiento en establecimientos de hostelería, acampamento y balneario.

 Una empresa ha pedido a una agencia inmobiliaria que le tasen el valor de mercado de un edificio que tiene en el Barrio del Puerto de Cádiz.

2.   Los de transporte que se citan a continuación, por la parte de trayecto que discurra por el territorio de aplicación del impuesto

a)   Los de transporte de pasajeros, cualquiera que sea su destinatario.

 IBERIA traslada a pasajeros desde Valencia hasta Estambul.

b)   Los de transporte de bienes distintos de los intracomunitarios cuyo destinatario no sea un empresario o profesional actuando como tal.

 IBERIA lleva los muebles y enseres de un matrimonio que se traslada de Málaga a vivir a León.

3.   El acceso a manifestaciones culturales, artísticas, deportivas, científicas, educativas, recreativas o similares, como las ferias y exposiciones, y los servicios accesorios al mismo, siempre que su destinatario sea un empresario o profesional actuando como tal y dichas manifestaciones tengan lugar efectivamente en el citado territorio. En este caso, a los servicios, distintos del acceso, prestados a empresarios o profesionales, se aplicará la regla general de tributación en destino. Del mismo modo, también en el caso en el que el destinatario sea un particular y no tenga la condición de empresario o profesional, el servicio debe localizarse en el TAI, siempre que el evento tenga lugar en dicho ámbito espacial (consulta DGT V0010-16).

 El Ayuntamiento del municipio organiza la XI edición de la feria internacional del turismo, FITUR, para empresarios nacionales y extranjeros, encargándose al final de la edición de trasladarles en taxi hasta sus respectivos hoteles o domicilios.

A estos efectos, se considerarán accesorios los servicios de transporte a los servicios de la feria internacional citada.

4. Los prestados por vía electrónica, de telecomunicacioes y de radiodifusión y televisión, cuando el destinatario no sea un empresario o profesional actuando como tal, siempre que este se encuentre establecido o tenga su residencia o domicilio habitual en el territorio de aplicación del Impuesto cuando concurran los siguientes requisitos:

   a) Que sean efectuados por un empresario o profesional que actúe como tal establecido únicamente en otro Estado miembro por tener en el mismo la sede de su actividad económica, o su único establecimiento o establecimientos permanentes en la Unión Europea, o, en su defecto, el lugar de su domicilio permanente o residencia habitual; y

   b) Que se haya superado el límite previsto en el artículo 73 de LIVA (10.000 euros) o que se haya ejercitado la opción de tributación en destino prevista en dicho artículo.

Lo previsto en este número será de aplicación, a las prestaciones de servicios efectuadas durante el año en curso hasta que haya superado el límite cuantitativo indicado en el párrafo anterior.

Que sean efectuados por un empresario o profesional que actúe como tal distinto de los referidos en la letra a') anterior.

 La empresa japonesa KIOR presta servicios de suministro de películas a doña Clara Beltrán, jubilada residente en Castellón.

5. Los de restaurante y catering en los siguientes supuestos:

   a) Los prestados a bordo de un buque, de un avión o de un tren, en el curso de la parte de un transporte de pasajeros realizado en la Unión Europea cuyo lugar de inicio se encuentre en el territorio de aplicación del Impuesto.

Parte de un transporte de pasajeros realizado en la Unión Europea: la parte de un transporte de pasajeros que, sin hacer escala en un país o territorio tercero, discurra entre los lugares de inicio y de llegada situados en la Unión Europea.

Lugar de inicio: el primer lugar previsto para el embarque de pasajeros en la Unión Europea, incluso después de la última escala fuera de la Unión Europea.

Lugar de llegada: el último lugar previsto para el desembarque en la Unión Europea de pasajeros embarcados también en ella, incluso antes de otra escala hecha en un país o territorio tercero.

Cuando se trate de un transporte de ida y vuelta, el trayecto de vuelta se considerará como un transporte distinto.

IBERIA traslada a pasajeros desde Valencia hasta Hamburgo, ofreciendo servicios de restauración y catering a los viajeros.

b)   Los restantes servicios de restaurante y catering cuando se presten materialmente en el territorio de aplicación del Impuesto.

El restaurante CANDASA, establecido en Segovia, ofrece de lunes a domingo la especialidad de la casa "cochinillo al horno" a sus comensales por 50 euros por persona.

6.   Los de mediación en nombre y por cuenta ajena cuyo destinatario no sea un empresario o profesional actuando como tal, siempre que las operaciones respecto de las que se intermedie se entiendan realizadas en el territorio de aplicación del Impuesto de acuerdo con lo dispuesto en la LIVA.

Una pareja que piensa casarse en dos meses encarga a la agencia inmobiliaria "El buen Hogar", establecida en Lugo, que les localice una vivienda familiar de 100 metros cuadrados en A Coruña, abonándole para ello una comisión de 3.000,00 €.

7.   Los que se enuncian a continuación, cuando se presten materialmente en dicho territorio y su destinatario no sea un empresario o profesional actuando como tal:

a) Los servicios accesorios a los transportes tales como la carga y descarga, transbordo, manipulación y servicios similares.

 Un funcionario de hacienda encarga a la empresa del aeropuerto de Sevilla le descarguen y depositen en su vehículo dos televisiones que ha comprado en Japón y han llegado por avión.

b) Los trabajos y las ejecuciones de obra realizados sobre bienes muebles corporales y los informes periciales, valoraciones y dictámenes relativos a dichos bienes.

c) Los servicios relacionados con manifestaciones culturales, artísticas, deportivas, científicas, educativas, recreativas, juegos de azar o similares, como las ferias y exposiciones, incluyendo los servicios de organización de los mismos y los demás servicios accesorios a los anteriores.

 Un jubilado de Cuenca encarga a una empresa de la zona le ensamble una avioneta que se encuentra desmontada en piezas que tenía guardada en el garaje y que había adquirido en una subasta del Ejército del Aire.

8. Los prestados por vía electrónica, de telecomunicaciones y de radiodifusión y televisión, cuando concurran los siguientes requisitos:

a) Que el destinatario no sea un empresario o profesional actuando como tal, siempre que este se encuentre establecido o tenga su residencia o domicilio habitual en otro Estado miembro.

b) Que sean efectuados por un empresario o profesional que actúe como tal establecido únicamente en el territorio de aplicación del Impuesto por tener en el mismo la sede de su actividad económica, o su único establecimiento permanente en el territorio de la Unión Europea, o, en su defecto, el lugar de su domicilio permanente o residencia habitual.

c) Que no se haya superado el límite previsto en el artículo 73 de LIVA (10.000 euros), ni se haya ejercitado la opción de tributación en destino prevista en dicho artículo.

Lo previsto en este número será de aplicación, a las prestaciones de servicios efectuadas durante el año en curso hasta que haya superado el límite cuantitativo indicado en el párrafo anterior.

Dichos empresarios o profesionales podrán optar por no aplicar lo dispuesto en este número, en la forma que reglamentariamente se establezca aunque no hayan superado el límite de 10.000 euros. La opción comprenderá, como mínimo, dos años naturales.

9. Los servicios de arrendamiento de medios de transporte en los siguientes casos

   a) Los de arrendamiento a corto plazo cuando los medios de transporte se pongan efectivamente en posesión del destinatario en el citado territorio.

   b) Los de arrendamiento a largo plazo cuando el destinatario no tenga la condición de empresario o profesional actuando como tal siempre que se encuentre establecido o tenga su domicilio o residencia habitual en el citado territorio.

   No obstante, cuando los arrendamientos a largo plazo cuyo destinatario no sea un empresario o profesional actuando como tal tengan por objeto embarcaciones de recreo, se entenderán prestados en el territorio de aplicación del Impuesto cuando estas se pongan efectivamente en posesión del destinatario en el mismo siempre que el servicio sea realmente prestado por un empresario o profesional desde la sede de su actividad económica o un establecimiento permanente situado en dicho territorio.

   A estos efectos, se entenderá por corto plazo la tenencia o el uso continuado de los medios de transporte durante un período ininterrumpido no superior a treinta días y, en el caso de los buques, no superior a noventa días.

 Un empresario madrileño alquila una furgoneta a una empresa del sector, durante quince días, para realizar unos trabajos de carpintería en Ávila.

10. Asimismo, se considerarán prestados en el territorio de aplicación del Impuesto los servicios que se enumeran a continuación cuando, conforme a las reglas de localización aplicables a estos servicios, no se entiendan realizados en la Unión Europea, Islas Canarias, Ceuta o Melilla, pero su utilización o explotación efectivas se realicen en dicho territorio:

   1. Los enunciados en el apartado dos del artículo 69 de la LIVA, cuyo destinatario no tenga la consideración de empresario o profesional actuando como tal.

   2. Los de arrendamiento de medios de transporte.

Recordemos los servicios que se regulan en el artículo 69 dos LIVA:

a) Las cesiones y concesiones de derechos de autor, patentes, licencias, marcas de fábrica o comerciales y los demás derechos de propiedad intelectual o industrial, así como cualesquiera otros derechos similares.

b) La cesión o concesión de fondos de comercio, de exclusivas de compra o venta o del derecho a ejercer una actividad profesional.

c) Los de publicidad.

 Un empresa vallisoletana encarga una campaña publicitaria para la comunidad autónoma de Castilla y León a una empresa establecida en Roma.

d) Los de asesoramiento, auditoría, ingeniería, gabinete de estudios, abogacía, consultores, expertos contables o fiscales y otros similares, con excepción de los comprendidos en el número 1º del apartado Uno del artículo 70 de la LIVA.

 Un empresa malagueña solicita asesoramiento jurídico a un prestigioso abogado establecido en Lisboa.

e) Los de tratamiento de datos y el suministro de informaciones, incluidos los procedimientos y experiencias de carácter comercial.

f) Los de traducción, corrección o composición de textos, así como los prestados por intérpretes.

g) Los de seguro, reaseguro y capitalización, así como los servicios financieros, citados respectivamente por el artículo 20, apartado Uno, números 16º y 18º, de la LIVA, incluidos los que no estén exentos, con excepción del alquiler de cajas de seguridad.

h) Los de cesión de personal.

i) El doblaje de películas.

j) Los arrendamientos de bienes muebles corporales, con excepción de los que tengan por objeto cualquier medio de transporte y los contenedores.

k) La provisión de acceso a los sistemas de distribución de gas natural o electricidad o a cualquier red conectada a dichas redes, a la red de electricidad, de calefacción o de refrigeración, el transporte o transmisión de gas y electricidad a través de dichos sistemas, así como la prestación de otros servicios directamente relacionados con cualesquiera de los servicios comprendidos en esta letra.

l) Las obligaciones de no prestar, total o parcialmente, cualquiera de los servicios enunciados en este número.

La empresa ZZZ SL, residente en Almería, solicita los siguientes servicios:

- Con el bufete de abogados HEAL Ess, domiciliada en el Reino Unido, el asesoramiento y desarrollo de una campaña de publicidad en TVE. En el listado anterior se encuentran los servicios de publicidad, por lo que la operación se entiende localizada en España y tiene lugar la inversión del sujeto pasivo.

- Con la empresa ESC Limited, domiciliada en Colombia y especializada en seguridad, ha contratado un servicio de escolta personal para dos de sus directivos con ocasión que el viaje que los mismos realizarán próximamente a algunos países de América. Dichos servicios, que también tienen como destinataria a la empresa española, no se encuentran en el listado anterior, por lo que no pueden entenderse realizados en España, pues el prestador tampoco tiene en dicho país la sede de su actividad. El servicio citado no queda sujeto al IVA español.

Unos abogados de Lleida prestan sus servicios a:

⇨ Un cliente estadounidense: la operación no está sujeta al IVA español.

⇨ Un particular residente en París: deberá repercutir el IVA español.

⇨ Un empresario francés: la operación no está sujeta al IVA español sino al IVA francés, debiendo este empresario proceder a realizar la "inversión" antes estudiada.

⇨ Un empresario canario: la operación no está sujeta al IVA español.

⇨ Un particular canario: deberá repercutirse el IVA.

Una empresa española contrata los servicios de consultoría de una empresa luxemburguesa. El servicio es prestado por esta última empresa, pero será la entidad española la que actuará como sujeto pasivo, es decir, la que debe repercutir el impuesto.

Asimismo, como la propia empresa española es la destinataria del servicio, será ella quien deba soportar el IVA que se repercute, motivo por el cual en su declaración aparecerán reflejados, suponiendo un coste del servicio de 6.000,00 €, los siguientes importes:

Base imponible: 6.000,00 €.

IVA repercutido: 1.260,00 € que se "autorepercute" sobre sí misma, al invertirse el sujeto pasivo (que en una situación normal sería el empresario que presta el servicio).

IVA soportado: 1.260,00 €.

## 2.7.  Sujeto pasivo

El sujeto pasivo está regulado en los artículos 84 a 89 de la LIVA. Son sujetos pasivos del IVA:

a)  Los **empresarios o profesionales que realicen las entregas de bienes o presten los servicios** sujetos al impuesto.

El empresario que vende el bien o el profesional que presta el servicio son los sujetos pasivos del IVA, es decir, quienes deberán proceder a hacer efectivo su ingreso en la Hacienda Pública.

Esto no es incompatible con que el hecho de que el IVA sea soportado por otro empresario o por un consumidor final.

b)  Los empresarios y profesionales para quienes se realicen las operaciones gravadas cuando las mismas son efectuadas por personas o entidades no establecidas en el ámbito de aplicación del Impuesto.

En tal caso, se da el supuesto identificado como "inversión del sujeto pasivo" al aparecer como tal el destinatario de las operaciones en lugar del agente económico que las realiza.

La especialidad de la inversión del sujeto pasivo consiste en que, este debe simultáneamente soportar y autorepercutirse el IVA.

Un abogado cacereño solicita los servicios de asesoramiento de un abogado danés sobre el IVA intracomunitario, cobrándole por ello 3.000,00 €.

En este caso el sujeto pasivo es el abogado cacereño que recibe los servicios en el TAI.

No será el empresario danés quien le repercuta el IVA al abogado cacereño, ya que no está establecido en el TAI, de tal forma que el empresario danés le emitirá la factura sin IVA, y simultáneamente ese abogado cacereño debe soportar y autorepercutirse el IVA por dicha operación:

Base imponible: 3000,00 €.

IVA soportado 21%: 630,00 €.

IVA autorepercutido 21%: 630,00 €.

De tal forma que no existe una tributación efectiva en la práctica (en nuestro caso 630,00 € de IVA soportado se compensan con 630,00 € de IVA repercutido, pero hay que realizarlo y declararlo así como veremos más adelante al estudiar el modelo 303).

La inversión del sujeto pasivo se da también en los empresarios o profesionales para quienes se realicen las siguientes operaciones sujetas al impuesto que se indican a continuación:

1.  Cuando se trate de entregas de oro sin elaborar o de productos semielaborados de oro, de ley igual o superior a 325 milésimas.

2.  Cuando se trate de:

    •   Entregas de desechos nuevos de la industria, desperdicios y desechos de fundición, residuos y demás materiales de recuperación constituidos por metales férricos y no férricos, sus aleaciones, escorias, cenizas y residuos de la industria que contengan metales o sus aleaciones.

        Las operaciones de selección, corte, fragmentación y prensado que se efectúen sobre los productos citados en el párrafo anterior.

    •   Entregas de desechos, desperdicios o recortes de plástico, entregas de desperdicios o desechos de papel, cartón o vidrio y entregas de desperdicios o artículos inservibles de trapos, cordeles, cuerdas o cordajes.

- Entregas de productos semielaborados resultantes de la transformación, elaboración o fundición de los metales no férricos referidos en el primer guión, con excepción de los compuestos por níquel. En particular, se considerarán productos semielaborados los lingotes, bloques, placas, barras, grano, granalla y alambrón.

3. Cuando se trate de prestaciones de servicios que tengan por objeto derechos de emisión, reducciones certificadas de emisiones y unidades de reducción de emisiones de gases de efecto invernadero.

4. Cuando se trate de las siguientes entregas de bienes inmuebles:

- Las entregas efectuadas como consecuencia de un proceso concursal.

- Las entregas exentas inmobiliarias a que se refieren los apartados 20º y 22º del art 20.Uno en las que el sujeto pasivo hubiera renunciado a la exención.

- Las entregas efectuadas en ejecución de la garantía constituida sobre los bienes inmuebles, entendiéndose, asimismo, que se ejecuta la garantía cuando se transmite el inmueble a cambio de la extinción total o parcial de la deuda garantizada o de la obligación de extinguir la referida deuda por el adquirente.

5. Cuando se trate de ejecuciones de obra, con o sin aportación de materiales, así como las cesiones de personal para su realización, consecuencia de contratos directamente formalizados entre el promotor y el contratista que tengan por objeto la urbanización de terrenos o la construcción o rehabilitación de edificaciones.

Lo establecido en el párrafo anterior será también de aplicación cuando los destinatarios de las operaciones sean a su vez el contratista principal u otros subcontratistas en las condiciones señaladas.

6. Cuando se trate de entregas de los siguientes productos:

- Plata, platino y paladio, en bruto, en polvo o semilabrado. En todo caso ha de tratarse de productos que no estén incluidos en el ámbito de aplicación del régimen especial aplicable a los bienes usados, objetos de arte, antigüedades y objetos de colección.

- Teléfonos móviles.

- Consolas de videojuegos, ordenadores portátiles y tabletas digitales.

Lo previsto en estos dos últimos casos solo se aplicará cuando el destinatario sea:

- Un empresario o profesional revendedor de estos bienes, cualquiera que sea el importe de la entrega.

- Un empresario o profesional distinto de los referidos en la letra anterior, cuando el importe total de las entregas de dichos bienes efectuadas al mismo, documentadas en la misma factura, exceda de 10.000 €, excluido el IVA.

c) Las **personas jurídicas que no actúan como empresarios o profesionales** cuando sean destinatarias de las entregas subsiguientes a las AIB que se encuentran exentas en virtud de lo regulado en el artículo 26 Tres LIVA, cuando hayan comunicado el número de identificación asignado por la Administración Española, y las prestaciones de los servicios a que se refieren los artículos 69 y 70 LIVA.

d) Sin perjuicio de lo dispuesto en los números anteriores, los empresarios o profesionales, así como las personas jurídicas que no actúen como empresarios o profesionales, que sean destinatarios de entregas de gas y electricidad o las entregas de calor o de frío a través de las redes de calefacción o de refrigeración que se entiendan realizadas en el territorio de aplicación del impuesto conforme a lo dispuesto en el apartado seis del artículo 68, siempre que la entrega la efectúe un empresario o profesional no establecido en el citado territorio y le hayan comunicado el número de identificación que a efectos del Impuesto sobre el Valor Añadido tengan asignado por la Administración española.

e) Las **herencias yacentes, comunidades de bienes** y demás entidades que, careciendo de personalidad jurídica, constituyan una **unidad económica** o un **patrimonio separado susceptible de imposición**, cuando realicen operaciones sujetas al Impuesto.

 Una comunidad de propietarios posee una serie de locales comerciales que alquila a diferentes empresas para que instalen en ellos sus comercios. La comunidad es sujeto pasivo del IVA y realiza una actividad sujeta al mismo (arrendamiento), por lo que se debe repercutir el tributo sobre los arrendatarios.

f) En el caso de AIB, quienes las realicen.

 Un empresario que adquiere cervezas a un proveedor alemán a quien comunica su número de identificación fiscal a efectos del IVA.

g) En el caso de importación de bienes, los importadores, considerándose como tales los destinatarios de los bienes, los viajeros (respecto de los bienes que conduzcan en el momento de entrar en el territorio), los propietarios de los bienes en los casos no contemplados anteriormente o, finalmente, los adquirentes, propietarios, arrendatarios o fletadores de los bienes en el caso de operaciones asimiladas a importaciones.

1. Un empresario español que adquiere cervezas mexicanas.

2. Un ciudadano turolense que declara en la aduana papiros y objetos adquiridos en Egipto.

3. El mismo ciudadano anterior sobre una estatua de faraones que no ha declarado en la aduana.

4. Una estudiante que compra por correspondencia ropa de los Estados Unidos.

Se considerarán establecidos en el territorio de aplicación del Impuesto los sujetos pasivos que tengan en el mismo la sede de su actividad económica, su domicilio fiscal o un establecimiento permanente que intervenga en la realización de las entregas de bienes y prestaciones de servicios sujetas al Impuesto.

Se entenderá que dicho establecimiento permanente interviene en la realización de entregas de bienes o prestaciones de servicios cuando ordene sus factores de producción materiales y humanos o uno de ellos con la finalidad de realizar cada una de ellas.

## 2.8. Repercusión del impuesto

Los sujetos pasivos deberán repercutir íntegramente el importe del impuesto sobre aquel para quien se realice la operación gravada, quedando este obligado a soportarlo siempre que la repercusión se ajuste a lo dispuesto en la LIVA, cualesquiera que fueran las estipulaciones existentes entre ellos.

En las entregas de bienes y prestaciones de servicios sujetas y no exentas al impuesto cuyos destinatarios fuesen entes públicos se entenderá siempre que los sujetos pasivos del impuesto, al formular sus propuestas económicas, aunque sean verbales, han incluido dentro de las mismas el IVA que, no obstante, deberá ser repercutido como partida independiente, cuando así proceda, en los documentos que se presenten para el cobro, sin que el importe global contratado experimente incremento como consecuencia de la consignación del tributo repercutido. En este sentido, los pliegos de condiciones particulares previstos en la contratación administrativa contendrán la prevención expresa de que a todos los efectos se entenderá que las ofertas de los empresarios comprenden no solo el precio de la contrata, sino también el importe del impuesto.

La repercusión del impuesto se efectuará mediante factura. La cuota repercutida se consignará de forma separada a la base imponible, incluso en los precios fijados administrativamente, indicando el tipo impositivo aplicado.

La repercusión se efectuará al tiempo de expedir y entregar la factura y debe efectuarse en el plazo de un año desde la fecha del devengo. En otro caso, el sujeto pasivo pierde el derecho a la repercusión, es decir, el sujeto estará obligado a ingresar el IVA repercutido lo haya trasladado o no al destinatario de la operación.

- ## Rectificación la repercusión del impuesto

En el artículo 89 LIVA se regula el régimen de rectificación de las cuotas repercutidas que no debe confundirse con el procedimiento de modificación de bases, tratado anteriormente y regulado en el artículo 80 LIVA.

La rectificación de las cuotas repercutidas (en las facturas emitidas) debe efectuarse en los siguientes supuestos:

1. En los casos de incorrecta fijación de dichas cuotas.

2. Cuando se produzcan las circunstancias que dan lugar a la modificación de la base imponible.

La rectificación debe efectuarse cuando se adviertan las causas de la incorrecta determinación o se produzcan las circunstancias que dan lugar a la modificación de la base imponible, siempre que no hayan transcurrido 4 años a partir del momento en que se devengó el impuesto o de la fecha en que se hayan producido las circunstancias que dan lugar a la modificación de la base imponible. Y podrá rectificarse siempre que se haya expedido factura, aunque no se haya repercutido cuota alguna.

No procederá la rectificación en los siguientes casos:

1. Cuando la rectificación sea debida a la incorrecta fijación de cuotas, implique un aumento de las cuotas repercutidas y los destinatarios no actúen como empresarios o profesionales. Excepción: en los casos de elevación legal de tipos, la rectificación puede efectuarse en el mes en que entren en vigor los nuevos tipos y en el siguiente.

2. Cuando sea la Administración Tributaria la que ponga de manifiesto, a través de las correspondientes liquidaciones, cuotas impositivas devengadas y no repercutidas mayores que las declaradas por el sujeto pasivo y resulte acreditado que dicho sujeto pasivo participaba en un fraude o que sabía o debía haber sabido, utilizando al efecto una diligencia razonable, que realizaba una operación que formaba parte de un fraude.

Cuando la rectificación de las cuotas implique un aumento de las inicialmente repercutidas y no haya mediado requerimiento previo, el sujeto pasivo deberá presentar una declaración-liquidación rectificativa aplicándose a la misma el recargo y los intereses de demora que procedan de conformidad con lo establecido en los artículos 26 y 27 de la LGT.

Cuando la rectificación determine una minoración de las cuotas inicialmente repercutidas, el sujeto pasivo podrá optar por cualquiera de las dos alternativas siguientes:

a)  Iniciar ante la Administración Tributaria el procedimiento de rectificación de autoliquidaciones previsto en el artículo 120.3 de la LGT.

b)  Regularizar la situación tributaria en la declaración-liquidación correspondiente al periodo en que deba efectuarse la rectificación o en las posteriores hasta el plazo de un año a contar desde el momento en que debió efectuarse la mencionada rectificación. En este caso, el sujeto pasivo estará obligado a reintegrar al destinatario de la operación el importe de las cuotas repercutidas en exceso.

Además de las alternativas anteriores, desde finales de 2024, hay que tener en cuenta la posibilidad de proceder a la factura rectificativa (ya estudiada en otra unidad anterior).

## 2.9.  Devengo del impuesto

La Ley establece dos reglas fundamentales:

•  El impuesto se devenga cuando se realiza la operación.

•  Cuando existen pagos anticipados anteriores a la realización de la operación, el impuesto se devenga en el momento del cobro total o parcial del precio por los importes efectivamente percibidos (salvo en entregas exentas por destinarse a otro Estado miembro).

 La permuta de solares por pisos de los edificios que sobre los mismos se construyan da lugar al devengo del IVA correspondiente a la entrega futura de los pisos por el pago anticipado que supone la entrega del solar.

### 2.9.1.  Casos en los que se devengará el impuesto

1.  En las entregas de bienes, cuando tenga lugar su puesta a disposición del adquirente o, en su caso, cuando se efectúen conforme a la legislación que les sea aplicable.

 Es indiferente el hecho de que el cobro se produzca con posterioridad. Por tanto, en las ventas a plazos se devenga el impuesto en su totalidad cuando los bienes entregados se pongan a disposición del adquirente, aunque los plazos se satisfagan posteriormente.

No obstante lo dispuesto en el párrafo anterior, en las entregas de bienes efectuadas en virtud de contratos de venta con pacto de reserva de dominio o cualquier otra condición suspensiva, de arrendamiento-venta de bienes o de arrendamiento de bienes con cláusula de transferencia de la propiedad vinculante para ambas partes, se devengará el impuesto cuando los bienes que constituyan su objeto se pongan en posesión del adquirente.

2.  En las prestaciones de servicios, cuando se presten, ejecuten o efectúen las operaciones gravadas.

    No obstante, en las prestaciones de servicios en las que el destinatario sea el sujeto pasivo y se lleven a cabo de forma continuada durante un plazo superior a un año y que no den lugar a pagos anticipados durante dicho período, el devengo del impuesto se producirá a 31 de diciembre de cada año por la parte proporcional correspondiente al período transcurrido desde el inicio de la operación o desde el anterior devengo hasta la citada fecha, en tanto no se ponga fin a dichas prestaciones de servicios.

 El IVA de los servicios prestados por los abogados y procuradores en el curso de un procedimiento judicial se devenga cuando concluya la realización del servicio, es decir, cuando concluya el procedimiento (salvo pagos anticipados).

Por excepción de lo dispuesto en los párrafos anteriores, cuando se trate de ejecuciones de obra con aportación de materiales, en el momento en que los bienes a que se refieran se pongan a disposición del dueño de la obra.

3.  En las transmisiones de bienes entre el comitente y comisionista efectuadas en virtud de contratos de comisión de venta, cuando el último actúe en nombre propio, en el momento en que el comisionista efectúe la entrega de los respectivos bienes.

    Cuando se trate de entregas de bienes efectuadas en virtud de contratos por los que una de las partes entrega a la otra bienes muebles, cuyo valor se estima en una cantidad cierta, obligándose quien los recibe a procurar su venta dentro de un plazo y a devolver el valor estimado de los bienes vendidos y el resto de los no vendidos, el devengo de las entregas relativas a los bienes vendidos se producirá cuando quien los recibe los ponga a disposición del adquirente.

4. En las transmisiones de bienes entre comisionista y comitente efectuadas en virtud de contratos de comisión de compra, cuando el primero actúe en nombre propio, en el momento en que al comisionista le sean entregados los bienes a que se refieran.

5. En los supuestos de autoconsumo, cuando se efectúen las operaciones gravadas.

   No obstante, en los casos a que se refiere el artículo 9, número 1.º, letra d), párrafo tercero de esta Ley, el impuesto se devengará:

   a) Cuando se produzcan las circunstancias que determinan la limitación o exclusión del derecho a la deducción.

   b) El último día del año en que los bienes que constituyan su objeto se destinen a operaciones que no originen el derecho a la deducción.

   c) El último día del año en que sea de aplicación la regla de prorrata general.

   d) Cuando se produzca el devengo de la entrega exenta.

6. En los arrendamientos, en los suministros y, en general, en las operaciones de tracto sucesivo o continuado, en el momento en que resulte exigible la parte del precio que comprenda cada percepción.

 Suministro de gas, suministro de energía eléctrica, arrendamientos.

En los arrendamientos, la falta de pago de la renta no impide que siga siendo obligatorio ingresar el impuesto, porque el impuesto seguirá devengándose cada vez que sea exigible el pago del alquiler.

No obstante, cuando no se haya pactado precio o cuando, habiéndose pactado, no se haya determinado el momento de su exigibilidad, o la misma se haya establecido con una periodicidad superior a un año natural, el devengo del impuesto se producirá a 31 de diciembre de cada año por la parte proporcional correspondiente al periodo transcurrido desde el inicio de la operación, o desde el anterior devengo, hasta la citada fecha.

 En caso de arrendamiento de local en el que se estipula que la renta se pagará a la finalización del mismo y este tiene una duración de 4 años, el devengo se producirá a 31 de diciembre de cada año, no de los 4 años.

Cuando los referidos suministros constituyan entregas de bienes exentas y no se haya pactado precio o cuando, habiéndose pactado, no se haya determinado el momento de su exigibilidad, o la misma se haya establecido con una periodicidad superior al mes natural, el devengo del impuesto se producirá el último día de cada mes por la parte proporcional correspondiente al periodo transcurrido desde el inicio de la operación, o desde el anterior devengo, hasta la citada fecha.

7.   En las entregas de bienes intracomunitarias exentas, distintas de las del punto anterior, el devengo del impuesto se producirá el día 15 del mes siguiente a aquel en el que se inicie la expedición o el transporte de los bienes con destino al adquirente o en el que los bienes se pongan a disposición del adquirente, en las entregas de bienes efectuadas en las condiciones señaladas en el artículo 9 bis, apartado dos, de la LIVA.

En esta unidad hemos conocido las diferentes tributaciones de operaciones interiores y exteriores.

No obstante, si con anterioridad a la citada fecha se hubiera expedido factura por dichas operaciones, el devengo del impuesto tendrá lugar en la fecha de expedición de la misma.

8.   No obstante, lo dispuesto en el apartado anterior, en las operaciones sujetas a gravamen que originen pagos anticipados anteriores a la realización del hecho imponible el impuesto se devengará en el momento del cobro total o parcial del precio por los importes efectivamente percibidos.

Lo dispuesto en el párrafo anterior no será aplicable a las entregas de bienes comprendidas en el artículo 25 de LIVA.

No obstante lo dispuesto en los apartados anteriores, en las entregas de bienes realizadas en los términos previstos en el artículo 8 bis de esta Ley, el devengo del impuesto de la entrega efectuada a favor del empresario o profesional que facilite la venta o la entrega, así como la efectuada por el mismo, se producirá con la aceptación del pago del cliente.

1.   En esta unidad hemos conocido las diferentes tributaciones de operaciones interiores y exteriores.

2.   Hemos conocido al sujeto pasivo en los diferentes tipos de operaciones.

3.   Hemos estudiado el lugar de realización para determinar su tributación y las diferentes operaciones que no están sujetas o exentas del impuesto.

# TEST DE UNIDADES DIDÁCTICAS

ENUNCIADOS

# Unidad 1

1. **La Ley que regula el IVA es:**

   a) Ley 32/1992.
   b) Ley 37/1992.
   c) Real Decreto 1625/1992.
   d) Ley 35/2006.

2. **El IVA no es un impuesto:**

   a) Indirecto.
   b) Comunitario.
   c) Estatal.
   d) Progresivo.

3. **El importe para determinar el campo de aplicación en el País Vasco es:**

   a) 6.010.121,04 €.
   b) 600.000 €.
   c) 7.000.000 €.
   d) 10.000.000 €.

4. **El importe para determinar el campo de aplicación en Navarra es:**

   a) 6.010.121,04 €.
   b) 600.000 €.
   c) 7.000.000 €.
   d) 10.000.000 €.

5. **El IVA grava, en la forma y condiciones previstas en la Ley:**

   a) Las entregas de bienes y prestaciones de servicios efectuadas por empresarios o profesionales.
   b) Las operaciones intracomunitarias.
   c) Las importaciones de bienes y las exportaciones de servicios.
   d) Todas son correctas.

6.  **Si compro un vehículo de segunda mano, ¿la factura incluye IVA?:**

   a)  No, la compra de un vehículo de segunda mano siempre está sujeto a ITP.
   b)  Cuando quien transmite es empresario o profesional.
   c)  Cuando quien transmite es un particular.
   d)  Todas las ventas o transmisión de bienes de consumo están sujetas a IVA.

7.  **Todas las operaciones de venta constituyen el hecho imponible del IVA:**

   a)  No, las ventas no constituyen el hecho imponible, solo la cesión de uso de un bien.
   b)  Las realizadas en el TAI.
   c)  Las realizadas por empresarios o profesionales, en el desarrollo de su actividad, tanto habitual como ocasional.
   d)  Son correctas b) y c).

8.  **El modelo de autoliquidación trimestral del IVA es:**

   a)  El modelo 349.
   b)  El modelo 360.
   c)  El modelo 309.
   d)  El modelo 303.

9.  **Desde el 1 de julio del 2017, ¿qué empresas están obligadas a estar sujetas al Suministro Inmediato de Información?:**

   a)  Las grandes empresas (aquellas cuya facturación sea superior a 6.010.121,04 €).
   b)  Los grupos de IVA.
   c)  Las empresas inscritas en el REDEME (Registro de Devolución mensual de IVA).
   d)  Todas son correctas.

10.  **El plazo para registrar las facturas emitidas en el SII, con carácter general, es:**

   a)  4 días hábiles.
   b)  8 días naturales.
   c)  4 días naturales.
   d)  Ninguna es correcta.

# Unidad 2

**1. La base imponible es:**

   a) El precio del producto.
   b) Las comisiones, transportes y seguros.
   c) Subvenciones que se vinculen al precio de las operaciones.
   d) Todas son correctas.

**2. Las subvenciones otorgadas por una entidad privada formarán parte de la base imponible del IVA:**

   a) No, salvo que estén vinculadas directamente al precio de los bienes o servicios.
   b) Sí, salvo que estén vinculadas al precio o al coste de producción de los bienes.
   c) Sí, salvo que guarden una relación directa con las unidades vendidas.
   d) Ninguna es correcta.

**3. Las subvenciones que se vinculan al precio:**

   a) Permiten que el precio de venta al consumidor final pueda ser más reducido.
   b) Tiene en cuenta las particularidades del sujeto pasivo.
   c) Se conceden en función del número de unidades entregadas o el volumen de servicios prestados.
   d) Son correctas a) y c).

**4. No se incluyen en la base imponible del IVA:**

   a) Los envases y embalajes.
   b) Tributos y gravámenes que recaigan sobre las operaciones.
   c) Indemnizaciones en las que no constituyan contraprestación.
   d) Los intereses por aplazamiento en el pago del precio.

**5. Será deducible el 100 por cien del IVA soportado en las siguientes adquisiciones::**

   a) En caso de asistencia a personas físicas por profesionales médicos o sanitarios.
   b) En prestaciones de servicios de asistencia social efectuadas por entidades públicas o privadas de carácter social.
   c) En caso de adquisiciones de bienes por un empresario para su inmediata exportación.
   d) En caso de operaciones de seguros y financieras.

6. **Podrán acogerse al régimen especial del criterio de caja:**

   a) Todas las empresas que lo soliciten, cuyos cobros a un mismo cliente no superen 150.000 euros.
   b) Las empresas que hayan superado 2.000.000 de euros de volumen de operaciones en el año natural anterior y lo soliciten.
   c) Las empresas que hayan renunciado al régimen general en el ejercicio anterior y lo soliciten.
   d) Ninguna es correcta.

7. **Se procederá a la regularización de los bienes de inversión:**

   a) Durante los cuatro años siguientes a su adquisición.
   b) Durante nueve años si corresponden a terrenos y edificaciones.
   c) Cuando exista una diferencia superior a diez puntos porcentuales entre las prorratas definitivas de cada año respecto al año de adquisición.
   d) Todas son correctas.

8. **Cuando la empresa soporte más IVA en sus facturas de compras y servicios que el IVA que repercute en sus ventas podrá solicitar la devolución del saldo negativo:**

   a) En todos los casos.
   b) En todos los casos, en la liquidación que presente el cuarto trimestre del ejercicio.
   c) Solo cuando el IVA deducible sea superior al IVA soportado y en el plazo establecido reglamentariamente.
   d) Ninguna es correcta.

9. **Los sujetos pasivos que realizan la actividad de taxi podrán solicitar la devolución de las cuotas deducibles por la adquisición de un nuevo vehículo:**

   a) En todos los casos.
   b) Cuando no tribute por el régimen simplificado del impuesto.
   c) Cuando el medio de transporte adquirido esté afecto a la actividad.
   d) Ninguna es correcta.

10. **Se podrá solicitar la devolución trimestral de las cuotas soportadas en el TAI por empresarios no establecidos:**

    a) Cuando el importe de las cuotas sea inferior a 400 €.
    b) Cuando el importe de las cuotas sea superior a 50 €.
    c) Cuando el importe de las cuotas sea superior a 400 €.
    d) Cuando el importe de las cuotas sea inferior a 50 €.

# Unidad 3

1. **Una empresa cuyo volumen de venta, en 2024, es de 151.000 €, ¿puede acogerse al régimen simplificado del IVA?:**

   a) No, porque el límite de volumen de operaciones es de 150.000 €.
   b) Sí, si no supera los 250.000 € en sus adquisiciones de bienes y servicios.
   c) Sí, si no está excluido por magnitudes excluyentes.
   d) Son correctas b) y c).

2. **¿Qué empresarios podrán deducir el IVA soportado en sus adquisiciones de bienes o servicios?:**

   a) Los acogidos al régimen simplificado.
   b) Los acogidos al régimen especial de la agricultura, ganadería y pesca.
   c) Los acogidos al régimen del recargo de equivalencia.
   d) Ninguna es correcta.

3. **El REBU, régimen especial de bienes usados, objetos de arte, antigüedades y objetos de colección se aplicará a los siguientes bienes (marca la respuesta incorrecta):**

   a) Textiles murales.
   b) Cerámica.
   c) Cadena de oro.
   d) Litografías.

4. **La base imponible en el REBU se calculará:**

   a) Por el margen de beneficio de cada operación aplicado por el sujeto pasivo, minorado en la cuota del IVA correspondiente a dicho margen.
   b) Por diferencia entre el IVA repercutido y el IVA soportado en el período de liquidación.
   c) Obligatoriamente, por el margen de beneficio global, para cada período de liquidación, minorado en la cuota del IVA correspondiente a dicho margen.
   d) Ninguna es correcta.

5. **El régimen especial de la agricultura, ganadería y pesca no se aplica a:**

   a) Los empresarios que tengan un volumen de venta superior a 250.000 €.
   b) Las cooperativas.
   c) Al agricultor que cultiva peras que vende confitadas.
   d) Todas son causas de exclusión.

6. **Se puede aplicar el régimen de bienes usados a los bienes (señala la respuesta incorrecta):**

   a) Utilizados por un tercero susceptible de nueva utilización.
   b) Vehículos adquiridos a una empresa que se dedica al alquiler de automóviles.
   c) Adquirido a quien no tiene la condición de empresario o profesional.
   d) Adquirido sin haber repercutido el IVA por tratarse de operación exenta o sin derecho a deducción.

7. **La base imponible en el REBU, en un establecimiento de venta de menajes del hogar de segunda mano, se determina:**

   a) Por diferencia entre el precio de venta y el precio de compra de todas las entregas de bienes efectuadas en cada período de liquidación.
   b) Por unas tablas o módulos establecidos en la Orden Ministerial.
   c) El margen de beneficio de cada operación, minorado en la cuota del IVA correspondiente al margen.
   d) A opción del contribuyente entre a) y c) en cada operación.

8. **En el régimen de agencias de viajes, la base imponible se determina:**

   a) Sobre el margen de cada operación minorado en la cuota de IVA de dicho margen.
   b) Sobre el margen bruto.
   c) Por diferencia entre IVA repercutido e IVA soportado.
   d) Todas son correctas.

9. **Se aplicará el régimen de las agencias de viajes a los siguientes servicios (marca la incorrecta):**

   a) Colonias de verano en el extranjero organizadas por la agencia de viajes subcontratando los servicios de empresa en el país de destino.
   b) Desplazamiento de los invitados de una boda que se presta con los autocares, propiedad de la agencia.
   c) Organización de un viaje de empresa para asistir en un congreso, que incluye desplazamiento, alojamiento y transporte.
   d) Organización de viaje para deportistas que comprenden transporte, alojamiento, clases de deporte, entrenamiento.

**10.** **El régimen de recargo de equivalencia no se aplicará en los siguientes servicios o ventas:**

a) Recogida, revelado y obtención de copias de películas fotográficas para su entrega al cliente.

b) La implantación de prótesis y órtesis.

c) La entrega de piezas de recambio para su utilización por empresarios reparadores de electrodomésticos.

d) Todas las operaciones descritas quedan excluidas del régimen de recargo de equivalencia.

# Unidad 4

1. **La base imponible por importación de bienes está compuesta de:**

    a) Valor de la transacción de las mercancías, de los envases y embalajes.
    b) Comisiones de corretajes.
    c) Los derechos de aranceles.
    d) Todas son correctas.

2. **¿Cuál de las siguientes operaciones interiores están exentas?:**

    a) Las entregas de sangre, plasma y demás fluidos.
    b) Los servicios prestados por estomatólogos, odontólogos.
    c) Servicios de psicólogos, logopedas y ópticos con titulación oficial.
    d) Todas son operaciones exentas.

3. **Constituyen prestación de servicios:**

    a) Los prestados por modelos en el ejercicio de su actividad.
    b) Suministro de comida o bebidas, prestados por comedores de empresa.
    c) Las reparaciones de bienes muebles corporales.
    d) Todos son prestación de servicios.

4. **Estarán exentas del IVA las siguientes prestaciones de servicios:**

    a) Los servicios funerarios.
    b) Los servicios de diagnóstico, prevención y/o tratamiento enfermedades o dolencias de las personas.
    c) Los servicios de vigilancia, socorrismo y salvamento en playas.
    d) Los servicios de quiropráctica.

5. **Las prestaciones de servicios consistentes en trabajos sobre bienes muebles cuando seguidamente van a ser exportados fuera de la Comunidad son:**

    a) Operaciones interiores.
    b) Entregas intracomunitarias.
    c) Son correctas a) y b).
    d) Operaciones de servicios exentas por conexión a actividad exportadora.

6. **Las exportaciones están exentas:**

   a) Cuando los bienes son expedidos o transportados fuera de España.
   b) Cuando los bienes son expedidos o transportados fuera de la Comunidad.
   c) Cuando los bienes son expedidos o transportados a la Comunidad.
   d) Ninguna es correcta.

7. **No se entenderán realizados en el TAI los siguientes servicios:**

   a) Los servicios de mantenimiento de un programa informático a una empresa situada en Luxemburgo.
   b) Los servicios de consultoría prestados a una asociación sin ánimo de lucro belga.
   c) Los servicios de gestión de inmuebles radicados en el TAI.
   d) Ninguna es correcta.

8. **Tributan al tipo general:**

   a) Las flores y plantas de carácter ornamental.
   b) Medicamentos de uso humano.
   c) Material escolar.
   d) Entrada a teatro.

9. **Tributan al tipo reducido:**

   a) Los servicios de control de calidad de la construcción.
   b) Agendas escolares.
   c) Plastilina.
   d) Entrada a teatro.

10. **Tributan al tipo superreducido:**

    a) Los servicios de control de calidad de la construcción.
    b) Partituras.
    c) Semillas y bulbos.
    d) Entrada a salas cinematográficas.

# Evaluación final

1.  **Un empresario, que es propietario de una tienda de artículos deportivos, desea saber si tiene alguna trascendencia a los efectos de IVA el retirar un chándal de su tienda para regalárselo a su hijo:**

    a) No tiene trascendencia tributaria alguna.

    b) Depende de si el hijo es mayor de edad.

    c) Se trataría de un supuesto de autoconsumo, y en caso de haberse deducido la cuota soportada en laadquisición, deberá repercutirse el IVA correspondiente e ingresarlo.

    d) Se trataría de un supuesto de autoconsumo, y deberá autorrepercutirse el IVA correspondiente e ingresarlo únicamente si el valor del chándal supera el precio de mercado de 90,15 €.

2.  **Un empresario dedicado habitualmente a la construcción realiza, con carácter ocasional, el transporte de unos muebles, por dicha operación percibe 300 €, ¿debe repercutir IVA?:**

    a) Sí, ya que en el impuesto se incluyen tanto las operaciones habituales, como las ocasionales.

    b) No.

    c) No, porque no supera los 500 €.

    d) Sí, por que supera los 150 €.

3.  **Las Sociedades Anónimas legalmente constituidas conforme a la normativa española, ¿son siempre consideradas empresario a efectos de IVA?:**

    a) Depende de su actividad.

    b) Sí, salvo prueba en contrario.

    c) No, nunca.

    d) Sí, siempre.

4.  **¿Es gravada por el IVA la importación de kiwis de Nueva Zelanda por un empresario madrileño?:**

    a) Sí, pues se trata de un país no integrante de la Unión Europea.

    b) No.

    c) Únicamente las importaciones de vehículos.

    d) Únicamente las importaciones de bienes de inversión.

5. La empresa "Ortodoncistas, S. L." ha reparado un aparato de ortodoncia por encargo de "Clínica Dental, S. L." para el Sr. Sáenz. A los efectos de IVA es una operación:

   a) No sujeta.
   b) Sujeta, pero exenta.
   c) Sujeta y no exenta.
   d) No sujeta y exenta.

6. Los servicios que presta un logopeda a personas físicas cuando se refiera a diagnóstico, tratamiento y prevención de enfermedades, a los efectos de IVA es una operación:

   a) No sujeta.
   b) Sujeta, pero exenta.
   c) Sujeta y no exenta.
   d) No sujeta y exenta.

7. ¿Es posible renunciar por el sujeto pasivo a la exención prevista por la Ley del IVA para las segundas y ulteriores transmisiones de edificaciones, incluidos los terrenos en que se hallen enclavadas?:

   a) Sí, siempre.
   b) Sí, pero es necesario que el adquirente sea sujeto pasivo que tenga derecho a la deducción del IVA soportado en la adquisición.
   c) No, en ningún caso es posible renunciar a las exenciones que establece la Ley.
   d) Sí, pero es necesario que la Administración lo autorice.

8. Señala la afirmación correcta. Si a lo largo de un trimestre un sujeto pasivo de IVA no realiza operaciones:

   a) No tiene obligación de presentar el modelo de declaración.
   b) Tiene obligación de presentar el modelo de declaración.
   c) Tiene que presentar declaración e ingresar la cuota mínima.
   d) Ninguna es correcta.

9. En el caso de un contribuyente que aplique el régimen especial de la agricultura, ganadería, y pesca del IVA, ¿cuánto debe reducirse en el importe de las cuotas soportadas por la adquisición de activos fijos?:

   a) Nunca, pues no resultan deducibles en este régimen.
   b) En la autoliquidación de cada uno de los trimestres.
   c) En la liquidación anual.
   d) En una liquidación adicional que se presenta en el mes de marzo del año siguiente.

10. **¿Cuál es el modelo de declaración que debe presentar un sujeto que aplique el régimen simplificado de IVA durante el cuarto trimestre de cada ejercicio?:**

    a) Modelo 300.
    b) Modelo 303.
    c) Modelo 200.
    d) Modelo 100.

11. **Indica cuál es el recargo de equivalencia que el proveedor de unas mercancías con un tipo impositivo del 21% debe aplicar:**

    a) 5,2%.
    b) 4%.
    c) 0,5%.
    d) 0%.

12. **En el régimen especial de las agencias de viajes resulta posible no aplicarlo, como tal, el IVA soportado de lo adquirido para organizar el viaje:**

    a) Sí, y aplicar el régimen general cuando el destinatario sea empresa o profesional con derecho a deducción.
    b) No, aunque sí se tiene en cuenta para determinar la base imponible.
    c) Únicamente la mitad.
    d) Únicamente en la liquidación final anual.

13. **La prorrata general es el resultado de la siguiente fracción:**

    a) Importe total de operaciones/Importe total operaciones que sí generan derecho a deducción.
    b) Importe total operaciones que sí generan derecho a deducción/Importe total de operaciones.
    c) Importe total de operaciones/Cuotas de IVA soportado.
    d) Importe total operaciones que no generan derecho a deducción/Importe total de operaciones.

14. **Indica cuál es el modelo de declaración trimestral de IVA en el caso de haber optado por el régimen simplificado:**

    a) 300.
    b) 332.
    c) 303.
    d) 320.

15. ¿Cómo se determina la base imponible en el régimen especial de los bienes usados, objetos de arte, antigüedades y objetos de colección?:

   a) Por el importe de la compra del bien.
   b) Por el importe de la venta del bien.
   c) Por la diferencia entre el precio de venta del bien, IVA incluido, menos el importe de la compra, IVA incluido.
   d) En base a unos módulos.

16. Indica cuál de los siguientes territorios no pertenece al TAI:

   a) Islas Baleares.
   b) Islas Canarias.
   c) País Vasco.
   d) Península Ibérica.

17. Indica cuál de los productos o servicios no está gravado al tipo del 10%:

   a) Semillas.
   b) Hielo comestible.
   c) Transporte de viajeros.
   d) Coches para personas con discapacidad.

18. Indica cuál de los siguientes no es un régimen especial del IVA:

   a) Oro de inversión.
   b) Estimación objetiva.
   c) Grupo de entidades.
   d) Simplificado.

19. Los servicios prestados por un funcionario para la administración en la que trabaja, se trata de una operación:

   a) No sujeta y exenta.
   b) Sujeta y exenta.
   c) No sujeta.
   d) Exenta.

20. El plazo para deducir las cuotas de IVA es de:

   a) Durante el ejercicio en que se origina el derecho.
   b) En los cuatro años siguientes desde el nacimiento del derecho.
   c) Únicamente durante el siguiente período de liquidación.
   d) Cinco años.

# TEST DE UNIDADES DIDÁCTICAS

# SOLUCIONES

# Unidad 1

1. **b)** Ley 37/1992.

2. **d)** Progresivo.

3. **d)** 10.000.000 €.

4. **c)** 7.000.000 €.

5. **a)** Es un tributo armonizado.

6. **b)** Cuando quien transmite es empresario o profesional.

7. **c)** Las realizadas por empresarios o profesionales, en el desarrollo de su actividad, tanto habitual como ocasional.

8. **d)** El modelo 303.

9. **d)** Todas son correctas.

10. **c)** 4 días naturales.

# Unidad 2

1. **d)** Todas son correctas.

2. **a)** No, salvo que estén vinculadas directamente al precio de los bienes o servicios.

3. **d)** Son correctas a) y c).

4. **d)** Los intereses por aplazamiento en el pago del precio.

5. **c)** En caso de adquisiciones de bienes por un empresario para su inmediata exportación.

6. **d)** Ninguna es correcta.

7. **d)** Todas son correctas.

8. **c)** Solo cuando el IVA deducible sea superior al IVA soportado y en el plazo establecido reglamentariamente.

9. **c)** Cuando el medio de transporte adquirido esté afecto a la actividad.

10. **c)** Cuando el importe de las cuotas sea superior a 400 €.

# Unidad 3

1. **d)** *Son correctas b) y c).*

2. **a)** *Los acogidos al régimen simplificado.*

3. **c)** *Cadena de oro.*

4. **a)** *Por el margen de beneficio de cada operación aplicado por el sujeto pasivo, minorado en la cuota del IVA correspondiente a dicho margen.*

5. **d)** *Todas son causas de exclusión.*

6. **b)** *Vehículos adquiridos a una empresa que se dedica al alquiler de automóviles.*

7. **d)** *A opción del contribuyente entre a) y c) en cada operación.*

8. **b)** *Sobre el margen bruto.*

9. **b)** *Desplazamiento de los invitados de una boda que se presta con los autocares, propiedad de la agencia.*

10. **d)** *Todas las operaciones descritas quedan excluidas del régimen de recargo de equivalencia.*

# Unidad 4

1. **d)** *Todas son correctas.*

2. **d)** *Todas son operaciones exentas.*

3. **d)** *Todos son prestación de servicios.*

4. **b)** *Los servicios de diagnóstico, prevención y/o tratamiento enfermedades o dolencias de las personas.*

5. **d)** *Operaciones de servicios exentas por conexión a actividad exportadora.*

6. **b)** *Cuando los bienes son expedidos o transportados fuera de la Comunidad.*

7. **a)** *Los servicios de mantenimiento de un programa informático a una empresa situada en Luxemburgo.*

8. **c)** *Material escolar.*

9. **d)** *Entrada a teatro.*

10. **c)** *Semillas y bulbos*

# Evaluación final

1. **c)** Se trataría de un supuesto de autoconsumo, y en caso de haberse deducido la cuota soportada en laadquisición, deberá repercutirse el IVA correspondiente e ingresarlo.

2. **a)** Sí, ya que en el impuesto se incluyen tanto las operaciones habituales, como las ocasionales.

3. **b)** Sí, salvo prueba en contrario.

4. **a)** SÍ, pues se trata de un país no integrante de la Unión Europea.

5. **b)** Sujeta, pero exenta.

6. **b)** Sujeta, pero exenta.

7. **b)** Sí, pero es necesario que el adquirente sea sujeto pasivo que tenga derecho a la deducción del IVA soportadoen la adquisición.

8. **b)** Tiene obligación de presentar el modelo de declaración.

9. **a)** Nunca, pues no resultan deducibles en este régimen.

10. **b)** Modelo 303.

11. **a)** 5,2%.

12. **a)** Sí, y aplicar el régimen general cuando el destinatario sea empresa o profesional con derecho a deducción.

13. **b)** Importe total operaciones que sí generan derecho a deducción/Importe total de operaciones.

14. **c)** 303.

15. **c)** Por la diferencia entre el precio de venta del bien, IVA incluido, menos el importe de la compra, IVA incluido.

16. **b)** Islas Canarias.

17. **d)** Coches para personas con discapacidad.

18. **b)** Estimación objetiva.

19. **c)** No sujeta.

20. **b)** En los cuatro años siguientes desde el nacimiento del derecho.

# GLOSARIO

## Actividad económica

Se considera cualquiera de carácter empresarial, profesional o artística, siempre que suponga la ordenación por cuenta propia de medios de producción, materiales y humanos, o de uno de ambos, con la finalidad de intervenir en la producción o distribución de bienes o servicios.

## Actividades empresariales

Se consideran aquellas que se encuentran en la sección primera de las Tarifas del IAE, mientras que las actividades profesionales y artísticas se encuentran encuadradas en las secciones segunda y tercera de las tarifas del citado impuesto.

## Acto administrativo

La declaración de voluntad, de juicio, de conocimiento o de deseo realizada por la Administración en el ejercicio de una potestad administrativa distinta de la reglamentaria.

## Acuerdo de enajenación

Resolución, dictada por el Tesorero del organismo de gestión tributaria, que ordena la venta en subasta pública de los bienes embargados al deudor.

## Afectación de bienes

A efectos del IRPF, se considera que un elemento patrimonial está afecto a la actividad si cumple unos determinados requisitos.

## Agencia Tributaria

Organismo de la Administración General del Estado encargado de la gestión, inspección y recaudación de los tributos.

## Alegación

Escrito presentado por el interesado ante la Administración, donde manifiesta hechos o razonamientos jurídicos en defensa de su derecho.

### Amortización

Es un gasto contable, que podrá ser deducible fiscalmente siempre que responda a unos determinados principios.

### Analogía

En derecho, es el método por el que una norma jurídica se extiende, por identidad de razón, a casos no comprendidos en ella.

### Año fiscal

Período de vigencia de los presupuestos de ingresos y gastos de la Administración y en el que se devengan los impuestos. En España coincide con el año natural, pero en otros países tiene fechas diversas.

### Autoliquidación

Declaración tributaria que efectúa el obligado al pago de una deuda donde pone de manifiesto las circunstancias o elementos integrantes de un hecho imponible determinando la cuota tributaria. Esta declaración siempre está sujeta a comprobación por parte de la Administración.

### Base imponible

Cuantía sobre la cual se determina la cuota tributaria a pagar por el contribuyente, de acuerdo con lo establecido por la ley propia de cada tributo. Por ejemplo, en el Impuesto sobre Bienes Inmuebles la base imponible está constituida por el valor del bien inmueble.

### Base liquidable

Resultado de aplicar a la base imponible las reducciones establecidas por la Ley.

### Bien de consumo

Bien que es comprado y utilizado directamente por el usuario final sin necesidad de transformación y que se desgasta de una sola vez o en un corto período de tiempo.

### Bien de equipo y de inversión

Bien destinado a producir bienes de consumo o de inversión, que se va desgastando en el proceso productivo en un período de tiempo dilatado.

### Bonificación

Reducción de la deuda tributaria establecida en la propia ley y aplicable en determinadas circunstancias. Por ejemplo, en los supuestos de viviendas de protección oficial en el Impuesto sobre Bienes Inmuebles.

### Borrador de declaración

Liquidación provisional de IRPF efectuada con los datos obrantes en poder de la AEAT y remitida al contribuyente para su posterior confirmación o rectificación.

### Calendario fiscal

Calendario que se establece anualmente por las Administraciones competentes en el que se indican los períodos de pago en período voluntario de todos los tributos de vencimiento periódico.

### Campaña de devoluciones

Es el período que se extiende desde el momento en el que los contribuyentes solicitan la devolución hasta que finalmente las devoluciones viables son realizadas.

Cada campaña va ligada al ejercicio en el que se devenga el derecho, aunque las devoluciones puedan ser realizadas fuera del mismo.

### Cargo en cuenta

Orden de un cliente que da a su entidad bancaria para que se efectúe el pago de un recibo descontándose la cantidad que corresponda de una cuenta determinada.

## Carta de pago

Medio de pago consistente en la manifestación del contribuyente de su voluntad de que la deuda sea descontada de una determinada cuenta bancaria de su titularidad.

## Censo

A efectos del Impuesto sobre Actividades Económicas, lista oficial de los sujetos pasivos y demás elementos tributarios del impuesto.

## Certificado de pago

Documento administrativo que acredita el pago de una deuda tributaria u otro ingreso de Derecho público. También se denomina carta de pago o justificante de pago.

## Certificado de usuario

A efectos de la firma electrónica, documento emitido por una Autoridad de Certificación que identifica una clave pública con su propietario.

## Coeficiente

En el ámbito tributario, número o factor que se aplica para modificar la cuota de un tributo. Por ejemplo, un vehículo con una potencia fiscal superior a 20 caballos tiene establecida una cuota, según la Ley de Haciendas Locales, de 112 €. Si el Ayuntamiento tiene aprobado, según sus ordenanzas fiscales, un coeficiente de 1,6, la deuda tributaria sería 112 x 1,6 = 179,20 €.

## Comprobación limitada

En este procedimiento, la Administración únicamente puede efectuar las siguientes actuaciones:

- Examen de los datos aportados por los obligados tributarios en sus declaraciones y de los justificantes presentados o requeridos al efecto.

- Examen de los datos y antecedentes en poder de la Administración que pongan de manifiesto la existencia de elementos determinantes no declarados o distintos de los declarados por el obligado tributario.

- Examen de:

   ⇨ Los registros, libros o documentos exigidos por la normativa tributaria o que tengan carácter oficial, excepto la contabilidad mercantil.

⇨ Facturas o documentos que sirvan de justificante a las operaciones incluidas en los libros, registros o documentos.

• Requerimientos a terceros para que aporten la información que se encuentren obligados a suministrar para que la ratifiquen mediante la presentación de los correspondientes justificantes. En ningún caso se puede requerir a terceros información sobre movimientos financieros.

Dictada la resolución, la Administración tributaria no podrá efectuar una nueva regulación en relación con el objeto comprobado salvo que en un procedimiento de comprobación limitada o inspección posterior se descubran nuevos hechos o circunstancias que resulten de actuaciones distintas de las relaciones y especificadas en la resolución anterior.

## Cómputo de plazos

En las actuaciones que se desarrollen ante las Administraciones públicas, los plazos se computan de la siguiente forma:

• Cuando los plazos se establecen en días, salvo que expresamente se disponga lo contrario, se entiende que éstos son hábiles, por lo que en su cómputo se excluyen los domingos y los festivos.

• Cuando los plazos se fijan en meses o años, estos se cuentan a partir del día siguiente a aquel en que se produzcan la notificación o de aquel en el que se pueda considerar la solicitud estimada o desestimada por silencio administrativo.

Si el mes de vencimiento no tuviera los mismos días que el mes que comienza el cómputo, se entiende que el plazo vence el último día del mes. Por ejemplo, si el plazo concedido es de un mes y comienza a computarse el 30 de enero, el vencimiento se producirá el día 28 de febrero.

Los plazos comienzan a contarse a partir del día siguiente a aquel en que se reciba la notificación o desde aquel en que se produzca la estimación o desestimación por silencio administrativo.

Si el último día del plazo es inhábil, el plazo se entiende prorrogado hasta el primer día hábil.

Cuando un día es hábil en el municipio o comunidad en la que residimos e inhábil en la sede del órgano administrativo que está instruyendo el procedimiento administrativo o viceversa, debe considerarse día inhábil.

Las deudas tributarias que deban satisfacerse mediante declaración-liquidación o autoliquidación, deberán satisfacerse en los plazos o fechas que señalan las normas reguladoras de cada tributo.

### Condonación de deudas tributarias

Es el acto jurídico mediante el cual una persona que es acreedora de otra decide renunciar a su derecho frente a la otra, liberando del pago al deudor.

### Consulta tributaria

Consulta efectuada a la Administración sobre temas tributarios cuya respuesta puede o no ser vinculante para la misma.

### Contraído previo

Son derechos de cobro que la Administración conoce y anota en cuenta antes de que se haya producido el ingreso de los mismos, por lo que a fin de ejercicio puede haberse producido el ingreso o quedar pendiente para ejercicios siguientes.

Proceden, por una parte, de actuaciones de la Administración (actas de inspección o liquidaciones como resultado de procesos de control) y, por otra, de autoliquidaciones del propio contribuyente que han dado lugar a reconocimientos de deuda (con solicitud de compensación o imposibilidad de pago) o solicitudes de aplazamiento y/o fraccionamiento.

### Contribuyente

El contribuyente es la persona natural o jurídica a quien la Ley impone la carga tributaria derivada del hecho imponible, aún cuando realice la traslación a otras personas (art. 31 de la Ley General Tributaria). En estos informes el término se refiere a todo sujeto pasivo que presenta al menos una declaración tributaria en el año.

### Cuota diferencial

Es el resultado de disminuir de la cuota líquida los ingresos y pagos a cuenta.

Puede ser positiva (a favor del Estado), cero / negativa o a devolver (a favor del contribuyente).

### Cuota diferencial neta

Es el resultado agregado de la suma aritmética de las cuotas diferenciales positivas y negativas individuales.

## Cuota íntegra

Es el resultado de aplicar el tipo de gravamen de carácter proporcional o progresivo que corresponda sobre la respectiva base liquidable (art. 54 de la Ley General Tributaria).

## Cuota líquida

Es el resultado de disminuir la cuota íntegra en el importe de las deducciones y bonificaciones recogidas en la Ley de cada tributo.

## Cuota tributaria

Cantidad de dinero que corresponde pagar a un sujeto pasivo como consecuencia de la aplicación de un tributo. Puede ser fija (si viene señalada directamente en el texto legal) o variable (que fluctúa como resultado de elementos variables incluidos en la normativa). También puede ser íntegra (antes de aplicar deducciones) o líquida (después de restar las correspondientes deducciones).

## Declaración complementaria

Se presenta con la finalidad de completar o modificar el contenido de una autoliquidación, declaración o comunicación presentada con anterioridad, y normalmente implica para el obligado tributario el pago de una deuda tributaria adicional.

Así, si no ha habido declaración previa, no cabe hablar de declaración complementaria sino de declaración fuera de plazo. El obligado tributario puede efectuar cuantas declaraciones complementarias estime oportunas.

Se puede presentar en cualquier momento anterior a la fecha de prescripción, y siempre que la Administración no haya practicado liquidación definitiva del impuesto.

## Declaraciones informativas

Algunas declaraciones tributarias no incorporan una autoliquidación y cumplen solo una función de información y control del cumplimiento. Es el caso del resumen anual del IVA (modelo 390), de los modelos de retenciones sobre rentas del trabajo (modelo 190), del capital (modelos 193, 194 y 196) y sobre arrenda-mientos (modelo 197), que se acompañan de listados individualizados de los perceptores. La misma naturaleza tienen los modelos anuales de operaciones con terceros (modelo 347) y de operadores intracomunitarios (modelo 349), que se acompañan también de listados individualizados de clientes, proveedo-res, importadores y exportadores.

Los modelos de operaciones de los impuestos especiales cumplen también una función informativa. Así, el modelo 570 del impuesto especial de hidrocarburos contiene un detallado resumen de las entradas y salidas de los consumos suje-tos, expresados en unidades físicas y para cada uno de los establecimientos o depósitos fiscales de la empresa.

### Decretos legislativos

Normas con rango de ley dictadas por el Gobierno en base a una delegación de las Cortes.

El Decreto legislativo ha de ser tramitado internamente por el Gobierno debiendo ser publicado en el BOE con su respectiva denominación de decreto legislativo.

### Decretos-leyes

Normas con rango de ley que emanan por vía de excepción de un órgano que no tiene constitucionalmente atribuido el poder legislativo, concretamente el Gobierno.

### Deducción

Cantidad que se puede deducir de la cuota del tributo de acuerdo con los térmi-nos establecidos por la normativa.

### Depósitos fiscales

Establecimientos en los que los productos pueden almacenarse en régimen suspensivo, sin liquidación de impuestos, hasta su salida a consumo.

### Derecho de superficie

Derecho real sobre un inmueble propiedad de otra persona que permite edifi-car y utilizarlo a cambio del pago de un canon periódico. En el Impuesto sobre Bienes Inmuebles, la persona titular del derecho real de superficie, es decir el superficiario, es el obligado al pago.

## Derecho de usufructo

Derecho real sobre un inmueble propiedad de otra persona, que otorga las facultades de poseer y recibir los frutos de ese inmueble. En el Impuesto sobre Bienes Inmuebles, el usufructuario, es decir la persona titular del derecho real de usufructo, es el obligado al pago.

## Derechos pendientes de cobro

Deudas de los contribuyentes liquidadas y contraídas por la Administración que todavía no han sido canceladas (por ingreso, prescripción, insolvencia u otras causas). Pueden ser de ejercicio corriente o de ejercicios cerrados.

## Derechos reconocidos

Es la suma aritmética del contraído previo del ejercicio corriente y del contraído simultáneo. En términos netos, minorados de las anulaciones (devoluciones, fraccionamientos, aplazamientos y anulaciones propiamente dichas).

## Desgravación

Deducción fiscal de la cuota de un tributo por alguna circunstancia prevista en la ley.

## Deudas en ejecutiva

Tributos y otros ingresos de Derecho público que están incluidos en un expediente administrativo de apremio.

## Deudas en voluntaria

Tributos y otros ingresos de Derecho público que se encuentran dentro del período de pago voluntario.

## Devengo del impuesto

Nacimiento de la obligación de pagar un tributo. Por ejemplo, el nacimiento de la obligación de pagar el Impuesto sobre Bienes Inmuebles se produce el primer día del período impositivo, es decir, el 1 de enero de cada año.

### Devoluciones de ingresos indebidos

Devoluciones motivadas, entre otras razones, por errores materiales en el cálculo de sus obligaciones por parte de los contribuyentes, por duplicidad en el pago o por haber ingresado una cantidad superior al importe de la deuda tributaria.

### Devoluciones efectuadas / pagadas / practicadas / realizadas

Pagos del Estado a favor de los contribuyentes como consecuencia de una autoliquidación o reclamación por ingresos indebidos, que se contabilizan en el momento en el que se llevan a cabo los mismos, con independencia del momento en el que la devolución haya sido solicitada.

### Devoluciones no procedentes

Devoluciones solicitadas que son anuladas, total o parcialmente, por la Administración debido, entre otras razones, a errores materiales en el cálculo, a duplicidades o por haber solicitado una cantidad superior a la que se tiene derecho.

### Devoluciones solicitadas

Hacen referencia a las autoliquidaciones con clave S, cuyo saldo es a favor del contribuyente.

### Devoluciones viables

Devoluciones solicitadas menos devoluciones no procedentes.

### Doble imposición

Situación que se produce cuando dos impuestos distintos recaen sobre el mismo hecho imponible y deben ser liquidados en el mismo período impositivo.

### Documento de pago

Documento que se envía al contribuyente con el que se puede efectuar el pago de una deuda en los lugares y con los medios que en el mismo se indican. Al documento de pago también se le denomina abonaré o tríptico.

### Domicilio fiscal

Domicilio del contribuyente a efectos tributarios. Para las personas físicas es el de su residencia habitual; para las personas jurídicas, es el de su domicilio social siempre que en él esté efectivamente centralizada su gestión administrativa y la dirección de sus negocios.

## Donación

Acto por el cual una persona, el donante, dispone gratuitamente una cosa a favor de otra persona, donatario, que la acepta.

## Donatario

Persona que recibe una donación. A efectos del Impuesto sobre el Incremento del Valor de los Terrenos de Naturaleza Urbana, el donatario es el obligado al pago.

## Ejercicio fiscal

Propiedad por la cual el nivel de producción aumenta en mayor proporción. Con carácter general el ejercicio fiscal (o período impositivo) coincide con el año natural, aunque puede haber excepciones como, por ejemplo, las entidades de ejercicio partido en el Impuesto sobre Sociedades.

## Estimación directa

Método de determinación de la base imponible, que consiste en obtener la renta real y cierta obtenida por el sujeto pasivo por diferencia entre los ingresos y los gastos computables y justificados.

## Estimación indirecta

Sistema para determinar bases imponibles mediante el empleo de índices, signos o módulos establecidos por la Administración, para el supuesto de que no se lleve contabilidad o registros y por lo tanto no pueda aplicarse la estimación directa.

## Estimación objetiva singular

Sistema de determinación de bases imponibles mediante el empleo combinado de datos aportados por el contribuyente y de índices o módulos establecidos por la Administración.

### Embargo de bienes

Acción de trabar bienes propiedad del deudor dentro del procedimiento administrativo de apremio. El embargo se realiza en los supuestos en que el deudor incumpla su obligación de pagar las deudas de Derecho público pendientes.

### Entidades colaboradoras

En el procedimiento de recaudación, entidades bancarias o cajas de ahorro que colaboran con la Administración Tributaria para el cobro de las deudas.

### Exacción

Hecho de exigir el cobro de impuestos, multas, tasas o deudas.

### Exención

Privilegio del que alguien goza y por el cual puede el contribuyente dejar de pagar en parte o completo un determinado tributo.

### Expediente administrativo de apremio

Conjunto de actuaciones realizadas por la Administración tributaria encaminadas al cobro de una deuda de Derecho público mediante la ejecución forzosa de bienes y derechos del patrimonio del deudor.

### Expediente sancionador

Conjunto de actuaciones de la Administración encaminadas a la imposición de una sanción.

### Factura

Es el documento que justifica el suministro de bienes o la prestación de servicios y, en su caso, la repercusión del IVA.

Todos los empresarios tienen, como profesionales, la obligación de expedir y entregar factura y copia de esta por cada una de las operaciones que realicen en el ejercicio de su actividad.

## Fianza personal solidaria

En el procedimiento recaudatorio, garantía que presenta una persona diferente del deudor para asegurar el cumplimiento del pago de un ingreso de Derecho público. Esta persona (fiador) se obliga a realizar el pago si no lo hace el deudor.

## Firma electrónica

La firma electrónica, también denominada firma digital, es un conjunto de datos asociados a un mensaje que permiten garantizar, con toda seguridad, la identidad del firmante así como la integridad del texto o mensaje enviado.

## Funciones delegadas

En el procedimiento de gestión y recaudación, actuaciones que realiza una Administración en virtud de las competencias conferidas por otra. Las funciones delegadas han de estar especificadas en un acuerdo tomado por la Administración delegante, y publicadas en los diarios oficiales correspondientes (artículo 7 del Texto refundido de la Ley reguladora de Haciendas Locales).

## Gastos deducibles

Aquellos cuyo importe se reduce de los ingresos íntegros para determinar la base imponible en los supuestos que determina la ley que regula cada tributo.

## Gestión recaudatoria

Actuaciones llevadas a cabo por la Administración encaminadas al cobro de una deuda tributaria u otro ingreso de Derecho público.

## Gestión tributaria

Actuaciones llevadas a cabo por la Administración encaminadas a la realización de una liquidación tributaria u otro ingreso de Derecho público.

## Grandes empresas

Aquellas cuyo volumen de operaciones (según el artículo 121 de la LIVA) haya excedido, durante el año natural inmediatamente anterior, de 6.010.121,04 euros, lo que supone que su censo se modifica cada año. Están obligadas a presentar mensualmente sus declaraciones-liquidaciones referentes a retenciones, impuesto sobre el valor añadido, impuestos especiales y primas de seguros.

Desde enero de 2003 aquellos retenedores de las Administraciones Públicas, incluida la Seguridad Social, cuyo último presupuesto anual supere los 6 millones de euros, también tienen obligación de presentar mensualmente las declaraciones correspondientes a retenciones sobre rendimientos del trabajo y actividades económicas.

## Hecho imponible

Presupuesto de naturaleza jurídica o económica fijado por la ley, cuya realización origina el nacimiento de la obligación tributaria. Por ejemplo, el hecho imponible del Impuesto sobre Actividades Económicas, que origina el nacimiento de una obligación tributaria, es el ejercicio de una actividad empresarial en territorio nacional.

## Hipoteca inmobiliaria

Garantía de pago que se da a un acreedor sobre la propiedad de un inmueble del deudor.

## Hipoteca mobiliaria

Garantía de pago que se da a un acreedor sobre la propiedad de un bien mueble (por ejemplo, maquinaria) del deudor.

## Imputación temporal

Momento concreto en el que se computan determinados rendimientos, según lo dispuesto en la regulación legal de cada impuesto.

## Ingresos de Derecho público

Recursos económicos de las Administraciones (tributos, precios públicos, sanciones), cuyo cobro se puede efectuar por la vía de apremio.

## Ingresos en formalización

Apunte contable, que no supone movimiento físico de dinero, mediante el que se cancelan derechos y deudas recíprocas. Por este medio se contabilizan, entre otras, las retenciones realizadas por la Dirección General del Tesoro, así como por las Delegaciones de Ministerio competente en materia de Hacienda. Se integran dentro del conjunto de autoliquidaciones mediante autoliquidaciones virtuales.

## Ingresos tributarios brutos

Recaudación realizada bruta de los tributos gestionados por la Hacienda estatal.

## Ingresos tributarios de las AA.TT.

Ingresos procedentes de la recaudación realizada líquida de los tributos gestionados por la Hacienda estatal que se ceden a las AA.TT. en virtud del sistema de financiación vigente.

## Ingresos tributarios del Estado

Recaudación realizada líquida de los tributos gestionados por la Hacienda estatal, una vez deducida la parte de los ingresos que corresponde a las AA.TT. en virtud del sistema de financiación vigente.

## Ingresos tributarios homogéneos

Recaudación realizada bruta depurada de todos aquellos factores, distintos de la variación de bases y tipos, que distorsionan la evolución de la serie y dificultan su seguimiento. Tiene como finalidad analizar la evolución subyacente de la recaudación a partir del comportamiento de sus determinantes económicos.

## Ingresos tributarios totales

Es la recaudación realizada líquida de los tributos gestionados por la Hacienda estatal antes de deducir la parte de los ingresos que corresponden a las AA.TT. (CC.AA. de régimen común en virtud del sistema de financiación autonómica vigente y CC.LL.). Pueden atribuirse al Estado (ingresos tributarios del Estado) o a las AA.TT. (ingresos tributarios de las AA.TT.).

### Inmueble de naturaleza rústica

A efectos del Impuesto sobre Bienes Inmuebles, y según lo dispuesto en el artículo 61 del Texto refundido de la Ley Reguladora de las Haciendas Locales, se considera inmueble de naturaleza rústica todo aquel definido como tal en las normas reguladoras del Catastro Inmobiliario. Constituye el hecho imponible de este impuesto la titularidad de los derechos señalados en el citado artículo.

### Inmueble de naturaleza urbana

A efectos del Impuesto sobre Bienes Inmuebles, y según lo dispuesto en el artículo 61 del Texto refundido de la Ley Reguladora de las Haciendas Locales, se considera inmueble de naturaleza urbana todo aquel definido como tal en las normas reguladoras del Catastro Inmobiliario. Constituye el hecho imponible de este impuesto la titularidad de los derechos señalados en el citado artículo.

### Intereses de demora

Cuantía que se genera cuando no se efectúa el pago de una deuda dentro del período de pago voluntario y que se ha de ingresar con independencia de la deuda principal. El importe se calcula según los días transcurridos desde la finalización del período de pago en voluntaria hasta el día en que se efectúe su pago.

### Ley de bases

Norma aprobada por las Cortes Generales, por la que se delega en el Gobierno la potestad de dictar un texto articulado con rango de ley, que adoptará la forma de decreto legislativo, y que deberá seguir los principios y criterios contenidos en aquella.

### Licencia urbanística

Autorización otorgada por la Administración para la realización de una actividad de edificación, uso del suelo, etc., de carácter urbanístico por parte del interesado.

## Liquidación tributaria

Acto por el cual la Administración determina una deuda tributaria y la cuota a pagar.

## Liquidación tributaria provisional

Acto administrativo mediante el cual se determina el importe de la deuda tributaria de forma provisional, a expensas de posterior comprobación y liquidación definitiva por parte de la Administración.

## Mínimo exento

Cantidad no sujeta a gravamen, a partir de la cual se aplica la tarifa que corresponda.

## Minoraciones

Se trata de ingresos procedentes de tributos gestionados y recaudados por la Hacienda estatal que son cedidos a otras Administraciones o entidades. En concreto se consideran minoraciones la participación de las AA.TT. y la asignación tributaria a la Iglesia Católica.

## NIF

El número de identificación fiscal (NIF) es un código de identificación de las personas físicas y jurídicas y de las entidades del artículo 35.4 de la LGT en sus relaciones de naturaleza o con trascendencia tributaria.

### Normas tributarias

Son aquellas cuya materia tiene carácter tributario. Sus principios y su régimen se recogen en el título primero de la Ley General Tributaria de 28 de diciembre de 1963.

### Objeto tributario

Bien o actividad en que recae un hecho imponible, fijado por la ley, y que origina el nacimiento de una obligación de contribuir. Por ejemplo, en el Impuesto sobre Vehículos de Tracción Mecánica el objeto tributario es el vehículo propiedad del contribuyente.

### Obligado al pago

Persona natural o jurídica a quien, por ley y a efectos tributarios, le corresponde realizar el pago de un ingreso de Derecho público.

### Obligado Tributario

Persona sobre la que recae la obligación de pago.

### Obra nueva

Nueva edificación o construcción realizada que, a efectos catastrales, ha de declararse a la Gerencia Territorial del Catastro a fin de actualizar el valor catastral del inmueble (en los Ayuntamientos donde el Impuesto sobre Bienes Inmuebles está gestionado por el ORGT, esta declaración ha de presentarse en las oficinas de dicho Organismo).

### Ordenanza fiscal

Disposición general de carácter reglamentario dictada por las Administraciones Locales, en el uso de sus competencias tributarias, mediante la cual se regula la imposición y ordenación de los tributos municipales.

## Órganos administrativos

Se pueden definir como: "los diversos centros o unidades funcionales en que se divide la organización administrativa de cada ente público y a cada uno de los cuales se adscribe como titular una determinada persona física o pluralidad de personas físicas, a fin de actuar las correspondientes funciones y atribuciones jurídicas, cuya actuación o ejercicio se imputa directamente al ente del que forman parte".

## Padrón fiscal

Listado donde figuran, entre otros elementos, todos los obligados al pago de un tributo de un municipio determinado.

## Participación de las AA.TT.

Parte de la recaudación líquida de la Hacienda estatal, en concepto de IRPF, IVA e impuestos especiales, que se cede a las AA.TT. en virtud del sistema de financiación vigente de estas Entidades.

## Período de pago ejecutivo

Plazo de que dispone el obligado al pago para hacer el ingreso con recargos e intereses de demora de un tributo u otro ingreso de Derecho público.

## Período de pago voluntario

Plazo de que dispone el obligado al pago de un tributo u otro ingreso de Derecho público para hacer el ingreso, de forma voluntaria, sin recargos ni intereses de demora.

## Período impositivo

Año en que se realiza el hecho de naturaleza jurídica o económica fijado por una norma y que origina el nacimiento de la obligación tributaria.

### Ponencia de valores

Es el documento administrativo que recoge los valores del suelo y de las construcciones, los criterios y módulos de valoración, así como el planeamiento urbanístico y otros elementos necesarios para llevar a cabo dicha valoración.

### Prescripción

Extinción, por el transcurso de 4 años, del derecho que tiene la Administración para determinar la deuda tributaria, exigir el pago de una deuda e imponer una sanción tributaria. Este plazo se interrumpirá en las condiciones establecidas en el artículo 66 de la Ley General Tributaria.

### Procedimiento administrativo de apremio

Conjunto de actuaciones llevadas a cabo por la Administración Tributaria, encaminadas a la recaudación (cobro) de una deuda de derecho público.

### Procedimiento sancionador

Conjunto de actuaciones integrantes de un expediente sancionador, llevadas a cabo de acuerdo con la normativa sancionadora, encaminadas a la imposición de una sanción.

### Prorrata

Cuando un sujeto pasivo realiza de manera exclusiva operaciones que generan derecho a deducción, puede deducir la totalidad del impuesto soportado en la adquisición de los bienes y servicios necesarios para su actividad. Por contra, si solamente realiza operaciones que no generan derecho a deducción, no existe tal derecho, por lo que la deducción es del 0% del impuesto que soporte.

### Providencia de apremio

Es el título ejecutivo que inicia el procedimiento de apremio. La providencia de apremio la dicta el Tesorero municipal y tiene la misma fuerza ejecutiva que una sentencia judicial para proceder contra el patrimonio del obligado al pago.

### Prueba

Es la demostración o justificación de la existencia real de los hechos alegados.

En los procedimientos de aplicación de los tributos quien haga valer su derecho deberá probar los hechos constitutivos del mismo. Los obligados tributarios cumplirán su deber de probar si designan de modo concreto los elementos de prueba en poder de la Administración tributaria.

En los procedimientos tributarios serán de aplicación las normas que sobre medios y valoración de prueba se contienen en el Código Civil y en la Ley de Enjuiciamiento Civil, salvo que la Ley establezca otra cosa.

## Pymes

Todas aquellas entidades que no son grandes empresas en términos tributarios ni Administraciones Públicas con obligación de declarar mensualmente sus retenciones sobre rendimientos del trabajo y actividades económicas.

## Recargo

Cantidad adicional calculada sobre la base o la cuota de un tributo en beneficio de la Administración impositora o de otro ente público.

## Recargo de apremio

Cantidad que se ha de ingresar cuando el pago de la deuda se realiza una vez finalizado el período de pago voluntario, con independencia del importe de la deuda principal. Este recargo será del 5% cuando la deuda se satisfaga antes de que haya sido notificada la providencia de apremio, del 10% si la deuda se paga una vez notificada la providencia de apremio y dentro de los plazos del artículo 62.5 de la Ley general tributaria, y del 20% más los intereses de demora transcurrido dicho plazo.

## Recargo de equivalencia

Régimen especial del IVA aplicable a comerciantes personas físicas.

## Recaudación aplicada

Medida de los ingresos cuyo criterio de registro es el del período en el que dichos ingresos son contabilizados en el presupuesto. Esto significa que la recaudación aplicada de un período contiene la mayor parte de los ingresos pendientes de aplicación a fin del periodo anterior y no recoge los ingresos que quedan pendientes de aplicar al final del propio período. Se refiere tanto a los ingresos de presupuesto corriente como a los de cerrados. En la actualidad, en términos anuales coincide con la recaudación realizada.

### Recaudación del ejercicio corriente

Operaciones realizadas correspondientes a recursos del presupuesto de ingresos del ejercicio en curso.

### Recaudación de ejercicios cerrados

Operaciones realizadas respecto a derechos pendientes de cobro al comienzo del ejercicio correspondientes a recursos de presupuestos de ingresos ya cerrados.

### Recaudación realizada bruta

Está formada únicamente por los ingresos efectivamente realizados en el período, con independencia de cómo hayan sido realizados (Entidades Colaboradoras, Cajas de las Delegaciones, Aduanas o Formalización) y del momento en que se apliquen al presupuesto.

### Recaudación realizada líquida/neta

Recaudación realizada bruta menos devoluciones pagadas. Si la recaudación líquida es del Estado, también tiene restadas las minoraciones y los ajustes con los territorios forales.

### Recaudación tributaria

Conjunto de órganos y personas que tienen por objeto el cobro efectivo de los distintos impuestos.

### Recurso de reposición

Recurso de carácter preceptivo que los interesados han de interponer contra los actos dictados por la Administración local en la gestión, inspección y recaudación de sus tributos, si desean acudir a la vía contencioso administrativa.

### Referencia catastral

Es un identificador oficial y obligatorio de todos los bienes inmuebles. Este código está asignado por el Catastro de tal forma que todo inmueble tiene una única referencia catastral. La referencia catastral incluye las coordenadas geográficas del terreno de que se trate.

### Régimen económico matrimonial

Desde el punto de vista jurídico, el régimen económico matrimonial se puede definir como el conjunto de reglas que regulan las relaciones económicas entre los cónyuges y entre estos y terceras personas mientras dura el matrimonio.

### Reglamento

Toda norma escrita o disposición jurídica de carácter general procedente de la Administración, en virtud de su competencia propia y con carácter subordinado a la ley.

### Retención

Retención es la cantidad Ingresada en el Tesoro Público por el pagador, a cuenta del Impuesto del perceptor, y que previamente le ha detraído de sus rendimientos brutos dinerarios.

### Sanción tributaria

Cantidades exigidas por la Administración como consecuencia de que el obligado tributario haya incurrido en una infracción tributaria. Puede ser grave o leve.

### Subasta pública

Acto público, dentro del procedimiento administrativo de apremio, mediante el cual se realiza la venta forzosa de bienes embargados a los deudores. Resulta adjudicatario quien hace la oferta económica más alta.

### Sujeto pasivo

Persona natural o jurídica que, por ley, resulta obligada al cumplimiento de una prestación tributaria, ya sea como contribuyente o como sustituto del mismo.

### Sustituto del contribuyente

Es sustituto del contribuyente el sujeto pasivo que, por imposición de la Ley y en lugar de aquel, está obligado a cumplir las prestaciones materiales o formales de la obligación tributaria. El concepto se aplica especialmente a quienes se hallan obligados por la Ley a detraer, con ocasión de los pagos que realicen a otras personas, el gravamen tributario correspondiente, asumiendo la obligación de efectuar su ingreso en el Tesoro (art. 32 de la Ley General Tributaria).

### Tourism organisation

Tabla de precios, derechos o impuestos que se tienen que pagar por la compra de una cosa o la realización de un trabajo. Conjunto de tipos de gravamen aplicables en un determinado impuesto.

### Tasa

Clase de tributo cuyo hecho imponible es la utilización del dominio público, la prestación de un servicio público o la realización por la Administración de una actividad que afecte o beneficie de modo particular al sujeto pasivo.

### Textos articulados

En este supuesto, el Parlamento fija mediante una ley de bases los principios generales que deben presidir la regulación de una determinada materia, y que deben ser desarrollados por el Gobierno mediante un decreto legislativo denominado texto articulado. La ley de bases deberá delimitar con precisión el contenido y alcance de la delegación y los principios y criterios que deben seguirse en su ejercicio. En ningún caso podrá autorizar la modificación de la propia ley de bases ni facultar para dictar normas con carácter retroactivo.

### Textos refundidos

En este caso, la labor que se confía al Gobierno es sistematizar y articular en un texto único una pluralidad de leyes que inciden sobre un mismo objeto, sin alterar la regulación material que resulta de las mismas. El texto refundido sustituye, derogándolas, a las leyes en él refundidas, que desde este momento dejan de ser aplicables. La autorización para refundir textos legales debe determinar el ámbito normativo al que se refiere el contenido de la delegación especificando si se circunscribe la mera formulación de un texto único o si incluye la de aclarar, regularizar o armonizar los textos legales que han de ser refundidos.

## Tipo de gravamen

Porcentaje, proporcional o progresivo, fijado por ley, que se aplica a la base liquidable para obtener la cuota tributaria.

## Tipo impositivo

Porcentaje, proporcional o progresivo, fijado por ley, que se aplica a la base liquidable para obtener la cuota tributaria. También se denomina tipo de gravamen.

## Tipo impositivo efectivo

Porcentaje resultante de relacionar la cuota a ingresar con la base liquidable.

## Tipo impositivo fijo o proporcional

Porcentaje aplicable a la base imponible que no varía al incrementarse esta.

## Tipo impositivo marginal

Tipo aplicable a los últimos tramos de la renta del sujeto pasivo.

## Tipo impositivo progresivo

Porcentaje aplicable a la base imponible que varía al incrementarse esta.

## Tipo medio

Resultado de dividir la recaudación entre la correspondiente base (liquidable, renta gravada, etc.).

## Transmisión de dominio

Acción y efecto de pasar a otra persona o personas la propiedad de una cosa.

## Transmisión lucrativa

Acción y efecto de pasar a otra persona la propiedad de un bien o derecho de forma gratuita, con lucro (ganancia o provecho) por parte de quien lo recibe.

### Transmisión onerosa

Acción y efecto de pasar a otra persona la propiedad de un bien o derecho a cambio de un precio o cualquier otra contraprestación.

### Tributos cedidos

Tributos cuyas competencias normativas han sido transferidas desde la Hacienda estatal a otras Administraciones.

### Tributos de cobro periódico

Tributos que se devengan anualmente, es decir, que han de pagarse cada año.

### Tríptico

Documento que se envía al contribuyente, con el que se puede efectuar el pago de un tributo en período de pago voluntario en los lugares y con los medios que en el mismo se indican. El tríptico también se denomina abonaré o documento de pago.

### Unidad familiar

La unidad familiar es el conjunto de personas que, a efectos de tributación conjunta, han de acumular sus rendimientos y ganancias de patrimonio obtenidos durante el período impositivo y responden conjunta y solidariamente del pago de la deuda tributaria.

### Uniones Temporales de Empresas

Las Uniones Temporales de Empresas (UTE) son las que surgen de contratos de colaboración de carácter temporal entre empresarios para el desarrollo o ejecución de una obra, servicio o suministro. En el sector que más se utilizan es en la construcción.

## Valor añadido

Es la diferencia entre el valor de lo producido y el valor de los factores incorporados, que es igual a la suma de las rentas generadas por el proceso.

## Valor catastral

El valor catastral es un valor administrativo que sirve de base, entre otros aspectos, para el cálculo del Impuesto sobre Bienes Inmuebles. Se obtiene a partir de los datos existentes en el Catastro Inmobiliario, y se fija con referencia al valor de mercado, sin que en ningún caso pueda exceder de este. Se calcula mediante un procedimiento concreto (ponencia de valores) y está integrado por el valor del suelo y el de las construcciones.

## Vía contencioso-administrativa

Procedimiento de reclamación contra los actos y resoluciones definitivos dictados por la Administración que se instruye ante los jueces y tribunales de la jurisdicción de lo contencioso-administrativo.

## Valor de mercado

Aquel pactado entre partes independientes en las relaciones comerciales.

## Vía ejecutiva

Procedimiento utilizado por la Administración tributaria dentro del ámbito de la recaudación de los ingresos de derecho público. Tiene como objetivo el cobro de una deuda de Derecho público por la vía de apremio.

### Vivienda habitual

Se considera la vivienda habitual del contribuyente la edificación que constituya su residencia durante un plazo continuado de, al menos, tres años, excepto:

- Cuando se produzca el fallecimiento del contribuyente.

- Concurran circunstancias que necesariamente exijan el cambio de vivienda, como separación matrimonial, traslado laboral, obtención del primer empleo o cambio de empleo, celebración de matrimonio o vivienda inadecuada en caso de minusvalía o situación análoga.

# BIBLIOGRAFÍA

# WEBGRAFÍA

# Bibliografía

- Manual de Derecho Tributario. Editorial Aranzadi, Navarra, 2017.

- Memento Práctico Fiscal. Editorial Francis Lefebvre, S.A. Madrid, 2017.

- GPS Fiscal. Editorial Tirant lo Blanc. 2017.

- Impuesto sobre Soviedades. Editorial Tirant. Valencia, 2015.

- Impuesto sobre la Renta de las Personas Físicas. Editorial Tirant. Valencia, 2015.

- Ley General Tributaria. Editorial Tirant. Valencia, 2015.

- Impuesto sobre el Valor Añadido. Editorial Tirant.

# Webgrafía

Páginas web de consulta:

- www.agenciatributaria.es

- www.noticiasjuridicas.com

- www.boe.es

- https://www.ief.es/

- https://www.hacienda.gob.es/

- https://www.icac.gob.es/